FILHOS DO ÉDEN

LIVRO 1

**Outras obras do autor
publicadas pela Verus Editora**

A BATALHA DO APOCALIPSE:
DA QUEDA DOS ANJOS AO CREPÚSCULO DO MUNDO

FILHOS DO ÉDEN:
LIVRO 2 – ANJOS DA MORTE

FILHOS DO ÉDEN:
LIVRO 3 – PARAÍSO PERDIDO

FILHOS DO ÉDEN:
UNIVERSO EXPANDIDO

FILHOS DO ÉDEN:
HERÓIS & SOLDADOS

SANTO GUERREIRO:
ROMA INVICTA

SANTO GUERREIRO:
VENTOS DO NORTE

EDUARDO SPOHR

FILHOS DO ÉDEN
HERDEIROS DE ATLÂNTIDA

LIVRO 1

35ª edição

Rio de Janeiro-RJ / São Paulo-SP, 2024

VERUS
EDITORA

Editora
Raïssa Castro

Coordenadora Editorial
Ana Paula Gomes

Copidesque
Ana Paula Gomes

Revisão
Anna Carolina G. de Souza

Projeto Gráfico
André S. Tavares da Silva

Ilustração da Capa
© Stephan Stölting

© Eduardo Spohr, 2011
ISBN: 978-85-7686-141-6

Direitos mundiais reservados, em língua portuguesa, por Verus Editora. Nenhuma parte desta obra pode ser reproduzida ou transmitida por qualquer forma e/ou quaisquer meios (eletrônico ou mecânico, incluindo fotocópia e gravação) ou arquivada em qualquer sistema ou banco de dados sem permissão escrita da editora.

VERUS EDITORA LTDA.
Rua Argentina, 171
São Cristóvão - 20921-380
Rio de Janeiro/RJ - Brasil
www.veruseditora.com.br

CIP-BRASIL. CATALOGAÇÃO NA FONTE
SINDICATO NACIONAL DOS EDITORES DE LIVROS, RJ

S749f

Spohr, Eduardo
  Filhos do Éden : herdeiros de Atlântida / Eduardo Spohr. - 35ª ed. - Rio de Janeiro, RJ : Verus, 2024.
  23 cm

  Apêndice
  ISBN 978-85-7686-141-6

  1. Anjos - Ficção. 2. Ficção brasileira. I. Título.

11-4477 CDD: 869.93
CDU: 821.134.3(81)-3

Revisado conforme o novo acordo ortográfico

Para os meus irmãos, Juliana e Tiago
E para os amigos Guilherme e Ximu

SUMÁRIO

Apresentação: Uma mensagem aos leitores
de *A Batalha do Apocalipse* 11
O Manuscrito Sagrado dos Malakins 13

LIVRO I: HERDEIROS DE ATLÂNTIDA
Prólogo 19

PARTE I: SANTA HELENA
1 Can't Take my Eyes off You 29
2 Os Sentinelas 34
3 Redemoinho Estelar 38
4 Apartamento 617 45
5 Consulta Médica 50
6 Amigo dos Homens 58
7 Centelha Divina 64
8 Fim da Linha 68
9 Trilha de Chamas 73
10 Mente em Branco 78

11 Anjos e Monstros 82
12 Disparo na Noite 89
13 Exilado 94
14 Ascensão e Queda 98

PARTE II: NA ESTRADA
15 Platina Branca 105
16 Anjo da Morte 110
17 Guerra no Céu 117
18 Palácio Celestial 125
19 A Caverna de Gelo 130
20 O Anjo Branco 137
21 Anistia 146
22 Belle Époque 153
23 Batida Policial 159
24 Faísca 167
25 Planos e Dimensões 175
26 Última Chance 182
27 A Horda 186
28 Éden Celestial 189
29 Guerra de Trincheiras 196

PARTE III: AMAZÔNIA
30 Falcão-Peregrino 207
31 Motel Cosmos 210
32 O Primeiro Anjo 218
33 As Nações Antediluvianas 226
34 Vórtices e Vértices 231
35 Entre Feras e Lobos 237
36 O Templo Yamí 246
37 No Mundo dos Sonhos 256

38 Enoque e Atlântida 271
39 Fogo Negro 277
40 "Dirija Rápido e Mantenha-se Bêbado" 282
41 Palavra de Retorno 286

Parte IV: Athea

42 Cortina de Aço 291
43 Ectoplasma 299
44 Coração de Gelo 307
45 Tommy Gun 315
46 Três Desejos 322
47 O Mágico de Oz 328
48 As Vias Atlânticas 332
49 Demônio Celeste 338
50 O Sexo dos Anjos 344
51 O Rochedo dos Mortos 349
52 Obelisco Negro 357
53 Invasores de Enoque 362
54 Baralho de Opostos 367
55 Fogo contra Gelo 372
56 A Câmara Oceânica 380
57 Soldados do Inferno 385
58 O Golem 389
59 Carta na Manga 394
60 Além da Eternidade 397
61 Sopro de Deus 406
62 Questão de Honra 411
63 Espiral de Fogo 415
64 O Anjo da Revelação 420

Epílogo 423

LIVRO 2: ANJOS DA MORTE

Prólogo 429

Apêndice

Personagens 437

As Sete Castas Angélicas 441

Os Sete Céus 442

Cronologia Celeste 443

A Realidade e Além 451

Linha do Tempo 458

Glossário 464

APRESENTAÇÃO
Uma mensagem aos leitores de *A Batalha do Apocalipse*

NA MADRUGADA DO DIA 9 DE JULHO, DESPERTEI AGITADO. NÃO CONSEGUIA voltar a dormir, preocupado com o roteiro ainda pendente da minha viagem de férias, marcada para dali a duas semanas. Depois de um ano e meio de privações, e após ter entregado à editora os manuscritos finais de *Filhos do Éden – Herdeiros de Atlântida*, resolvi tirar um curto período de descanso na França, onde pretendia iniciar as pesquisas para o segundo volume desta série, *Anjos da morte*.

Vencido pela insônia, tomei o elevador e caminhei algumas quadras até a praia de Copacabana, para apreciar um espetáculo que há tempos não via – o nascer do sol. Sentado nas areias brancas, divaguei sobre todas as coisas que aconteceram desde o primeiro lançamento de *A Batalha do Apocalipse*.

O sucesso do livro, tão improvável quanto a perspectiva de uma esfera incandescente vir a abrigar formas de vida, deve-se inegavelmente aos anjos – não aos alados da fantasia, tampouco às figuras mitológicas, mas às pessoas comuns que, sem esperar nada em troca, divulgaram a obra entre os colegas de trabalho, os amigos da faculdade, os companheiros de escola, os familiares. O poder desses celestiais é magnífico, e, se *A Batalha do Apocalipse* tem um herói, são os leitores, os verdadeiros responsáveis por fazer os querubins alçarem voos mais elevados.

A repercussão das caminhadas de Ablon lançou às minhas mãos um dilema. Embora apaixonado pelos antigos personagens, algo me dizia que era preciso renová-los, que o retorno de Orion, Shamira ou Amael, neste momento, seria uma jogada incoerente e oportunista – a trajetória deles se encerra em *A Batalha*, não seria justo desgastá-los.

O cenário apresentado, no entanto, ainda poderia gerar permutações. Por ser um renegado, Ablon esteve por séculos alheio à política celeste, e esse era o ponto que eu queria explorar. Como se relacionam as diferentes castas no céu? Quem são os agentes na linha de frente? Qual é o reflexo da guerra civil na vida dos seres humanos? Quais são os reinos que se escondem além do tecido da realidade, aos quais o Primeiro General era incapaz de se transportar?

No fim das contas, a decisão de principiar uma nova saga, em vez de simplesmente reciclar os elementos do livro anterior, foi espontânea, um traço, a meu ver, essencial para que qualquer história dê certo. A ideia era expandir esse "universo", abrindo um novo leque de possibilidades, de novas tramas e acontecimentos. Portanto, ainda que *Filhos do Éden* guarde semelhanças com o enredo pregresso, ele constitui uma obra única, que propõe questões mais humanas e apresenta heróis mais vulgares, menos infalíveis.

Herdeiros de Atlântida é o primeiro tomo de uma série, com cada parte encerrando uma aventura, uma missão. Velhas perguntas serão respondidas, à medida que outras surgirão, para então se fecharem à conclusão do último ato.

Este livro é, sobretudo, uma homenagem aos antigos leitores, um romance livre de oportunismos, que respeita a cronologia original, ao passo que introduz novos conceitos. É, ainda, um tributo aos personagens clássicos, uma forma de dar a eles o descanso devido e ao mesmo tempo guardá-los para sempre em nossas memórias.

Olhei para o céu. Ao leste, o anil do crepúsculo havia assumido tons carmesins, num incrível espetáculo de nuvens alaranjadas. O sol havia nascido.

Era o início de um novo dia.

Eduardo Spohr, *outono de 2011*

O MANUSCRITO SAGRADO DOS MALAKINS

Poucos sabem como começou. Ou o que havia antes. Não que isso importe, realmente. Porque não houve um *antes*. Aconteceu em um tempo em que o próprio tempo não existia, e a matéria não passava de um grão de energia, flutuando na sombra do espaço.

Guerra. Luz e trevas. Lei e ordem. Claro e escuro. Bem e mal.

Sobreveio a explosão. Indescritível. Inimaginável. Ensurdecedora. O universo se expandiu, lançando fragmentos na negritude, formando ondas de poeira cósmica, dando origem às dimensões paralelas. Mundos inteiros foram criados. Estrelas nasceram e morreram, nebulosas surgiram nos oceanos de plasma. Galáxias se condensaram.

Por bilhões de anos, os alados vagaram sozinhos, intocáveis no santuário infinito. E, quando o sexto dia terminou, Deus estava orgulhoso de seu trabalho. De todas as maravilhas, a espécie humana foi a que ele mais adorou: sua criação podia aprender, evoluir e amar.

Yahweh partiu para o descanso do sétimo dia e deixou aos cinco arcanjos a tarefa de comandar os celestes, reger o paraíso e servir à humanidade, sem interferir em seu curso. Mas, inflados de ciúme e luxúria, os primogênitos invejaram a raça mortal. Miguel, o Príncipe dos Anjos, decidiu que os homens não eram herdeiros dignos de Deus e resolveu tomar a terra de assalto. Enviou assassinos, fomentou cataclismos, explodiu vulcões, provocou terremotos e congelou o planeta.

O paraíso se dividiu. A primeira revolta foi esmagada, e os conspiradores, expulsos. A tensão entre os gigantes cresceu, culminando numa batalha devastadora, que secionou para sempre as hostes divinas. Lúcifer, o Arcanjo Sombrio, desafiou a autoridade do onipotente Miguel, atraindo um terço das legiões para sua causa. Mas suas ambições eram igualmente malignas e, vencidos, os anjos caídos foram atirados ao inferno, onde aguardam o momento oportuno para completar sua vingança.

Milênios mais tarde, os focos da rebelião, sufocados no princípio, se reacenderiam numa nova chama. O arcanjo Gabriel, servo mais leal do Príncipe Celeste, recebeu a missão de descer à Haled para planejar uma nova catástrofe. Mas, em seus corpos terrenos, os anjos são vulneráveis aos sentimentos carnais. Pela primeira vez, ele provou o calor da alma humana e entendeu o amor que sentia por Deus. Repudiou as ordens do irmão e assim começou uma nova guerra, a guerra civil, a eterna disputa pelo paraíso, que persiste até hoje.

Reunidos no Primeiro Céu, Gabriel e os exércitos rebeldes iniciaram uma gigantesca campanha contra as forças legalistas, estacionadas na quinta camada. O Quarto Céu, Acheron, transformou-se numa violenta zona de combate, onde os querubins lutam dia e noite há mais de dois mil anos.

Quando os revoltosos avançaram, derrubando fortalezas e ganhando posição, Miguel, temeroso de perder o trono, ordenou o Haniah, o Retorno, determinando que todos os seus aliados que atuavam ou estivessem no plano material regressassem imediatamente. Com o contingente inimigo aumentando, Gabriel fez o mesmo, e a Haled foi abandonada. Os vórtices de acesso às dimensões superiores foram fechados, restando alguns poucos, guardados por poderosos vigias.

A casta dos elohins, cuja natureza é viver entre os homens, obteve permissão especial para continuar no mundo físico, assim como outros desgarrados, que se recusaram a voltar. A única condição era que não interviessem no rumo da guerra e estivessem prontos para servir a seus arcanjos quando o dever os chamasse.

Enquanto o paraíso queima num embate de sangue e espadas, os dois lados estabeleceram um armistício na terra – uma trégua frágil e delicada, que pode desmoronar a qualquer instante.

Isolada no Sexto Céu, a ordem dos malakins traçou suas previsões.

Aquela não seria mais uma guerra. Havia começado.

Era o princípio do fim.

LIVRO I
HERDEIROS DE ATLÂNTIDA

PRÓLOGO

Interior do Brasil, dias atuais

P ARA A MAIORIA DOS ANJOS, O GRANDE PROBLEMA DA TERRA NÃO É A CORrupção humana ou a degradação social. É o *cheiro*.

Levih e Urakin se acomodaram na mesa do restaurante, uma espelunca à beira da estrada, nos fundos de um posto de gasolina decadente, de paredes enegrecidas pela poluição dos caminhões e janelas embaçadas com a gordura das frigideiras. Era noite e o pavilhão estava agitado. Carreteiros, passageiros de ônibus e funcionários de transportadoras comiam e bebiam, naquela que era a última parada rodoviária em quilômetros. O chão, coberto de marcas de óleo, escorregava a cada passo. No ar, o odor de combustível se misturava ao fedor de urina, que escapava intermitentemente do banheiro sem portas. Sob o balcão, sanduíches e salgados eram expostos numa estufa gelada, atraindo insetos ao banquete noturno.

Levih, acomodado à direita da mesa, era uma exceção entre os alados. Conhecido como Amigo dos Homens, pertencia à casta dos ofanins, a ordem dos anjos protetores, defensores da espécie mortal. Vagara pelo mundo ajudando em causas humanitárias, dando alimento espiritual aos desesperados, tentando afastá-los da perversão. Seu rosto era jovem, de olhos azuis e dentes muito brancos, que se destacavam na expressão sorridente. Os cabelos cobriam a testa numa franja grisalha, e os fios cinzentos tornavam difícil saber se tinha 20, 30 ou 40 anos. A barba da mesma cor corria rala em volta do queixo, e a falta de bigode revelava uma constituição delicada. Vestia calça azul, camisa bege e um paletó verde-musgo, de um tecido tão fino que fazia lembrar um jaleco. O corpo magro combinava com a pele clara, o nariz arguto e as bochechas rosadas.

Acomodado à sua frente, Urakin, Punho de Deus, não tinha a mesma opinião acerca dos homens. Era um querubim, um anjo guerreiro, e não apreciava toda aquela desordem. Alto e musculoso, de corpo forte e quadrado, era fácil confundi-lo com um lutador peso-pesado, ou mesmo com um caminhoneiro mal-encarado. A expressão robótica assustava, realçando ainda mais a cicatriz no supercílio. O pescoço grosso terminava numa face redonda, de cabelos raspados, orelhas pequenas e cavanhaque curtíssimo. Usava coturnos, camiseta escura e uma japona marrom, com o capuz cáqui jogado para trás.

Um grupo de motoristas embriagados começou a cantar o hino de um clube esportivo. A chuva parou, silenciando os pingos no teto de fibra. Uma música antiga tocava repetidamente no rádio do bar: "Can't Take my Eyes off You".

– Então, você é o líder da missão? – perguntou Urakin, com os olhos fixos em Levih. Sua voz era áspera e ele falava pausadamente, ainda pouco confortável com a recém-materializada forma física, que os celestes chamavam de avatar.

– É o que parece – Levih respondeu, agradável. Olhou sobre as cabeças, como se procurasse alguém que estava para chegar. – É curioso. Uma formação nada usual.

– Como? – O comentário não fazia sentido.

– Nossas castas. Um baralho de opostos. Já pensou como isso é raro?

– Não fui recrutado para pensar – foi a resposta. – O que estamos esperando?

– O meu sanduíche – mas, ao entender a impaciência do colega, acrescentou:

– Estou calculando qual seria a melhor rota até o nosso destino.

– Você conseguiu um carro. – Através da janela, podia-se ver um velho utilitário estacionado num terreno baldio, quase no meio do mato, a oeste da parada de ônibus. – Já caminha na Haled faz muito tempo?

Levih sorriu e, apesar da aparência adulta, tinha algo de infantil no rosto. Os ofanins são essencialmente bondosos, tão amáveis que muitas vezes beiram a ingenuidade.

– Algum tempo.

Um homem de avental amarelado avisou que o sanduíche saíra da chapa: pão francês com queijo e manteiga. Levih buscou o prato, voltou à mesa e abriu um guia rodoviário, enquanto enfiava um canudo na latinha de refrigerante.

– Não sei como aguenta comer essa porcaria – Urakin parecia enojado.

– A gente se acostuma – Levih retrucou, sem dar muita importância. Indicou com o dedo um ponto no papel. – Já esteve aqui?

– Santa Helena? – Era o nome que constava no mapa. – Nunca ouvi falar.

– Também não. – O ofanim fechou o guia e o arrastou para o canto da mesa. – Agora, diga-me. Como pode ter acontecido? Dois celestiais, sendo um deles um arconte, desaparecerem sem deixar vestígios?

– Essa é a nossa missão?

– Resgatá-los. Por isso viemos. – Bebeu um gole do refresco e deu uma mordida generosa no pão com queijo. – Kaira, Centelha Divina, uma ishim mestre na província do fogo, e Zarion, o querubim que a protegia. Sumiram nesta cercania há dois anos, talvez um pouco mais.

– E por que só nos mandaram *agora*?

– Por que você acha? – Levih inclinou o corpo para frente e sussurrou, como quem partilha um segredo. – Não deveríamos estar aqui. *Eles* não deveriam ter estado aqui. Temos uma trégua, esqueceu?

– Duvido que Gabriel tenha quebrado o armistício. – Ele confiava em seu comandante. – E o que faremos após encontrá-los?

– Fui orientado a dar prosseguimento à missão original, estejam eles vivos ou mortos.

– E você sabe o que, ou quem, eles estavam perseguindo?

Levih ia responder, mas se calou. Dois homens com farda da polícia militar entraram no salão. Seus uniformes eram azul-marinho e usavam coletes à prova de bala. No cinturão, traziam pistolas de grosso calibre, rádio, cassetete, algemas e munição para as armas. Foram direto para a mesa dos anjos, sem ao menos olhar ao redor.

– Eu cuido disso – avisou o Amigo dos Homens, no momento em que o guarda se aproximou para abordá-lo.

– Boa noite, amigo. – O policial não esperou Levih responder. – O carro lá fora é seu? – e mostrou o automóvel estacionado no pátio.

– É de um colega.

– Eu quis dizer isso. – O segundo policial não desgrudava a atenção de Urakin. – Vai ter que vir comigo.

– Algum problema?

– Nada grave. Preciso checar os documentos. Só queremos verificar...

– Vamos acabar logo com isso. – O Punho de Deus se levantou. Levih devorou o resto do sanduíche e os seguiu, limpando os dedos em guardanapos de papel barato. Estava confiante em resolver o impasse, afinal a persuasão é uma característica inata da casta. Eles a usam para provocar reações emocionais, converter espíritos malignos e conduzir seres humanos ao caminho da redenção.

Urakin continuava em alerta enquanto saíam do restaurante. Os guardas não o assustavam, mas havia algo de estranho na maneira como andavam – ele não sabia dizer o que era. E havia um cheiro desagradável.

Na parte anterior do terreno baldio estava estacionada uma viatura policial, de portas abertas, bloqueando a saída do utilitário. Ao volante os aguardava um oficial graduado, exibindo insígnia de capitão, com a mesma farda de seus companheiros. Enfiada no coldre, sua pistola não era própria da instituição – era uma SIG-Sauer calibre 45 ACP, cromada, com a coronha e o gatilho pretos, um equipamento caro e bastante incomum. Levih calculou que tinha 35 anos, talvez um pouco menos.

Mas, apesar de ser um agente da lei, demonstrava expressão de bandido. O corpo era típico dos militares, com os antebraços especialmente largos. Os olhos eram negros e sombrios, delineados por sobrancelhas pretas. Os cabelos, igualmente escuros, estavam parcialmente escondidos sob a boina. Levantou-se imediatamente ao vê-los chegar. Encarou os celestes, examinando-os por vários segundos. Arrostou Urakin num gesto de desafio, para a seguir anunciar, como um juiz que lê a sentença:

— Este carro foi dado como roubado. Estamos atrás do ladrão. Onde estão os documentos?

Pelo tom, Levih entendeu que a acusação era séria. Os ofanins não aprovam a violência, mas ele sabia exatamente o que fazer.

— Capitão, eu e o meu amigo estamos muito cansados — argumentou. — E temos pressa. Estou certo de que entende isso. Agora, por que não esquece este mal-entendido e tira a viatura de nosso caminho? Seria de imensa ajuda, e ficaríamos eternamente agradecidos.

Normalmente, Levih não teria problemas em persuadir qualquer homem mortal, mas o agente estava irredutível. Franziu a testa e pousou a mão sobre a coronha.

— Também temos pressa, companheiro.

Com um instante de diferença, Urakin previu o ataque. Escutou quando os dois policiais mais atrás sacaram suas armas e decidiu reagir, como faria qualquer bom soldado. Estendeu a mão e tocou a maçaneta do utilitário, muito próximo a ele. Puxou a porta com violência e as dobradiças se partiram, rasgando o metal num trovejo. No mesmo impulso, transformou a peça em porrete, golpeando um dos oficiais bem na testa. Antes que o primeiro deles pudesse disparar, a espinha se quebrou com o choque — o corpo desabou inerte, esparramado ao lado de um arbusto, quando o outro guarda puxou o gatilho.

Levih estava paralisado, impressionado demais para reagir. O código de sua casta o impedia de ferir qualquer criatura, especialmente seres humanos, mesmo em defesa própria.

Urakin ouviu um estalo e sentiu duas balas lhe atravessarem a carne — uma entrou pelo ombro e a segunda trespassou o estômago, felizmente longe do coração. Vigoroso, lançou-se à batalha e, como um urso, agarrou o atirador pelas têmporas, suspendendo-o com ambas as mãos.

O capitão não estava alheio ao combate, mas preferiu recuar, para só então puxar a pistola. Por sorte, a espoleta falhou, e, ao ver o estrago que o querubim provocara, ele saiu correndo, tomando distância dos anjos.

– Vá pegá-lo! – gritou o Punho de Deus, mas Levih se recusou.

– Pare com isto. É uma ordem! – Ele não tolerava assassinatos.

– Ainda acha que... – Urakin esmigalhou o pescoço – eles são humanos? – Quando a vítima morreu, ele a largou sobre o solo para, num movimento automático, remover-lhe o coração.

Reparando mais atentamente, os dois cadáveres eram distintos dos defuntos comuns. Os corpos começaram a murchar, como se os órgãos, o sangue e até os ossos estivessem *secando*. Restou, dali a poucos segundos, uma mancha de excrementos, borbulhando dentro de uma casca enegrecida, que foi diminuindo até esfriar.

– Raptores – murmurou o Amigo dos Homens. – Como nos acharam?

– É o trabalho deles – raciocinou o Punho de Deus.

– Como soube?

Urakin caminhou até a parte posterior da viatura, ainda com as luzes de alerta piscando. Abriu o porta-malas, rompendo a tranca com sua força sobre-humana. Três homens jaziam mortos, amontoados no bagageiro. Suas fardas e sua aparência eram as mesmas das entidades que os haviam agredido.

– Senti cheiro de carne podre.

Levih deu uma boa olhada nos policiais falecidos.

– Que diabrura! Eles copiam perfeitamente a forma humana.

– Qualquer forma – Urakin corrigiu. – Já enfrentei alguns deles antes – fechou o porta-malas. Sua natureza guerreira clamava por mais ação. – Vamos ficar parados? O chefe deles ainda pode estar ao nosso alcance.

– Melhor deixarmos que ele fuja – decidiu o ofanim. Era o líder, por enquanto. – Esse incidente não tem nada a ver com a nossa missão. Os raptores andam por aí a caçar anjos perdidos. Uma lástima que nos tenham localizado. Mas não podemos deixar que contratempos assim nos atrasem.

– Como preferir. – Os querubins são práticos em seus objetivos e perfeitamente leais.

Urakin respirou fundo e só então notou quanto sangrava. Os tiros não o matariam, mas o haviam deixado exausto – ele precisava se alimentar.

– Sabe aquele sanduíche nojento? – continuou o guerreiro, apoiando a mão no ombro do pequeno Levih. – Acho que vou aceitar.

PARTE I
SANTA HELENA

1
CAN'T TAKE MY EYES OFF YOU

Universidade de Santa Helena, região serrana do Rio de Janeiro

Santa Helena era uma cidade fria, mesmo no outono. Nos dias mais quentes, o clima tropical trazia chuva e umidade, mas na altitude das montanhas sempre corria uma brisa gelada, regulando o ar a uma temperatura agradável. Bem cedo pela manhã, um tapete de folhas cobriu a praça da universidade, cercada por antigos sobrados, onde funcionavam as salas de aula e as repúblicas de estudantes.

Em um dos dormitórios, a jovem Rachel percebeu um clarão, um estouro que logo se transformou num redemoinho, uma imagem belíssima, colorida, que remetia às fotografias, que vira nos livros, de galáxias e supernovas.

Lembrava-se distintamente de estar deitada na cama, sozinha, quando uma menina em tons difusos apareceu levitando abaixo do teto. Não sentiu medo, apesar da cena inconcebível. Devia estar sonhando – era a conclusão lógica.

A garota surgiu como um fantasma. Os longos cabelos oscilavam numa agitação aquática, enquanto o rosto aparecia translúcido. Devia ter uns oito anos, não mais que isso, e vestia uma camisola estampada, coberta por um casacão de adulto, bordado com um símbolo redondo no peito, que Rachel identificou como os traços estilizados da letra I, ou alguma coisa próxima a isso. Segurava na mão direita um ursinho de pelúcia encardido, de grandes olhos pretos, nariz longo e focinho esférico.

De boca aberta, a menina flutuante pedia ajuda – foi o que Rachel concluiu. As palavras saíam arrastadas, e o som, abafado. Atrás dela, um túnel tentava sugá-la, mas alguma coisa a mantinha segura, fixa no lugar. Estava ancorada – era o termo mais preciso – ao quarto por uma corrente, ou talvez fosse um fio, parte metálico, parte orgânico. O estranho cordão saía do umbigo e descia, entrando profundamente no ventre da própria Rachel!

A moça se agitou, berrou um grito mudo. O corpo começava a doer, a queimar, a pele ardia.

A criança sumiu, e de repente Rachel viu o rosto de um homem pálido, com olhos cinzentos, feito duas pedras de gelo. Sua presença era malévola, carregada de ódio e sadismo. Sentiu seu hálito frio e teve medo, muito medo, um horror infantil, que a petrificava, deixando-a impotente.

Voltou a gritar, ainda mais alto, tão alto quanto podia. Mentalizou a porta do quarto, a saída da república, e usou toda a força de vontade para fugir, levantar, correr, mas o corpo pesava.

Avistou um brilho dourado.

Despertou.

Rachel acordou com o sol batendo no rosto. Alguém recolhera a cortina, finalmente a salvando do pesadelo cruel.

Quando a vista se acostumou, ela respirou aliviada. Estava de volta ao mundo real. As cores eram vivas e palpáveis, não desbotadas e escuras como as do sonho. O cheiro dos canteiros a tranquilizou, e até o ruído dos calouros no pátio foi percebido como uma bênção libertadora. Havia retornado ao dormitório, no segundo andar do sobrado, com a janela aberta para a praça do campus.

Hector, seu namorado, estava sentado ao pé da cama, pronto para defendê-la de qualquer ameaça – essa era a sensação que ela tinha. O rapaz, um dos alunos mais brilhantes da faculdade, era presidente de turma, adorado pelas meninas e popular entre os veteranos. Bonito e elegante, desfilava um corpo perfeito. Exibia vigor de atleta – tinha vencido dezenas de competições de natação no colégio, conquistado troféus e medalhas antes de ingressar no curso superior. Seu charme crescia quando ele penteava os cabelos louros com gel, conquistando os professores com seu ar de bom moço.

Ele se agachou para amarrar o cadarço. Ao vê-lo de camiseta e bermuda, Rachel soube que ele estava de saída para mais uma de suas rotineiras caminhadas nas montanhas, um hábito que cultivava religiosamente, sempre no mesmo horário.

– Outro pesadelo? – foi Hector quem falou primeiro. – Será que é alguma coisa que você anda comendo?

Ela se esforçou para falar. A garganta estava seca. A voz ficou rouca.

– Por que tanto barulho? – Havia uma agitação incomum na pracinha.

– É o último dia de aula. Amanhã é feriado. Conseguiu falar com a sua mãe?

Rachel sentou-se na cama para recobrar a razão. Coçou os olhos verdes, bocejou. Os longos cabelos ruivos desciam lisos até a cintura. Olhou para as próprias mãos, para ter certeza de que estava desperta. A pele era clara e sedosa, e sardas ocasionais pontilhavam o nariz. Vestia apenas um moletom vermelho bordado com o escudo da faculdade.

– Tentei ligar ontem o dia inteiro, mas ninguém atendeu. – Ela cruzou as pernas sobre o colchão. Esticou a coluna. Puxou o edredom para o lado.

– O que vai fazer?

– Tentar de novo. E de novo. Se ela não atender, acho que vou ficar aqui mesmo. – Sua expressão era amarga, mas conformada. – Tenho uma pilha de livros para estudar e prova na segunda-feira, no primeiro tempo – apontou para os volumes na escrivaninha.

– A faculdade fica deserta na Páscoa – disse Hector. – Seria perigoso permanecer na cidade.

– Perigoso? – Rachel não sabia se era um conselho ou uma brincadeira. – Santa Helena não registra um crime há mais de dez anos.

– Perigoso para sua saúde. Você não tem passado bem ultimamente. Vive com dor de cabeça. Come hambúrguer e vomita. E se alguma coisa acontecer? O hospital mais próximo está a vinte quilômetros.

Hector tinha razão, e ela reconhecia isso. Mas não queria, não sabia ao certo por quê, aborrecer os pais. E gostava de ficar sozinha, era verdade. Não via a mãe fazia várias semanas, mas sempre fora assim em sua família: cada um com seus problemas, suas tarefas, seus programas, e ninguém se amava menos por isso. Era quase como uma tradição os filhos, netos, pais e avós se verem só no Natal e raramente na Páscoa. Rachel nunca chegara a concordar com esse costume, mas respeitava a vontade da maioria. O problema era que, pessoalmente, jamais aprendera a suportar a distância, então lidava com o assunto simplesmente desviando a atenção, concentrando-se em outras coisas, como o namoro e o estudo. Tentou imaginar uma alternativa e, só porque o rapaz levantara a questão, tomou a liberdade de perguntar:

– Acha que sua mãe ia gostar de me conhecer? – Era difícil aquela abordagem. Estava entrando em terreno perigoso.

Hector levantou da cama com um suspiro. Com os tênis amarrados, estava pronto para sair.

– Já conversamos sobre isso, Rachel. – Haviam falado, de fato, mas em tom de romance. Não era nada sério, até agora. A memória seletiva do rapaz a assustou. – Meu pai está doente. Não queria que os conhecesse agora.

– Foi a mesma coisa que disse há um ano. – Ela queria deixar claro que também podia se lembrar. Não desejava sufocá-lo, mas sua postura era ridícula, segundo ela julgava. Ele agia como se tivesse vergonha do que havia entre eles. Hector tinha muitas qualidades, mas no tocante à família se mostrava estranhamente paranoico. – Estamos juntos faz meses.

– Não vou discutir com você. – Ele conferiu o relógio. – Tenho que ir, senão fica tarde.

– Tudo bem – mas não estava nada bem.

– Quer um conselho? – ele mudou de assunto. – Escreva sobre o sonho de hoje. Escreva tudo num papel.

Ela franziu o cenho. Hector a beijou na testa.

– É um santo remédio – explicou, quando viu que ela nada diria. – Dica do meu professor de psicologia – e lhe entregou um bloco de folhas amarelas. – Agora tenho mesmo que ir. Vejo você no almoço.

– No refeitório, ao meio-dia? – Eles sempre comiam juntos.

– Combinado – e saiu apressado. Bateu a porta.

Rachel continuava abalada. Levantou-se e entrou no banheiro – em Santa Helena, cada estudante tinha seu próprio quarto, com toalete particular, assim não era preciso dividir com os outros. Abriu o chuveiro. A água saiu num jato forte, enquanto o vapor embaçava o espelho.

Deixando de lado os problemas com Hector, o sonho com a garotinha voltou à lembrança. A Universidade de Santa Helena, como qualquer instituição afastada, era repleta de mistérios. Os veteranos insistiam que era assombrada. Os rumores acerca do mosteiro a partir do qual o complexo fora construído incluíam relíquias medievais, rituais de magia negra e cerimônias indígenas. As histórias ganhavam fôlego a cada período, quando chegavam novos calouros, com os mais velhos inventando e reinventando fragmentos da lenda.

Por um momento, uma ideia lhe passou pela cabeça. Não que acreditasse naquelas besteiras, mas não pôde evitar.

E se não fosse um sonho? E se a menina estivesse mesmo pedindo ajuda?

Tirou a roupa e ligou o rádio, antes de entrar no banho. Uma música começou a tocar.

"Can't Take my Eyes off You."

2
OS SENTINELAS

Sudoeste Asiático, num passado remoto

O ALVORECER COLORIU AS MONTANHAS. Na planície, a aldeia despertou para um novo dia, numa manhã quente e seca, desenhando miragens no horizonte deserto. Arbustos e tamareiras cercavam o aglomerado de tendas de couro, onde quase cinquenta famílias moravam juntas. Uma fonte de água potável fora protegida no centro da vila, para saciar camelos e mulas, provendo tudo que a comunidade necessitava para o próprio sustento. Eram caçadores, coletores e nômades, não conheciam a agricultura e aos poucos desenvolviam uma forma limitada de comunicação pictográfica. Trabalhavam em equipe, estocavam alimentos, costuravam roupas, pintavam suas aventuras nas paredes das cavernas, talhavam armas em pedra, osso e madeira.

Um besouro zumbiu sobre as barracas quando uma nuvem vermelha recobriu o céu matinal. Ventou forte, as crianças correram, os animais se agitaram. Um dos aldeões pôs a cabeça para fora da tenda, pedindo que os demais não se assustassem. Saiu com os pés descalços, tocando o chão arenoso. Andou sozinho por várias milhas para reverenciar a explosão. Não era moço, tampouco era velho. Ligeiramente calvo nas entradas sobre a testa, tinha o rosto maduro e barbudo, os dedos grossos e a face robusta. A única peça de roupa que vestia era uma tanga de pele de leão. Não carregava lança nem porrete.

Olhou para as montanhas e viu uma figura dourada aparecer na sua frente. O frágil tecido da realidade lançou vibrações no momento em que a aura se condensou, com os contornos se tornando visíveis, para enfim se manifestarem na imagem de uma criatura quase humana. Trajava uma armadura de ouro que o cobria inteiramente. O elmo era na verdade um capacete finíssimo, uma touca metálica que protegia a cabeça, deixando o rosto à mostra. Os cabelos cor de mel desciam soltos pelas costas, onde as duas asas de penas brancas se dobravam num vinco. A silhueta era delgada, com traços serenos. Da cintura, pendia uma bainha metálica, escondendo a lâmina da inigualável Flagelo de Fogo.

– Gabriel, o Mestre do Fogo – saudou o aldeão, ainda prostrado. – Faz um longo tempo desde estivemos juntos pela última vez.

– Levante-se, meu amigo – respondeu o arcanjo, com a mão direita erguida num gesto de cumprimento. – Não há razão para formalidades.

– Sua visita nos enche de alegria – ele falava por toda a aldeia. – Contei sobre vocês aos meus filhos. Estão todos ansiosos para conhecê-los: jovens e velhos, homens e mulheres, caçadores e artesãos.

– Talvez não seja a melhor hora – a expressão de Gabriel era fria. – Venho em nome do arcanjo Miguel, o príncipe supremo das legiões. Temos ordens especiais para você, sentinela, que precisam ser cumpridas à risca.

O aldeão sentiu um aperto no peito. Não podia ser coisa boa.

– Como posso ampará-lo, gigante?

– Sua missão neste plano está concluída. – O tom era áspero agora. – Conclamamos seu regresso aos Sete Céus. Convoque os outros sentinelas; só você saberia chamá-los. Todos que ainda vivem no Éden devem retornar à casa de Deus.

– Mas por quê? Com que finalidade?

Gabriel observou o acampamento e fez uma longa pausa antes de divulgar a notícia.

– Os arcanjos decidiram que os mortais não são dignos de continuar existindo. Vamos exterminá-los enquanto há tempo, e para isso precisamos da sua ajuda. Necessitamos do apoio de todos.

O aldeão fechou a cara e deu um passo para trás. Não acreditava no que tinha escutado.

– O *quê*? – murmurou, quando finalmente conseguiu se expressar. – Quando? Como?

– Em breve, muito breve. Vamos esfriar o planeta, expandir as regiões polares, congelar os mares, lagos e rios. Não sobrará um só terreno para manchar a criação. Será feito. Está decidido.

– Não. – Era chocante demais. – Isso é heresia. Quem são vocês para interromper o curso de uma espécie inteira? Quem são os arcanjos para falar em nome de Deus?

– Fomos legitimamente escolhidos *por* Deus – relembrou, com autoridade magistral. – O sétimo dia não é dele, é *nosso*. Nosso tempo, nosso reino, nossa era. Não há coisa alguma acima de nós.

– E a palavra? Esquecem-se da palavra.

– A *palavra*? – Não fosse tão sério, Gabriel teria gargalhado. – Dê uma olhada para si mesmo. Tudo que fizeram desde que chegaram aqui foi corromper as ordens divinas, misturando-se aos humanos, fornicando com as fêmeas, acasalando com esses animais das cavernas. Os mortais são fracos, inúteis e de natureza malévola. São assassinos desonrados, egoístas e perversos.

– Não vou negar – o aldeão abaixou a cabeça. – Mas nem tudo que provém da natureza humana é necessariamente cruel. São seres de espírito indomável, livres como nunca fomos e nunca seremos. Talvez por sua capacidade de gerar vida, exercitam um tipo de amor sagrado, sublime, puramente *divino*. Se os conhecesse melhor, entenderia o que estou dizendo.

– Esse tipo de coisa jamais acontecerá – foi direto ao ponto. – O que ofereço é simples. Retorne e será consagrado. Todos que insistirem em ficar morrerão em desonra.

– Então morreremos. Escolhemos morrer. Temos uma missão e permaneceremos em nossa morada até o momento do Despertar.

Gabriel discordou com a cabeça. Tocou o punho da espada, mas não chegou a sacá-la.

– O príncipe sabia que seria difícil convencê-lo, sentinela, por isso me enviou. O que você não entende é que também tenho uma missão. Que *vou* completar.

– O que Rafael pensa disso? – Ele se referia ao arcanjo, chamado de Cura de Deus. – O que ele tem a dizer sobre esse cataclismo que planejaram?

– Rafael não tem nenhum poder sobre nós. Ele fará o que lhe for ordenado, assim como você. – Ameaçou puxar a arma. – Vou dar o último aviso. Retorne comigo. É uma *ordem*.

O aldeão enrijeceu os músculos, pronto a lutar para defender sua causa. Estava claro que não cederia tão facilmente. Das costas, brotaram duas asas cor de areia.

– Só existe *um* que pode me dar ordens, e seu nome é Yahweh.

O Mestre do Fogo relaxou a guarda.

– Essa é sua resposta final?

– Essa é a *única* resposta.

– Espero que reconsidere – ponderou, reunindo forças para se desmaterializar.

– Digo o mesmo, arcanjo. – E, à medida que Gabriel ia sumindo, ele repetiu: – Digo o mesmo.

O gigante desapareceu na mesma nuvem em que viera, e assim a tempestade se dissipou.

Mas ela voltaria.

3
REDEMOINHO ESTELAR

LEVIH GIROU O VOLANTE E PAROU NO ACOSTAMENTO, NO MINUTO PRECISO em que o sol nasceu nas montanhas. Puxou o freio de mão com os dedos magros, desligou a chave, engatou a marcha para travar bem as rodas e abriu a porta, enquanto liberava o cinto de segurança. Caminhou até a encosta – uma ladeira íngreme e pedregosa. Subiu no meio-fio para assistir ao espetáculo dourado. Diante dos raios, sentiu revigorar-se a potência de sua aura pulsante, a energia vital comum aos celestes, a força que os conecta ao divino e lhes permite desempenhar proezas incríveis, das quais a mais fascinante é a materialização.

Urakin evitou sair pela porta do carona, agora grudada à carroceria por toscos fios de arame. Pulou para o banco de Levih e dali para fora, juntando-se ao amigo na contemplação do astro de fogo.

A dupla era curiosa, para qualquer um que os visse. Urakin, uma montanha de músculos, surgia como um urso acompanhando um castor. As perfurações dos tiros haviam sarado, mas a camiseta era uma mancha de sangue, com dois furos chamuscados de bala. Em sua forma física, os anjos podem regenerar ferimentos comuns, contanto que não tenham o coração atingido – essa é a parte mais sensível da anatomia angélica, o órgão que concentra toda a essência celeste. Para se recuperar totalmente, os avatares precisam dormir e comer. O alimento é transformado em matéria, reconstituindo carne, ossos, sangue e tecidos. Como guerreiros, os querubins são dotados de regeneração acelerada, e alguns, mais poderosos, chegam a ser imunes às armas mundanas.

A exemplo do amigo, o Punho de Deus sentiu a energia voltar. Observou o vale mais abaixo, reparando na cidade na base do morro. Da rua principal partiam as alamedas transversais, arborizadas com flamboyants. As veredas subiam as escarpas, terminando em pousadas de chalés finlandeses. Os prédios maiores não tinham mais que cinco ou seis andares, e o mais alto era o edifício da Prefeitura, construído em estilo colonial, de paredes brancas e sacadas de ferro. Os sobrados antigos estavam ocupados por órgãos oficiais, enquanto as casas de comércio eram recentes, de concreto e tijolinho. A avenida se ramificava em duas pistas com um canteiro central, e ao fim do caminho, uns dois quilômetros adiante, avistava-se uma imensa pedreira, essencial para o sustento da pequena cidade. Uma ruela ao sul conduzia a uma estrada empoeirada, que cortava o maciço rochoso através de uma fenda, penetrando a seguir na área rural.

– Acho que chegamos. – Levih virou-se para Urakin. – Sente-se melhor?

– Eu me sinto melhor em combate. – Era um retruque típico dos querubins. Ele ainda não engolira a fuga do líder dos raptores, que escapara por entre seus dedos na estrada. Por ele, tê-lo-ia perseguido até os portões do inferno.

– Não é bem o que eu imaginava – admitiu, os olhos fixos nas sendas lá embaixo. – Agora falta achar Kaira e seu guarda-costas.

– Guarda-costas? Não devia reduzir a isso a função da minha casta.

– Sinto muito, não quis ofender.

– Não me ofendeu. – Urakin rasgou a camiseta e a jogou ladeira abaixo. Fechou a japona até o pescoço. – Se tivéssemos um objeto que lhes pertencesse, ou que ao menos eles tivessem tocado, eu poderia tentar farejá-los.

– Bom, infelizmente não temos. Tudo que sei é que Kaira é uma arconte. Talvez possamos localizá-la pelas emanações de sua aura pulsante. – A sugestão, todavia, não era muito eficiente. – É como perseguir um cão negro numa noite sem lua.

– Vamos encontrá-la – disse Urakin, voltando para o carro.

Levih retomou o assento e deu partida. O motor religou num sobressalto – ele havia se esquecido de apertar a embreagem.

– Nunca gostei de dirigir – justificou-se, acelerando o veículo. Por algum motivo, não estava confortável ali. – Acha que os raptores continuam na nossa trilha?

– Aqueles da estrada? – A possibilidade também o perturbava. – Não creio. Por que estariam?

– Só um pressentimento.

Rachel estava caindo de sono.

A aula de antropologia cultural era uma das poucas ministradas fora do complexo central da universidade, em um sobrado do século XIX, limpo e restaurado. O campus tinha ao todo oito sobrados – a maioria servia de república, e um fora convertido em ginásio de esportes. Esses prédios auxiliares se fechavam em volta de uma praça, cuja construção principal – e de longe a mais antiga – era um convento neogótico, com sua belíssima igreja erguida em meados do século XVIII e por fim o claustro, hoje convertido em auditórios e repartições administrativas.

Desde que fora fundada, em outubro de 1972, a Universidade de Santa Helena tornara-se um oásis de sabedoria afastado dos centros urbanos. Durante o período da ditadura, despontou como foco de resistência à repressão, e ninguém sabia ao certo como nunca chegou a ser invadida ou ocupada por tropas do exército. Aos estudantes, o campus oferecia um retiro bucólico, com ensino de qualidade e professores brilhantes. O ingresso não dependia apenas do sucesso nas provas de admissão – o histórico do candidato era analisado, suas notas anteriores, observadas e a origem da família, sondada. Não à toa, os calouros se sentiam parte de uma fraternidade já na primeira semana, o que tinha suas vantagens e complicações. Os mais antigos se reuniam em sociedades secretas, e era difícil se enturmar sem participar de uma delas. As cerimônias de iniciação variavam de fáceis e ridículas a perigosas e sinistras, dependendo da congregação à qual o aluno desejasse se associar.

Rachel não dava a menor importância para as fraternidades e jamais havia entendido como começara a namorar alguém tão influente quanto Hector. Não por sua aparência, afinal era uma das garotas mais bonitas do campus, mas porque nunca se preocupara em ser popular, e talvez por isso se sentisse tão sozinha na maior parte do tempo.

Naquele momento, porém, ela só pensava em ligar para casa. Como não conseguia se concentrar na aula, por mais que tentasse, recurvou-se na carteira, longe da vista do professor, e pegou o celular. Digitou o número, e novamente ninguém atendeu. Insistiu mais três vezes, sem sucesso. Do próprio telefone, checou o correio eletrônico e enviou uma mensagem de texto para Hector: "Como foi a caminhada? Te vejo no almoço".

Antes de devolver o dispositivo à mochila, conferiu se havia acionado o rastreador via satélite – aquela fora uma exigência da mãe, para que, mesmo de longe, pudesse rastreá-la numa situação de emergência. Considerando os hábitos individualistas da família, Rachel entendeu o gesto como uma demonstração de amor e fez questão de desbloquear o serviço, para que sempre estivesse conectada ao celular dos pais, que eram, a propósito, quem pagava sua conta.

Aborrecida, abriu o bloco de folhas amarelas que Hector lhe havia entregado. Começou a rabiscar listras irregulares com uma caneta de quatro cores, alternando entre o azul, o preto, o verde e o vermelho.

A voz do professor foi se reduzindo, até silenciar. O mundo apagou, e então o alarme a trouxe de volta.

A aula havia acabado. Cochilara por dez minutos e, ao recolher o material, na correria de gente entrando e saindo, viu o que tinha traçado.

Não era artista e nunca imaginou que pudesse fazer um desenho daqueles, ainda mais sonolenta. A imagem retratava parte do sonho, em tons esferográficos: o clarão, o redemoinho estelar, a supernova.

Guardou o caderno e saiu. Estava indisposta.

A avenida de Santa Helena tinha início num pórtico de dois arcos, que demarcava a entrada principal da cidade – uma construção moderna e elegante, feita com blocos de granito maciço, coberta de telhas vermelhas e decorada por canteiros de tulipas. O forte perfume das flores incomodou Urakin, não pela fragrância, mas por confundir seus apurados sentidos de predador.

Entre os arcos, dentro da coluna central, havia um posto de informações turísticas, com janelas de vidro e porta de madeira, aberta aos visitantes. Levih estacionou na frente de um restaurante, famoso por suas trutas, trancou o carro e os dois seguiram a pé até o portal.

O balcão estava vazio. Urakin passou o dedo na parede, aproximou o indicador do nariz e farejou um cheiro acre, que de início não soube o que era. Mostruários de metal exibiam folhetos de pousadas e trilhas a fazendas e cachoeiras. Figuras de duendes e bruxas feitas de pelúcia e cerâmica pendulavam do teto, ao lado de estrelas e símbolos esotéricos. Em uma prateleira de mogno, vendiam-se potes de mel e frascos de doce de leite, com o preço marcado em etiquetas caseiras. Velas de várias formas e tamanhos estavam organizadas numa estante à direita, com caixinhas de incenso.

— Estranho – disse Levih, reparando no relógio do posto. – São quase oito horas da manhã. Não tem ninguém para nos atender?

— Talvez ainda seja cedo – ponderou o Punho de Deus. – Dia de semana.

— É véspera de feriado.

Mas, neste instante, uma senhora de cabelos brancos apareceu para assisti-los. Ofereceu aos celestes um sorriso e, com uma expressão simpática, os abordou:

— Primeira vez em Santa Helena? – Os olhos eram pequenos e a pele branca, enrugada.

— Sim... – Levih se virou. – Primeira vez.

— Negócios ou passeio?

— Alguém vem aqui a negócios? – Ele queria puxar conversa.

Apesar da idade, a idosa demonstrava disposição juvenil. Sorriu de novo, satisfeita por fazer seu trabalho.

– Santa Helena é a cidade campeã em pousadas e restaurantes. Temos a melhor cozinha da região. – Abriu um folheto que indicava um prêmio de gastronomia concedido a um *chef* local. – Muitas empresas trazem seus executivos para cá em festas de fim de ano ou para encontros semestrais. – Sacou outro prospecto, agora de um hotel. – Que tipo de hospedagem estão procurando?

– Procuramos uma pessoa – Urakin entrou na discussão. Seus hábitos eram brutos, mas a intenção era boa.

– Ah... Não sei se quanto a isso posso ajudar. – Mas a senhora era esforçada. Largou o papel e buscou uma lista telefônica, na parte inferior da bancada. – Qual é o nome da sua amiga?

– Ora, vamos embora daqui. – Urakin deu meia-volta, mas Levih queria aproveitar todas as pistas.

– Espere lá, Urakin – e voltou-se para a velha. – Desculpe os modos do meu amigo. – Fez uma pausa e prosseguiu. – Diga-nos uma coisa. Se quiséssemos encontrar uma jovem, mas não soubéssemos seu nome, por onde deveríamos começar?

– Pela universidade, é claro. – Ela abriu os braços, orgulhosa por ter a resposta na ponta da língua.

– Universidade? – O querubim regressou ao balcão.

– A Universidade de Santa Helena. Os jovens estão todos lá, daqui e de outras cidades. De outros estados, inclusive.

Urakin se adiantou para interrogá-la, mas Levih fez sinal para que ficasse calado.

– Como chegamos ao campus?

– Toda a vida pela rua central. Tome a bifurcação antes da pedreira, siga pela estrada à direita e dirija por mais treze quilômetros. Pare quando avistar um bosque de eucaliptos. Há placas no caminho. E cuidado para não pegar a descida do Espinhaço. Está interditada desde o incêndio.

Levih fez uma anotação mental: *Toda a vida, direita e depois reto até o bosque.*

– Muitíssimo obrigado – e saiu com uma dezena de panfletos enfiados no bolso. Em alguns havia mapas da cidade e dos arredores, com os principais pontos turísticos.

Dirigiram pela via basilar, e, logo que o aroma das tulipas sumiu, Urakin reconheceu o cheiro acre que sentira mais cedo, ao entrar no posto de informações.

Era pólvora.

Rachel deixou a classe com a cabeça rodando. Fazia sol no pátio externo, mas em Santa Helena o vento era sempre cortante, especialmente pela manhã. Em alguns invernos, nos anos de 1974, 1985 e 1998, chegara a nevar no pico da Agulha, o ponto mais alto da cidade. Os flocos eram bem recebidos pelo setor hoteleiro, ocasião em que as pousadas ficavam superlotadas de turistas do país inteiro.

A moça andou até o chafariz no centro da praça, uma decoração quase tão antiga quanto o próprio mosteiro, que, com suas efígies, imitava uma catedral em miniatura, de torres duplas, sinos e campanários. A entrada lembrava as grossas portas dos castelos europeus, e nas paredes figuravam imagens de santos, mártires e apóstolos. O material predominante era o granito, extraído da pedreira havia séculos, mas a tonalidade sombria da rocha era compensada pelos desenhos multicolores das janelas de vidro. O antigo claustro servia agora de área comum, com cantina, pátio interno e acesso livre a internet sem fio.

Rachel esticou-se na grama e reparou nos sobrados, imaginando como vários estilos e épocas conviviam tão bem naquele recanto campestre. Olhou para cima e enxergou os galhos da árvore. Sentia-se bem, finalmente.

Pôs a mochila nas costas.

Limpou a grama da calça. Esfregou as mãos. Delas, saía fumaça.

4
APARTAMENTO 617

S IRITH SOBREVOAVA A CIDADE GRANDE, ESQUADRINHANDO AS RUAS E PRÉdios através do plano astral. Era um dos raptores, um demônio inferior, pertencente à mais baixa hierarquia do inferno. Em sua forma espiritual, fazia lembrar um abutre depenado, com as pelancas saltadas e o pescoço muito longo, áspero e careca. As asas saíam atrofiadas das costas, o que complicaria suas manobras em voo não fossem as leis físicas do mundo astral, onde a gravidade não existia.

Do alto, avistou um conjunto habitacional suburbano, com muros grafitados, roupas penduradas nos varais e antenas de TV nos terraços. A paisagem além do tecido da realidade se apresentava em tonalidades opacas; era como se estivesse flutuando, contemplando uma civilização naufragada. Nas primeiras horas da madrugada, as gotas de chuva atravessaram seu corpo, mas ele não pôde senti-las – eram físicas e se projetavam feito ilusões, hologramas intocáveis através da membrana.

Sirith deu um rasante, vasculhou quartos e vielas, espiou dentro das casas, sendo que em algumas poucas não conseguiu entrar. Desceu sobre uma pracinha, aterrissou em uma quadra de futebol. Estava vazia, não havia um humano por perto. Farejou as oscilações da película e enfim encontrou o que procurava. Deu uma guinada para cima, trespassou um poste de energia, fazendo a lâmpada piscar. Transpôs uma parede de concreto e deslizou pelo corredor de um dos edifícios mais altos, com dezenas de pequenos apartamentos. Parou em frente ao número 617 e pressentiu vibrações demoníacas. Cruzou a porta de madeira, para instantaneamente ressurgir do outro lado.

Dentro do conjugado, um aposento minúsculo e de janelas fechadas, viu três jovens sentados ao redor de um tapete. Um deles era uma mulher, uma moça de cabelos escuros, que segurava um isqueiro em uma das mãos e uma colher na outra. Com as pontas dos dedos queimadas e as unhas escuras, ela acendeu a chama com o polegar, lentamente derretendo uma porção de farelos, que aos poucos foi se diluindo até se transformar em um extrato oleoso.

Logo atrás deles, no plano astral, dois demônios se acotovelavam, espremidos como quem assiste a um espetáculo. Sirith os reconheceu. Um era Guth, uma criatura retorcida, de olhos rubros e repleto de perfurações pelo corpo. A tez era esverdeada e, por ser desprovido de genitália, era impossível descobrir o sexo. À direita, deitado de barriga para cima, estava o diabo que chamavam Bakal, um ser magricelo com um imenso buraco no corpo, que atravessava o esterno. O coração ficava exposto, um órgão murcho e necrosado, com veias negras e pregas vermelhas.

Um dos rapazes pegou do chão uma seringa usada, apertou o êmbolo, aproximou-a da droga e então a sugou. Com os músculos estremecendo, girou o punho para enfiar a agulha no braço. Quando o estendeu, Sirith notou que a superfície da pele estava rija, cheia de furos e bolhas, lanceada por múltiplas penetrações anteriores. Moveu as asas para frente, levitando na direção de Guth, que ainda não lhe havia atentado.

– Ei – chamou os demônios. Evocou-os pelo nome profano, tal qual foram batizados no inferno. Assim como ele, eram espíritos de antigos seres humanos que haviam decaído ao abismo, abandonando sua identidade carnal e renascendo como figuras satânicas.

– Agora não. – Guth aguardava o jovem espetar o braço. – Não agora!

O rapaz pressionou a injeção e a substância correu para dentro do corpo, provocando uma sensação temporária de êxtase, desprendimento e elevação. Os joelhos relaxaram e ele desmaiou. Guth inspirou profundamente, experimentando as mesmas impressões, para com isso fortalecer sua aura, alimentada por constantes infusões de energia. O processo era ritualístico e levou cerca de dez minutos, quando finalmente a euforia acabou, dando lugar a um mal-estar repentino – era a vez de Bakal entrar em ação.

Recomposto, Guth torceu a cabeça e voltou-se para Sirith.

– O que você quer? – O tom era severo.

– Sabe quem sou? – Eles já haviam se cruzado em algum buraco, mas era difícil lembrar da cara de todos. Os demônios não fazem amigos, apenas aliados passageiros.

– A mim parece mais uma galinha – escarneceu, mirando as asas defeituosas do raptor. – Diga logo para que veio, não vê que estou ocupado? – Ficou agressivo. – Está na minha área.

– Sou Sirith – apresentou-se o raptor, inabalável ante a zombaria. – Conhecemo-nos em Zandrak.

– Ah, sei – o diabrete baixou a voz. Em vez da injúria, passou ao sarcasmo. – Sirith. A que devo o prazer?

– Escutei que é você quem controla este setor.

– Sim, sou eu mesmo – sorriu com ar sinistro. – Pegou-me no meio da rotina de trabalho.

– Tenho uma proposta. Que lhe apetecerá, estou certo.

Guth ouviu respirações ritmadas. Olhou para a esquerda – Bakal estava trepado nas costas de um dos garotos, sugando toda a força que lhe restava, deixando-o vagaroso e sonolento.

– Desembucha, Sirith – exigiu Guth. – Chegou em hora pouco propícia.

– Serei sucinto, pois não há um instante a perder – avisou. – Localizei dois anjos no plano físico. Quero sua ajuda para capturá-los.

– No plano físico? – Tal situação era rara.

– Sim. Há alguns dias, num posto de gasolina a leste da fronteira.

– Por que não deu conta deles? – Guth lembrou que Sirith era influente. – Soube que comanda uma pequena brigada.

– Uma brigada não é suficiente – explicou. – Há um querubim entre eles, um lutador sanguinário e feroz. Precisamos recrutar uma horda.

– Por isso veio até mim? – Era óbvio. – De quantos necessita?

– De muitos. Todos que puder reunir.

– Fale em números comigo.

– Mil. Quinhentos pelo menos.

– Deve ser coisa grande. – O diabo se arvorou. – O que vai me dar em troca?

– Pode ficar com os dois. Serão seus. – E acrescentou, afagando as rugas do pescoço: – Há um ofanim que talvez lhe agrade.

– Um ofanim? – Bakal acordou do transe. – Capturar ofanins traz má sorte.

Sirith mudou o discurso, virou a mesa. Agora que já os tinha envolvido, bastava convencê-los a aceitar seu acordo.

– Vocês se contentam com pouco – fitou os jovens drogados. – O que estão fazendo é desastroso, uma vergonha para a nossa divisão. – Engrossou a voz. – São demônios, emissários do inferno, não fantasmas ou espíritos devoradores. Por quanto tempo vão continuar chafurdando neste chiqueiro?

Guth soltou um chiado, mostrou os dentes caninos.

– Que porra é essa? – levantou para enfrentá-lo. – Pensa que me engana, seu bosta? Entra no meu refúgio, pede que eu organize uma horda e me oferece dois anjos. E *você*? O que ganha com isso?

A resposta estava na ponta da língua.

– Os celestiais aos quais me refiro estão indo ao encontro de uma aconte, uma líder de coro. Meus agentes os estavam espionando – revelou. – Tudo que eu quero é *ela*. Todo o mais deixo para vocês.

– Oh, por que não disse antes? – O diabo de pele verde sabia que os arcontes eram consagrados em suas castas e, naturalmente, mais valiosos.

– A *horda* – insistiu. – Quando conseguirá organizá-la?

– A qualquer momento. – Guth abriu os braços, empinou o nariz. – Esses diabretes me seguiriam até por baixo da toga de Lúcifer.

– Ótimo. Farei então uma revista às tropas. Amanhã, neste horário?

O infernal nada disse. Era a moça que agora manipulava a seringa, pronta a fincá-la não no braço, mas na jugular. Guth não resistiu à tentação, esqueceu-se completamente do visitante e engatinhou até o tapete.

– E então? – pressionou Sirith.

– Amanhã – concordou, sem prestar muita atenção. Bateu uma continência torta e pouco sincera. – Agora, se manda daqui – abanou as mãos, como quem espanta um inseto. – Deixe-nos em paz.

Sirith não questionou. Abriu as asas e saiu voando. Despontou no telhado, cruzou os cabos de luz, atravessou uma árvore, viu novamente a cidade de cima.

No apartamento, Guth e Bakal se entreolharam. A garota puxou a agulha e caiu no tapete com os lábios espumando. Engasgou, perdeu o fôlego pela sobredose. O coração parou.

Estava morta.

5
CONSULTA MÉDICA

Não era de hoje que Rachel se sentia frequentemente indisposta. Com as mãos ainda latejando, aproveitou que Hector não estava por perto para fazer uma visita ao ambulatório. Não queria alarmá-lo, então resolveu que não diria nada por enquanto, pelo menos até ter certeza do que tinha de fato.

O chefe do departamento médico era um velho psicanalista chamado Leon Roche, ou simplesmente "o doutor". Roche ficara famoso nos anos 80 ao escrever uma série de livros para leigos comentando os trabalhos de Sigmund Freud, o que lhe valeu o convite para lecionar duas cadeiras na Universidade de Santa Helena. Acabou se transferindo para a cidade em 1992 e, depois de uma festança que se seguiu ao trote de 1999, ocasião em que sessenta estudantes foram encontrados desmaiados na praça do campus, propôs à diretoria a ampliação da área de saúde e passou a oferecer consultas em seu gabinete.

A enfermaria ficava no antigo prédio do claustro, ao redor de um pátio interno com dezenas de portas que abrigavam os escritórios do corpo docente. Rachel adentrou o salão retangular, com altas janelas de vidro instaladas pelos moradores nos anos 20. Dez leitos hospitalares se alinhavam no canto direito, separados por cortinas que simulavam uma unidade intensiva. Armários transparentes guardavam antissépticos, seringas e chumaços de algodão, e sobre uma bancada Rachel viu pacotinhos de agulhas descartáveis. Na parede, um cartaz exibia uma gota vermelha com dizeres grifados em branco: "Doe sangue".

Uma mulher de meia-idade, de avental verde-claro e touca cirúrgica, estava de joelhos organizando caixinhas de remédios. Largou as embalagens e se virou para a moça:

– Posso ajudar? – Ela exalava cheiro de éter.

– Vim falar com o doutor Leon. Será que ele poderia me atender?

– Marcou hora? – perguntou a enfermeira, com certo ar de autoridade.

– Não. Fui aluna dele.

– Claro. – A mulher apontou para um banco no átrio. – Espere ali fora. Vou avisar que está aqui e a chamo num instante, tudo bem?

Rachel mal havia sentado quando o médico a convidou para entrar. O consultório do doutor Leon era grande e arejado. Sobre uma escrivaninha de cerejeira repousavam blocos de receita, canetas e um computador portátil, desligado. Um estetoscópio estava pendurado no cabideiro, junto ao jaleco. Mais atrás havia dois pesados arquivos de aço, próximos a uma cama de metal com rodinhas.

Leon apertou a mão de Rachel e pediu que ela ficasse à vontade. Era um sujeito elegante, de cabelos brancos fartos e bem penteados, apesar de um tanto flácido nos quadris. Usava uma camisa quadriculada, calças de poliéster e sapatos de couro marrom. A colônia era importada.

– Como disse que se chama? – ele perguntou, ainda de pé.

– Rachel. Fui sua aluna de psiquiatria na classe do ano passado.

– Ah, lembrei – estalou os dedos como quem mata uma charada. – E o sobrenome?

– Arsen.

Ele andou até o arquivo. Pôs os óculos de aro fino e abriu um dos gavetões.

– Segundo ano?

– Isso.

Leon procurou pelas abas. Dedilhou as letras C e B, até chegar ao A, de Arsen. Puxou a ficha clínica de Rachel.

– Vocês devem me achar um banana por usar arquivos de papel, não é? – Voltou-se para a mesa. Fitou o *laptop*. – Não se deve confiar nesses computadores. As peças vêm da China. Este aqui já pifou duas vezes.

– Concordo – ela meneou a cabeça num vago sorriso. – Já aconteceu comigo. Acho que já aconteceu com todo mundo.

– Acredita que a minha mãe ainda tem uma máquina de costura da época da guerra? – Abriu a pasta com a ficha médica. – Presente de casamento. Alemã. Funciona até hoje.

– Sei como é – consentiu a ruiva. – Deve ser coisa boa.

Leon tirou a esferográfica do bolso. Pressionou o botão e a ponta desceu com um clique.

– Bom, vamos lá. – Leu novamente o sobrenome. – *Arsen*. É assim que se fala?

– Sim, senhor.

– Estrangeiro? Qual é a origem?

– Dinamarquesa – mas ela não tinha certeza.

– Confundem muito na hora de escrever?

– Meu maior problema é com o "ch" de Rachel.

– Tenho o mesmo problema. Sempre trocam o "Roche" por "Rocha". É um inferno. – Ele inclinou o queixo para cima. – Bom, em que posso ajudá-la?

Rachel não replicou prontamente. Era difícil descrever o que estava sentindo, ainda mais para alguém que ela mal conhecia. Mas o doutor Leon era médico, um profissional reservado e honesto. Decidiu ir adiante.

– Acontece que não tenho passado bem estes dias – a voz saiu arranhada. – Alimentos com muito açúcar ou gordura me fazem vomitar. Fico tonta, enjoada.

– Tem histórico de diabetes na família?

– Não que eu saiba.

– Tudo bem. – Ele fez uma anotação. – Esses enjoos são frequentes?

– Se são frequentes? – Rachel agiu como se desse uma bronca em si mesma. – Acontecem *toda* vez. Até refrigerante dietético me ataca o estômago.

– As náuseas vêm acompanhadas de mais alguma coisa?

Era a parte que ela queria evitar. No fundo, tinha medo que a julgassem maluca. Mas não teve saída. Era muito tarde para recuar.

– Sabe o que é? São esses pesadelos. Pesadelos constantes. Desperto no meio da noite suando, sem saber onde estou. Às vezes vejo vultos no quarto. Volta e meia meus dedos esquentam, parece que vão pegar fogo.

Outra anotação.

– Dói quando isso acontece?

– Não. Para ser sincera, é justamente o contrário.

– Como está seu ciclo menstrual?

– Absolutamente normal. Sem nenhuma alteração.

– Pergunto isso porque um sistema endócrino desregulado pode causar sensações esquisitas. Entre elas mal-estar, calor e, mais raramente, alucinações.

– Alucinações? – A sugestão a acertou como um tiro.

– Mas não acho que seja isso – ele se apressou em dizer. – Seria irresponsável da minha parte traçar qualquer diagnóstico neste momento – prosseguiu. – Já sofreu crises convulsivas ou teve a impressão de estar deslocada da realidade?

– *Crises convulsivas?* – O termo era forte. – Nunca.

Leon fez uma pausa. Levantou-se da cadeira.

– Venha cá – indicou a cama de rodinhas. – Vamos dar uma olhada em você.

Rachel tirou os sapatos e se deitou. O médico mediu os batimentos cardíacos, verificou a pressão com o aparelho aneroide, conferiu a temperatura e checou a pupila. Apalpou o pescoço e examinou a garganta. A moça se calçou. Os dois voltaram para a mesa.

– E então? – Ela estava cada vez mais ansiosa.

– Você está ótima – declarou o doutor. – Coração regular. Pressão arterial doze por oito. Poderia enviá-la a um amigo meu, endocrinologista, mas sinceramente não acho que o seu problema seja hormonal.

– Qual é o problema, então? – cravou as unhas no braço da cadeira.

– Sei que parece oportunista, mas já atendi uma porção de gente com as mesmas queixas que você.

– Pode ser psicológico?

– É uma possibilidade. – Ele se inclinou para trás. Tirou da gaveta um caderninho. – Queria lhe fazer algumas perguntas na condição de terapeuta, o que acha?

– Está bem. – Ela não tinha nada a perder.

– Como tem andado a sua vida pessoal?

Foi como se um ferrão a espetasse no crânio. Ela olhou para baixo, na direção do chão de sinteco. Reuniu forças. Despejou tudo que veio.

– Para falar a verdade, a minha vida está de pernas para o ar. – O rosto corou. – Não sei se quero falar sobre isso.

– Se não quiser falar, não tem problema. Mas é uma oportunidade que tenho de ajudá-la.

– São os meus pais – a moça desabafou, finalmente. – Desde que me mudei para cá, eles estão muito afastados. Muito *mesmo*. Sumidos, melhor dizendo. Sinto falta especialmente da minha mãe. – Os olhos brilharam. – Nem me ligaram esta semana. Meio impróprio, não acha? Logo no feriado de Páscoa. Sinto como se eu tivesse falhado com eles e então sido abandonada aqui.

Leon a mirava fixamente.

– Você não tem uma pessoa mais próxima com quem costume conversar?

– A "pessoa mais próxima" é o meu namorado, mas nossa relação também não vai às mil maravilhas.

– Conte-me mais sobre essas alucinações.

– O que isso tem a ver? – A garganta estava irritada.

– Tem tudo a ver. Você ficaria impressionada de saber como complicações psíquicas podem induzir a delírios ou causar sintomas físicos. É o que chamamos de conversão histérica.

Conversão histérica. Rachel guardou o nome. Encostou-se na cadeira. Pelo jeito, era pior do que ela pensara.

– Estou ficando louca, doutor?

Ele deu uma gargalhada para aliviar a tensão.

– Se quer saber, acho muito pouco provável. Entenda, somos todos um pouquinho esquizofrênicos – rodou a caneta entre os dedos. – Você certamente já ouviu falar de crianças que criam amigos imaginários.

– Certamente.

– Bom, trabalhei durante anos com terapia infantil. Os pequenos são menos ligados à realidade, mas nem por isso são loucos. Quando os pais ficam ausentes por muito tempo, pode acontecer de as crianças inventarem companheiros invisíveis, bonecos falantes, anjos da guarda, só para suprir essa carência. É relativamente comum em ciclos conjugais em que há incidência de alcoolismo, abuso sexual e violência doméstica. – E acrescentou: – As alucinações podem acontecer em qualquer idade. Basta identificar a raiz do transtorno e começar tratá-lo.

– E como é o tratamento? – ela balançou os pés sob a escrivaninha.

– Bom, ainda nem sabemos se é o seu caso. – Ele folheou o caderno. – Vou aplicar um questionário padrão para esse tipo de quadro. As perguntas são estranhas mesmo, não se impressione, está certo?

– Está certo.

– Qual é o nome dos seus pais?

– Hugo e Eva. Arsen.

– Em que cidade nós estamos?

– Santa Helena. Na ala médica.

– Como chegou até aqui?

– Pela praça do campus.

– Não – Leon arqueou as sobrancelhas. – O que a trouxe à faculdade?

Rachel tentou visualizar os eventos anteriores às provas de admissão, mas sua mente era um painel de nuvens em branco. Parecia assustador como determinadas fases de sua vida haviam simplesmente desaparecido. O cérebro era como um computador estragado, com seções fundidas do disco.

– Não lembro muito bem – ela tropeçou nas palavras.

– Certo – Leon tirou os óculos. – E do que você se lembra?

– Minhas recordações são todas da infância, das festas de Natal, das brincadeiras com as outras crianças do bairro. No momento seguinte sou transportada para cá, no primeiro dia de aula. Passei a morar na república, e daí para frente as imagens são claras.

– E quanto ao período da adolescência?

– É tudo meio obscuro – reconheceu. – O que me vem quando penso nisso é nada mais do que um grande clarão. Por vezes enxergo luzes quando cochilo, escuto sons muito altos.

A cara do médico ficou séria.

– Que tipo de sons? Sinos? Alarmes?

– São mais como trombetas. Harpas, talvez.

– Sente cheiro de queimado? De coisa podre?

– Não de queimado, mas de enxofre, eu acho.

– Entendo. – O doutor já não parecia tão animado. – Agora, diga-me uma coisa, Rachel. Prometo que vai ficar só entre nós. Você tem tomado alguma coisa? Alguma substância, ou quem sabe...

– De jeito nenhum – ela o cortou rapidamente. – Não mesmo.

Leon contraiu os lábios. Ficou em silêncio, os olhos vidrados no lustre.

– Acho que você deveria fazer uma bateria de exames. – Começou a prescrever uma receita. – Quando pretende descer à capital?

– Não tenho previsão.

– Penso que deveria ir o quanto antes.

O tom de urgência a desconcertou.

– O que acha que tenho?

– Vamos esperar que seja uma crise de histeria. O tratamento é feito com terapia e remédios, nada muito forte.

O médico assinou a ficha de solicitação. Na lacuna superior, escreveu uma palavra que Rachel já conhecia: "eletroencefalograma".

– Isso é realmente necessário?

– É uma medida de precaução – ele deu um sorriso amarelo. – Mas fique tranquila. Não há de ser nada.

– Quando devo fazer esses exames?

– Depois do recesso seria perfeito. Já anotei no meu bloquinho para avisar aos professores que você estará de licença. Não precisa se aborrecer com as provas.

– Mas... – As palmas estavam suadas de novo. – É tão grave assim?

– Grave é não se prevenir. – Entregou à moça o documento.

– E o que eu faço se os sintomas voltarem? – Rachel não estava mais inibida. – Como devo agir?

– Primeiro, evite os tais alimentos gordurosos. Meu conselho é que tire o feriado para relaxar. Se sentir palpitações, tome este calmante – deu a ela uma embalagem de amostra grátis. – E marque o laboratório para segunda-feira, logo cedo.

O que mais preocupava Rachel eram as alucinações, não o enjoo. Ensaiou uma réplica, mas no fim preferiu não dizer nada. O coração saltitava. Como explicaria aquela situação para Hector? O que diria aos seus pais?

– Muito obrigada.

– Disponha. – Ele lhe ofereceu um cartão de visita. – Se precisar de alguma coisa, não deixe de me telefonar. – E enfatizou: – Estou no celular a *qualquer* hora.

– Sim, senhor.

Ela cumprimentou o doutor Leon e saiu do gabinete. Cruzou a enfermaria com as pernas bambas. Os joelhos tremiam.

Voltou ao dormitório.

6
AMIGO DOS HOMENS

A ESTRADA À DIREITA DA PEDREIRA CORTAVA O MACIÇO ATRAVÉS DE UM desfiladeiro, para se abrir numa planície de mato alto, uma região tão bela que parecia fantástica. Ao longe, já era possível enxergar o bosque de eucaliptos, e mais além despontavam, sobre a copa das árvores, as torres da igreja, com seus sinos de bronze reluzindo ao sol da manhã.

Mesmo sem falhas no asfalto, a viagem demorou mais que o esperado, possivelmente pelas condições precárias do carro. Mas não era só isso – havia uma atmosfera mágica naquele lugar, alguma coisa ligada ao tecido da realidade, a membrana mística que separa os mundos físico e espiritual. A leste do anel verde, uma elevação montanhosa abraçava a faculdade, revelando encostas de mata Atlântica, mirantes, quedas-d'água e corredeiras.

Logo na entrada do bosque, a estrada era bloqueada por uma cancela, vigiada por dois funcionários em uma guarita. O portão era igual às construções mais antigas e fora talhado com grandes blocos granulares, da mesma pedra cinzenta que compunha o mosteiro. Sobre o portal, uma inscrição em latim expunha as seguintes palavras: "Um abismo leva ao outro".

Observando ao redor, Urakin notou que uma cerca de barras metálicas delimitava o perímetro. Na pista oposta – a que saía – o guarda deu passagem a um Ford Mustang 1964, guiado por um aluno que não devia ter mais de 20 anos.

Levih freou o utilitário a poucos centímetros da porteira. O zelador veio encontrá-los de prancheta na mão. Trajava uniforme cáqui, com o brasão da instituição bordado na manga. Não portava armas, só o *walkie-talkie* e um cassetete. Tinha a expressão cansada. O boné escondia os cabelos curtos, e a barriga volumosa sugeria uma dieta pouco saudável.

– Bom dia. Preciso validar seus passes.

– Passes? – resmungou Urakin.

– Não somos da cidade – explicou Levih. – Viemos passar o fim de semana em Santa Helena e pensamos em fazer uma visita à faculdade. Só para conhecer, sabe?

– Ah, sim. Não são alunos. – O porteiro coçou a testa. – Estamos fechados para o feriado de Páscoa. Só estudantes e funcionários podem entrar. – E acrescentou com pesar: – Sinto muito.

O Punho de Deus falou ao ouvido do companheiro:

– Vamos dar a volta e arrebentar essa cerca. Acabou o problema.

– *Não*. Já disse que *eu* resolvo essas coisas – respondeu e retornou a atenção ao zelador. – Estive pensando... Hermes – era o nome escrito no crachá. – E se ficarmos só por hoje, até anoitecer?

– Não sei – o homem começou a vacilar. Não sabia por quê, mas o pedido era quase um apelo, muito difícil de ser recusado. – Recebi ordens claras.

– Mas veja, vai ser ligeiro. Sairemos antes do entardecer. – Os olhos azuis suplicavam. Afinal, que mal pode fazer um pobre coitado dar uma volta no campus?

– Mas tem de ser rápido – concordou o zelador, afrouxando a gravata. O semblante tinha mudado, e agora ele sentia uma incrível empatia pelo ofanim, como se fosse um amigo que ele não via fazia muitos anos. – Portanto, acho melhor eu ir com vocês.

Urakin não gostou da ideia, mas entendeu a estratégia. Aquele era o famoso controle emocional dos anjos da guarda, uma técnica que eles usavam mais frequentemente para persuadir espíritos sombrios, mas que também funcionava com seres humanos.

O funcionário deixou a prancheta na guarita, falou alguma coisa para o colega e abriu a porta do carro. Deu um tapinha nas costas de Levih e se acomodou no banco traseiro.

– Acho que vão gostar daqui. Eu indico o caminho.

Rachel jogou a bolsa e os livros sobre a cama, calçou sapatos confortáveis, vestiu roupas leves e saiu para tomar ar fresco. Queria esquecer os exames por enquanto, *relaxar*, conforme o doutor havia receitado. Apesar do mal-estar que a perturbara mais cedo e do nervosismo durante a consulta, estava bem-disposta agora, com uma energia que havia muito não sentia.

Ela sabia que Hector costumava praticar exercícios no bosque ao voltar de suas caminhadas e imaginou que pudesse encontrá-lo por lá. A mata era um lugar reservado, e ela precisava de tempo para discutir com ele todas as questões que a afligiam. Melhor assim: colocar tudo logo para fora, saber o que ele pretendia, tirar as dúvidas a limpo. Seria propício, mas tinha que parecer casual.

Saiu pela porta de trás da república, cruzou o pátio externo, atravessou o estacionamento e entrou no anel de árvores que delimitava o campus. Aproveitou para se exercitar, iniciando uma breve corrida em *jogging*.

Meia hora depois, reduziu o esforço – estava se afastando demais da área administrativa. As histórias sobre fantasmas e magia negra de repente lhe pareceram perigosamente reais. Um fato curioso (e folclórico) sobre aquela floresta era que ninguém até então havia conseguido medir a extensão da área plantada. Como não existiam registros oficiais, os próprios alunos, ao longo dos anos, tentaram examinar o terreno, mas sempre acabavam andando em círculos ou confundindo os dados no meio do processo. Às vezes um calouro sumia, mas só houve um caso sério, no inverno de 1980, quando um rapaz do terceiro período morreu ao se desencontrar dos amigos. O corpo foi achado perto de um riacho, e, embora os boatos insistissem na ação de uma entidade sobrenatural, os policiais classificaram o incidente como "suicídio". Portanto, não havia ameaça real aos fortes de mente, o que não reduzia o temor daqueles que se perdiam na trilha.

Rachel fez uma pausa para respirar. O reflexo de um objeto brilhante na encosta da montanha a cegou, desaparecendo logo sem seguida. Ela teve a sensação de estar sendo observada e se pôs a pensar na expressão austera do doutor Leon. Não descartou a hipótese de que seu cérebro estivesse realmente fundido, afetando inclusive a parte motora.

Rodou, rodou e não encontrou sombra de Hector. Caminhou para oeste, na direção da via asfaltada, quando topou com um velho poço de pedra, coberto de raízes, que até onde ela sabia era usado por algumas fraternidades em seus rituais de passagem. O sentimento de estar sendo vigiada cresceu, deixando-a apavorada. Acelerou o passo, mas não encontrou a saída. Onde havia se metido?

O pânico ameaçava derrubá-la quando experimentou uma presença acolhedora. Seguiu seus instintos. Venceu uma fileira de troncos e por fim descobriu a estrada.

Estava salva!

Os serafins, uma das mais elevadas castas celestes, composta de anjos nobres e altivos, são peritos na manipulação mental e se orgulham da maneira como transformam os inimigos em marionetes. Já os modestos ofanins, ordem à qual Levih pertencia, trabalhavam suas divindades de forma oposta. O controle emocional não afeta a mente, mas os sentimentos – em vez de um autômato, o que se ganha é um amigo, um confrade para a vida toda. A pessoa retém a personalidade e ainda é capaz de pensar individualmente, podendo ajudar o celestial não só em tarefas físicas, mas também por meio de soluções criativas.

Hermes tinha agora por Levih um grande apreço. Do banco de trás, orientou os novos parceiros pelo caminho, pedindo que evitassem as picadas de terra. A mata, quando percorrida por dentro, parecia muito maior do que vista de fora – não acabava nunca. Os eucaliptos se projetavam como colunas de madeira, alinhadas em alguns pontos, irregulares em outros. O zelador lhes contou que as mudas haviam sido plantadas na década de 60, por líderes de uma comunidade *hippie* que ocuparam a propriedade até 1972, trazendo à serra o misticismo de fadas e duendes, traço que acabou se incorporando à cultura local.

Pela janela do carro, Levih e Urakin avistaram um grupo de sete moças usando túnica branca e coroa de flores, que, descalças, veneravam um caldeirão, numa cerimônia que misturava tradições druídicas e indianas. Estavam posicionadas no interior de um círculo desenhado na terra, e uma delas segurava uma espada de prata, apontando o objeto ao solo.

À medida que avançavam, os anjos perceberam como o tecido da realidade era frágil no campus, com variados nódulos místicos, bolsões invisíveis de energia quimérica. Na prática, isso significava que o mundo espiritual estava mais próximo não só na floresta, mas em toda a área da faculdade, permitindo a manifestação dos poderes angélicos e facilitando a incorporação de entidades diversas.

— Da estrada vi um campanário — comentou Levih, apostando que o porteiro teria informações relevantes. — De que ano data a fundação da igreja?

— O convento foi erguido em 1783, mas já existia uma capela anterior: o Santuário de Santa Helena, construído por uma missão jesuítica no século XVII. Dizem que era um sítio de peregrinação, por isso a Igreja Católica cercou o bosque e estabeleceu o retiro. As montanhas eram praticamente inacessíveis até 1763, quando a capital se transferiu para o Rio de Janeiro.

— As estradas começaram a ser abertas a partir de então?

— Estradas, só a partir da segunda metade do século XIX. Mas havia dezenas de trilhas e uma comunidade de mineiros. Roma enviou seus melhores arquitetos, que desenharam o mosteiro, o claustro e iniciaram a exploração da pedreira. Tudo foi feito aqui mesmo.

— Que trabalho! — Ele imaginou como seria levantar um monastério no meio do nada, às voltas com uma região inóspita. — E os padres? Deixaram que os *hippies* vivessem aqui?

– Não. – Hermes corou ao reconhecer que tropeçara nos detalhes. – Ninguém sabe por quê, mas o convento entrou em decadência cem anos depois. Ele já estava praticamente abandonado quando a última freira morreu, em 1881. Uma colônia finlandesa se fixou onde hoje fica a cidade, e uma família de cafeicultores comprou o terreno em 1899. Fizeram os sobrados e ali residiram até o fim da Segunda Guerra Mundial. Depois, o terreno entrou em disputa, e durante esse tempo os alternativos chegaram. Quando o inventário saiu, uma instituição privada assumiu os imóveis e inaugurou a escola.

– Uma história e tanto.

Urakin os interrompeu, cansado de escutar discussões improdutivas.

– Viu uma jovem de cabelos ruivos?

– Um momento – disse Levih, embaraçado com a má educação do amigo.

– Desculpe, acho que falei demais. – Agora era o zelador quem estava envergonhado. – É que os turistas sempre perguntam essas coisas.

– Estamos muito gratos, Hermes. Por favor, continue.

Urakin fechou a cara. O funcionário pediu que fizessem uma curva, avisando que faltava pouco para chegarem ao largo central. Instintivamente, Levih encostou o automóvel quando viu uma moça apoiada num tronco, pedindo carona.

– Estão indo para o mosteiro? – ela perguntou, colocando a cabeça dentro do carro. – Posso ir com vocês?

Era Rachel.

7
CENTELHA DIVINA

Anjos e homens são iguais em muitos aspectos e completamente diferentes em outros. Todos os seres vivos – e até alguns objetos – têm seu reflexo no mundo espiritual. A esse reflexo, chamamos de *espírito*. A fonte vital que alimenta o espírito, no entanto, difere de caso para caso. Os mortais são movidos pela força da *alma*, o Sopro de Deus, um presente divino que encerra a maior dádiva terrestre: o livre-arbítrio. Já os celestes são regidos pelos instintos da casta, cada qual com sua função, como insetos em uma colônia. Qualquer entidade sensível às vibrações espirituais não vê dificuldade em identificar essas emanações de energia, percebendo sua natureza e origem. Muitos humanos dotados de habilidades psíquicas também conseguem perceber as flutuações invisíveis, bem como anjos e demônios materializados no plano físico. Foi assim que Levih e Urakin tiveram certeza de que haviam descoberto a arconte – a moça que viajava com eles era Kaira, Centelha Divina, não existia a menor dúvida.

Despreparados para uma abordagem tão rápida, os celestes ficaram atônitos. Haviam considerado de tudo, menos que a encontrariam disfarçada de estudante, morando numa faculdade campestre. Agora, só faltava achar Zarion, o querubim que a protegia.

– Sou Levih – o ofanim se apresentou, cuidando para não dar informações secretas ao zelador. – E este é Urakin. Viemos resgatá-la.

– Hã? – Rachel estranhou o linguajar, mas não queria ser grossa. O jovem de cabelos grisalhos era delicado e simpático, então ela procurou ser agradável também. – Eu o conheço?

– Não exatamente. – Escolheu uma expressão dúbia, que servisse a homens e anjos. – Somos enviados de Deus.

– Ah, entendi. – Deviam ser mórmons, ela pensou. Já vira alguns no campus. Geralmente vinham de longe, de outros continentes até. Eram inteligentes, conheciam vários países, tinham assuntos interessantes, mas ela não estava em um bom dia. – Onde estão seus crachás?

Levih deu risada. Deduziu que fosse um gracejo.

– Viemos a mando de Gabriel. – O nome era comum na terra. – Diga-me uma coisa – a dúvida surgiu na hora. – O que ainda está fazendo aqui?

– Eu? – a ruiva titubeou. Conversara mais cedo com o doutor e não desejava se abrir com gente que ela mal conhecia. – Combinei de almoçar com o meu namorado, antes de ele viajar.

Urakin estava desconfortável, com o pescoço rígido, o semblante fechado. Detestava subterfúgios, rodeios, e a relutância da moça em falar a verdade o fez lembrar dos serafins, anjos ardilosos e manipuladores, incapazes de dar uma resposta direta.

– Por que não deixamos de lado esta dissimulação? – ele ralhou. – Vai nos poupar um bocado de trabalho.

Rachel reparou no grandalhão e compreendeu o que se passava. A hipótese dos missionários caíra por terra, e ela agora se sentia ridícula por ter sido fisgada numa troça tão velha. Se fosse em outra ocasião, num outro dia, talvez digerisse melhor.

– Não tem graça! – desviou o olhar, fixando a atenção na floresta.

O utilitário entrou no largo do campus, e a universidade surgiu à vista de todos. Estudantes sentados no gramado, estirados à sombra dos flamboyants, aguardavam a partida dos ônibus. Carregavam grandes bolsas de viagem, mochilas, *laptops* e fones de ouvido.

Levih contornou a rotunda e parou em uma quadra de paralelepípedos a leste da praça, adaptada para servir de estacionamento, com retângulos de vagas pintados no chão.

– Bom, acho que fiz o que pude – sorriu o porteiro, encabulado. Alguma coisa lhe dizia que estava sobrando naquela conversa. – Espero que façam boa visita. No que precisarem, estarei na guarita – e saiu do carro, tomando a pé o percurso de volta.

– Obrigada pela carona – disse Rachel, seca. Partiu apressadamente na direção da pracinha.

– Espere um minuto. – Levih tocou-lhe o braço, mas ela o repudiou com um puxão.

– Me largue! – continuou caminhando, na esperança de que eles desistissem. Mas os celestes a perseguiram, agora estranhamente confusos.

– Ei, aonde pensa que vai? – protestou Urakin. – Sabe quanto viajamos para encontrá-la?

– Querem parar com isso? – abriu o jogo. Estava farta. – Estou no segundo ano. Não sou mais caloura.

– Segundo ano? – As peças se encaixaram na mente de Levih.

– Me deixe em paz! – a ruiva gritou, mas de repente teve o ímpeto de retornar. Nunca havia estado com veteranos tão persistentes, e aquilo a intrigou. Ou era uma nova modalidade de trote, ou então aqueles sujeitos eram maníacos. Protegida no meio dos outros alunos, parada em frente ao chafariz, encarou o Amigo dos Homens. – O que vocês querem?

– Esperávamos que você nos dissesse – ele foi sincero. – Estamos aqui para buscá-la. Temos ordens para dar continuidade à missão.

– E não para confraternizar com os mortais – rosnou o Punho de Deus. Sua hierarquia era inferior à de Kaira, a arconte, mas isso não o impedia de falar honestamente. Os guerreiros alados são retos, raramente brincam em serviço.

Nisso, um rapaz louro se interpôs entre Rachel e Levih – era Hector, que de longe percebera o assédio. Sozinho, e apesar da presença de Urakin, desafiou os recém-chegados.

– O que houve, Rachel? – falou com ela primeiro. – Esses dois estão perturbando você?

— Bom... – ela gaguejou. – Eles... Não sei muito bem.

Hector notou que o Punho de Deus o afrontava. Eram ambos valentões e não engoliam desaforos.

— Está olhando o quê, amigo? – provocou o rapaz, e o querubim se adiantou.

— Ora, saia da minha frente! – Urakin ia empurrá-lo, quando Levih ordenou:

— Chega! – E tornou a falar com Rachel. – Está bem, vamos embora.

— *Como?* – O guerreiro não acreditou.

— Faça o que eu digo – e os dois saíram de perto, com Urakin furioso, mas respeitando a decisão do parceiro.

— Perdeu o juízo? – reclamou, quando voltaram ao estacionamento. – Estamos com Kaira em nossas mãos. Vai deixá-la escapar novamente?

— Ela não tem por que escapar.

— É uma piada humana? – Ele não era bom com anedotas.

— Kaira não está em seu estado normal. Será que não percebeu?

— Pareceu-me perfeitamente saudável.

Levih abriu a porta do carro. Relaxou no assento de trás.

— Ela não tem noção de quem é. Sua mente foi apagada. Ou algo do tipo.

— Quem faria isso?

— Já viu um serafim em ação?

Urakin ficou em silêncio, como uma criança que recorda a tabuada.

— Use sua percepção de casta. Para isso foi enviado – sugeriu Levih. – Talvez haja um deles por perto.

— Um serafim?

— Acho que não preciso lembrar. – Mas acrescentou mesmo assim: – Estamos em guerra.

8
FIM DA LINHA

PARA NÃO TER DE TOPAR COM OS "MANÍACOS" DE NOVO, RACHEL PREFERIU almoçar na república. Hector trouxe a comida, e o menu incluía truta, purê de batata e legumes cozidos. A refeição veio acondicionada em caixinhas de isopor, acompanhada de talheres de plástico, daqueles que quebram à primeira garfada.

Rachel devorou o almoço sentada na cama, enquanto assistia na TV ao noticiário da tarde. Hector não tocou na quentinha – estava visivelmente apreensivo, nervoso, caminhando de um lado ao outro do quarto, olhando sem parar através da janela.

– O peixe vai esfriar – disse Rachel, mas de certa forma entendia a preocupação do rapaz. – Não precisa se aborrecer. Os seguranças vão tirá-los do campus tão logo saia o último ônibus.

Hector não respondeu. Sentou-se à escrivaninha e observou em silêncio o telefone sem fio. Mordeu os lábios. Bateu repetidamente os dedos na madeira. Depois, ergueu-se num movimento agitado.

– Tenho que ir à cidade.

– O quê? – ela se engasgou. – Vai sair *agora*?

– Não demoro. Prometa que não deixará este dormitório.

– Está louco? – A mudança brusca a irritou. – Num minuto age como meu cão de guarda, no outro...

– Volto em meia hora – ele nem a ouviu. – Fique aqui.

– O que vai fazer na cidade? – mas o protesto não surtiu efeito. Hector calçou os tênis de caminhada e saiu porta afora, sem ao menos olhar para trás.

Rachel estava perplexa. Aquele era o dia mais surreal de sua vida – sonhara com uma menina-fantasma, submetera-se a uma análise psiquiátrica, pegara carona com dois lunáticos e agora o homem que ela amava escapava de sua vista como um rato que sai do buraco. Não bastasse, passara mal a manhã toda e até então não tinha conseguido falar com a mãe.

Pensamentos obscuros a atacaram. E se Hector não retornasse? E se aquela fosse uma manobra para dispensá-la? E se ele estivesse agindo assim para, covardemente, induzi-la a terminar? Seria típico, raciocinou. Já soubera de muitos homens que desmanchavam dessa maneira, para isentar-se da culpa depois.

Mas a questão ia além – o que *ela* ia fazer? Deveria aguardá-lo, mesmo depois daquele surto psicótico, ou seguiria adiante, por suas próprias pernas?

Foi o receio de ser abandonada – e não a recomendação médica – que a fez tomar aquela decisão. Resolveu que pegaria um ônibus até sua casa e passaria o feriado com os pais, conseguindo ou não falar com eles. Inventou desculpas disfarçadas de hipóteses, concluindo que as linhas – a fixa e a móvel – estavam com defeito, por isso a mãe não atendera. Possivelmente eles também estavam tentando ligar para ela, quem sabe naquele exato momento.

Com essa sugestão reforçada, enfiou na mochila o que precisava. Dobrou um fardo extra de roupas, recolheu o celular, o *nécessaire*, o tocador de mp3 e o molho de chaves de casa. Vestiu um jeans preto, camiseta branca de alças e a jaqueta de veludo vermelho.

Desceu para a praça. Nem se lembrava mais dos "maníacos".

– Você é o líder – pressionou Urakin, impaciente com a quietude de Levih. – O que fazemos agora?

– Esperamos.

– Esperamos *o quê*?

– Tente ser menos impulsivo. – Ele continuava sentado no carro. – Não é bom para o seu trabalho.

– O que sabe sobre o meu trabalho?

– Vamos observar antes de agir. – O Amigo dos Homens preferiu não incitá-lo. – Fique atento à entrada da república.

Com as janelas do utilitário abertas, eles vigiavam a praça do campus através da linha de eucaliptos. A atenção de Urakin perseguia cada aluno, examinando suas atitudes e movimentos. Muitos estudantes tinham seu próprio automóvel, outros pediam carona, vários embarcavam nos coletivos que desciam a serra. Um ônibus parou em frente ao mosteiro, com destino à capital.

– Olhe lá – mostrou o Punho de Deus. – É Kaira.

– Tem certeza? Não vejo coisa alguma.

– Nada me escapa. – Ele se orgulhava de suas habilidades. Como a maioria dos querubins, conseguia enxergar à distância. – Ligue o motor.

Levih deu partida.

– Vamos segui-la.

O coletivo abarrotado cruzou o bosque, deixou a universidade, venceu a planície e atravessou o desfiladeiro. Manobrou pela rua principal de Santa Helena, deixando alguns passageiros na rodoviária local. Tomou a via interestadual, e de dentro do veículo Rachel contemplou as encostas de granito. Tentou relaxar. Encaixou o fone no ouvido e ligou o rádio, que só captou ruídos de estática. O telefone estava sem sinal. Pediu o celular emprestado a uma caloura, mas, no momento em que foi pressionar a tecla, o aparelho descarregou. Parecia piada, ela pensou – naquele dia, tudo estava fadado a dar errado.

Mais de meia hora depois, o ônibus encostou em um ponto mais baixo da serra, perto de uma estrada auxiliar, também asfaltada, que conduzia a um condomínio particular dali a dois quilômetros, conforme indicava a placa. Rachel desembarcou e ficou parada por alguns instantes a observar o trajeto, enquanto o transporte se afastava, levantando nuvens de terra e poeira.

No auge do dia, o clima esquentou. Eram cerca de três horas da tarde quando Levih reduziu a marcha, ao ver a moça descendo a estradinha a pé, até desaparecer num declive. Deixaram o carro num recuo, para segui-la de perto.

– Vou na frente, pela mata – disse Urakin. Além de perceptivos, os querubins sabem ser sorrateiros. – Você vai atrás. Acompanhe a trilha no asfalto. Cuidado para que ela não o veja. Fique atento aos meus sinais.

– Melhor assim – concordou Levih. A rua era delimitada por altas folhas de capim, salpicada por árvores esparsas e arbustos rasteiros. – Estarei na retaguarda.

– Isso não me cheira bem – segredou Urakin, antes de se afastar.

Rachel caminhou por mais meia hora sob forte calor. O outono era ameno em Santa Helena, mas bastava descer as montanhas que o sol castigava, em qualquer época do ano. O terreno não ajudava, com o asfalto refletindo os raios da tarde. Pelo menos estava em território conhecido. Ela se lembrava, ainda vividamente, de pedalar por aquela senda quando criança, apostando corridas de bicicleta da portaria à estrada. Às vezes, associava-se aos meninos para roubar maçãs de um pomar ali perto. Numa dessas aventuras, ela se recordou, encontraram o impressionante esqueleto de um boi, que mais tarde usariam como arma secreta para vencer a feira de ciências da escola.

Dobrando uma curva, observou outra placa, enferrujada, meio oculta entre as árvores, que indicava a direção do condomínio em que havia morado a vida toda, até entrar para a faculdade. Era um lugar agradável, que só lhe trazia boas lembranças. Tinha as dimensões e os recursos de um bairro comum, mas era privativo aos moradores, com sua própria administração, clube esportivo e até um auditório transformado em cinema. As redondezas eram rurais, com chácaras, sítios e fazendas até onde a vista alcançava. Muitos residentes – seu pai era um deles – tinham comprado terrenos para construir casas de veraneio, mas acabaram se mudando depois para lá, uma região segura contra os perigos da cidade grande e a apenas uma hora da capital.

No trecho final, a alameda subia, para terminar no portão de acesso aos domicílios, agora escancarado, com a pintura já gasta. A guarita estava vazia, e o vidro exibia uma rede de trincas que imitava o desenho de uma teia de aranha. A cancela que barrava o avanço dos carros fora removida. Rachel achou estranho e gritou, chamando o zelador. Apertou o botão da campainha e, como ninguém atendeu, seguiu adiante, imaginando como a administração permitira tão sério descaso.

A rua continuava asfaltada e, no intervalo seguinte, descia. Daquele ponto eram visíveis todas as 37 habitações, os pastos e as colinas além. Rachel grudou os olhos na paisagem, e daí sobreveio o impacto.

Uma tempestade – ou algo maior – destruíra as casas, praças e jardins. As telhas foram arrancadas, as janelas, estilhaçadas, e as paredes, rachadas. A impressão era a de um bairro fantasma, abandonado às pressas no decurso de uma grave tragédia. Sucatas de automóveis povoavam os becos, com carrocerias enegrecidas por fogo ou explosão. Troncos queimados se espalhavam nas pistas, enquanto plantas e trepadeiras invadiam as sacadas. A piscina do clube havia secado, e os azulejos estavam caídos, já verdes pelas marcas de limo, expondo a argamassa cinzenta. O campo de futebol se transformara num matagal, os postes de luz jaziam no chão, os canos de esgoto cuspiam sujeira.

O coração acelerou, e Rachel só não desmaiou porque se lembrou dos pais. Onde estariam agora? Por que ninguém lhe havia avisado? Como não escutara nada em Santa Helena? E a polícia, os bombeiros, a defesa civil?

O que exatamente havia acontecido, e quando? Ciclone, enchente, vendaval?

Não.

A conclusão era lógica.

Um incêndio!

9
TRILHA DE CHAMAS

Levih andava pela ruela quando sentiu um frio na espinha. Os anjos são seres perceptivos ao mundo espiritual, mesmo quando encarnados em seus avatares. Eles podem ver e sentir os universos além, e nesse particular os ofanins são especialmente versados. Parte do trabalho da casta consiste em caminhar no plano astral, tentando consolar e libertar as almas perdidas.

Os fantasmas são criaturas um tanto complexas. São espíritos de humanos mortos que, por reterem suas pendências vitais, acabam, às vezes inconscientemente, presos à terra. Em geral, são atormentados por seus próprios conflitos, numa espiral de autopunição que os impede de seguir adiante. Alguns fantasmas podem ser recuperados, e esses são os alvos primários dos ofanins. Outros sofrem traumas tão chocantes que "enlouquecem", repetindo sistematicamente as mesmas ações que praticavam no instante da morte – daí chamá-los de *sombras*. Alguns, mais sinistros, potencializam suas angústias em vez de buscar redenção, tornando-se perigosos e violentos – são os *espectros*.

Levih escutou urros abafados através do tecido e se recolheu ao meio-fio. Uma figura lustrosa passou correndo por ele, gritando, desesperada. Era (ou *havia sido*) uma mulher, que pensava estar viva. Disparou na direção da estrada sem percebê-lo, e ao chegar lá replicaria o trajeto, infinitamente. O anjo sentiu vontade de ajudá-la, mas para tal precisaria se desmaterializar, e não tinha tempo para isso. Ademais, ela era uma das sombras, e nesse caso a tarefa de redenção seria praticamente impossível.

Com o coração apertado, alcançou a entrada do condomínio. Viu que mais espíritos rondavam o portão, como zumbis invisíveis, impedidos de transpor suas grades. É comum os fantasmas delimitarem a eles mesmos fronteiras psíquicas, áreas físicas que os ligam ao local em que faleceram, por isso tantas histórias de casas, cemitérios e até prisões assombradas. Várias daquelas entidades, observou o celeste, tinham o rosto queimado; algumas rastejavam, com as pernas e os braços crestados. Os humanos não podiam vê-los, mas Urakin certamente os tinha notado.

E Kaira? Teria ela os enxergado, mesmo com a memória apagada?

Levih torceu para que não.

Era terrível, um pesadelo inacreditável! Não podia estar acontecendo. Rachel estava em choque, perdera totalmente o controle. A pressão arterial despencou. Começou a suar frio, a visão ficou turva e a respiração disparou. Sentiu ânsia de vômito, mas conseguiu reunir forças para correr até sua casa, aos tropeções, largando a mochila e o que mais carregava pelo caminho.

Pisou no canteiro de gramas secas, venceu a escada, subiu até a varanda e tentou abrir a porta – estava trancada. Pegou a chave no bolso, enfiou-a na fechadura. O segredo não encaixava. Tentou outras chaves do molho. Não conseguiu. Gritou, bateu na madeira, usou toda a força. Uma, duas, três, quatro vezes. As dobradiças cederam.

O sangue esquentou quando ela viu a sala vazia, com os poucos móveis cobertos por lençóis rasgados. A janela fora estilhaçada, como se ladrões a tivessem partido em mais de uma ocasião. As paredes e o telhado tinham marcas de fumaça, e as maçanetas haviam derretido. O tapete se transformara numa relva de cinzas, e, dentre todos os objetos, a pesada escrivaninha do pai era a única coisa que restava.

Rachel novamente berrou, gritou o nome da mãe. Correu até seu antigo quarto e o encontrou devastado. Da cama sobrara apenas a armação de metal, e no chão um CD rachado exibia o nome do cantor Frankie Valli.

Voltou à sala, transtornada, a visão turva pela adrenalina, as pontas dos dedos dormentes. Reparou que no interior de um armário sem portas, antes usado para guardar produtos de limpeza, repousava intacto seu velho ursinho de pelúcia, o único brinquedo que guardara dos tempos de menina.

De repente, ela entendeu – ou pensou entender – o que se passava. Seus pais estavam mortos!

Mas será que estavam mesmo?

Não!

Não era real, tentou se convencer. A discrição do médico era justificada – ela estava ficando louca, completamente maluca.

O coração disparou, as dores de cabeça voltaram. Não sabia o que fazer, para onde ir, a quem recorrer. O corpo esquentou, aqueceu tanto que ela pensou que estivesse morrendo. Ficou tonta, escorou-se na escrivaninha, escutou o crepitar de madeira. Olhou para a mesa, abriu os dedos e reparou nas próprias mãos.

Elas ardiam!

Rachel agitou os braços, tentou apagar as chamas. Quanto mais se mexia, mais o fogo se alastrava, e o espantoso era que já não sentia dor – a sensação era maravilhosa. Teve a impressão de ter se tornado *invencível*, como se o corpo fosse um veículo para as vibrações infinitas do cosmo. Era extraordinário, sensacional. Tomada daquela estranha energia, ela teve vontade de *se expandir*, como os vulcões quando cospem seus jorros, numa incrível dança de explosões escaldantes.

Desistiu de lutar e aceitou a conclusão lógica para aquele absurdo – estava morrendo, alucinando em convulsões psicóticas. A dúvida era se estava ali mesmo, na casa abandonada, ou na cama de algum hospital, fantasiando situações e eventos.

Um homem atravessou a porta da sala. Estendeu-lhe a mão. Tinha os cabelos grisalhos, os olhos azuis e a expressão amigável. Rachel o reconheceu como um dos "maníacos" que a perseguiram no campus. O que fazia ali? Era parte do "sonho"?

Levih tinha desistido de caminhar quando sentiu a expansão da aura de Kaira. Certo de que alguma coisa anormal havia acontecido, foi correndo descobrir o que era. Quando encontrou Rachel, ela tinha os olhos vermelhos, as mãos incandescentes. Estava invocando instintivamente seus poderes angélicos, e, sem o controle de suas ações, as consequências poderiam ser arrasadoras.

– Acalme-se – pediu o anjo. – Inspire.

Mas a reação foi inversa – e tipicamente humana. Rachel ainda estava presa à memória dos pais, e, se alguém sabia sobre eles, eram aqueles lunáticos.

– *Vocês* estavam atrás de mim o tempo todo – a dor se transformou em ira. – O que fizeram com a minha família?

– Você não é quem está pensando – a intenção era trazê-la de volta. – Viemos ajudá-la.

– Vocês mataram os meus pais. – Ela não sabia de onde havia tirado aquela conclusão, talvez de um canto obscuro da mente, mas precisava descarregar sua fúria. Naquele ponto, não pensava mais racionalmente. – Vocês *mataram* os meus pais!

Ergueu os braços na direção do ofanim. Sem saber como, deu vazão à raiva e deixou toda aquela potência *sair*. Das palmas brotaram jatos de fogo, tão possantes que carbonizariam Levih. Foi quando Urakin apareceu, saltando sobre o amigo com velocidade estupenda. Os dois deitaram no chão, fora da linha de ataque, enquanto as rajadas abriam buracos na parede de concreto, despedaçando cimento e tijolos, lançando cacos e reboco no ar.

Com Levih a salvo, o querubim rolou para o lado e abraçou as pernas da moça, fazendo-a tombar. Os jatos continuaram – destruindo o teto, derretendo as telhas, incinerando as vigas de madeira e traçando uma coluna flamejante no céu.

Levih ajoelhou-se com todo o cuidado, dobrando o cotovelo para se proteger dos flocos cinzentos. A casa se convertera numa enorme fornalha, e o calor era tão violento que qualquer ser humano ali já teria morrido.

– Pare, Rachel. Inspire – o ofanim tentou novamente, agora usando seus poderes empáticos. Ele se lembrou do nome que havia escutado de Hector, no pátio da faculdade. – Somos seus amigos.

Por alguma razão, a retórica funcionou, e Rachel começou a ofegar – fosse pelas habilidades do ofanim ou pela simples exaustão de energia. As labaredas diminuíram, e Urakin libertou as pernas da moça.

– Não tenha medo – continuou Levih. – Vai ficar tudo bem.

– Quem são vocês? – Ela tinha a impressão de já ter feito aquela pergunta uma centena de vezes. – Minha mãe, meu pai. – O pensamento não saía da mente. – Eles morreram?

– Receio – ele ajustou a voz para um murmúrio suave – que nunca tenham existido.

As chamas das mãos se apagaram.

Ela começou a chorar.

10
MENTE EM BRANCO

A EXPERIÊNCIA PELA QUAL RACHEL ESTAVA PASSANDO NÃO ERA FANTÁSTICA, tampouco sobrenatural. Ela já havia sido prevista pelo médico e tinha uma explicação: era a tal *conversão histérica*. No século XIX, o psicanalista Sigmund Freud – o mesmo sobre o qual o doutor Leon escrevera – havia provado que uma mente traumatizada é capaz de provocar reações significativas no corpo. Milagres, possessões demoníacas e visões de deuses e santos são fruto de uma consciência desestabilizada. Muitas "doenças" são provocadas por autossugestão e curadas da mesma forma, nos altares de igrejas, em templos esotéricos e durante sessões mediúnicas. Era nisso que Rachel acreditava, e estava convencida de que as "chamas" nada mais eram do que delírios irracionais. Seu problema mais imediato, entretanto, seria distinguir o real do onírico. Os homens atrás dela pareciam reais. Talvez fossem fanáticos religiosos, fugitivos de um hospício ou criminosos tentando tirar vantagem de sua condição. Certa de que não se livraria deles tão facilmente, resolveu enganá-los, alimentando suas paranoias. Precisava voltar à universidade de qualquer maneira, falar com Hector, ligar para o doutor, *chamar a polícia*.

– Quem você disse que sou? – ela perguntou para Levih. Estavam agora sentados na calçada, em frente à casa incendiada.

– Kaira, Centelha Divina, aronte do arcanjo Gabriel, uma ishim da província do fogo. Eu sou Levih, Amigo dos Homens, e este é Urakin, Punho de Deus. Somos anjos e viemos ajudá-la a completar sua missão.

– Anjos? – ela teve vontade de rir. – Não se parecem com anjos.

– Podemos nos materializar no plano físico, assumindo aparência terrena – ele explicou, didaticamente. – É uma dádiva dos céus, concedida para que possamos descer à terra e guiar os mortais. É nossa tarefa principal.

Rachel olhou para as mãos – estavam intactas, sem marcas ou queimaduras. As roupas também não tinham pegado fogo, nem sequer estavam sujas. Era impressionante como um cérebro desnorteado podia confundir a pessoa. As visões que tivera instantes atrás eram perfeitas, em todos os detalhes.

– E qual seria essa minha missão?

– Também não sabemos – interferiu Urakin. – Mas esperamos que você venha a lembrar.

– Se sou um anjo, por que não me recordo de nada?

– Minha suposição é que foi atacada mentalmente – prosseguiu Levih. – Cada casta celeste tem poderes diferentes, aos quais chamamos de *divindades*. A ordem dos serafins é hábil em controlar as memórias. Acredito que foi um deles que a assaltou, substituindo as velhas lembranças por novas.

– Quer dizer que a imagem que tenho dos meus pais é fictícia?

– Um implante psíquico. – Ele não desejava inquietá-la. – Sinto muitíssimo.

– Não faz sentido – a moça rebateu. – Se somos anjos, por que seríamos atacados por outros *anjos*?

– É uma longa história – admitiu o Amigo dos Homens. – Estamos em guerra, há mais de dois mil anos. Há uma batalha no céu, um conflito permanente entre duas facções. Somos partidários do arcanjo Gabriel, que luta em defesa dos seres humanos. Como aronte, você é uma das líderes nesse confronto.

Rachel buscou a carteira na mochila. Sacou a cédula de motorista e um boleto com a conta do celular em seu nome.

– Como explica isto? – mostrou os papéis a Levih. – Anjos também têm registros legais?

O ofanim pegou os dois documentos e os analisou longamente.

– Uma farsa. São genuínos, mas a habilitação foi expedida há dois anos. Data da época aproximada em que você desapareceu. – Observou a conta de telefone. – Qual foi a última vez que falou com seus pais?

Rachel gelou. Levih lhe tocara a ferida. Alguns de seus argumentos se encaixavam, o que a deixou assustada.

– Não lembro.

– Sua existência humana foi forjada. Precisamos descobrir quem fez isso, e *por quê*.

Urakin palpitou:

– Não entendo por que o inimigo simplesmente não a matou. Seria mais fácil, mais lógico, mais prático.

– Essa é a questão, Urakin – retrucou Levih. – Nem todas as castas são tão práticas. Os serafins são mestres da manipulação e naturalmente planejavam alguma coisa.

– Mesmo assim, é incomum. Limpar a mente de um anjo e implantá-lo na sociedade humana é uma tática nada ortodoxa.

A ruiva estava intrigada. Acariciou o urso de pelúcia, único objeto que se salvara do incêndio. Tinha certeza de que *não* era um anjo, e o brinquedo era agora a única prova física que a ligava aos pais – e poderia ser uma pista para reencontrá-los, estivessem vivos ou mortos. Apertou o bichinho. Os dedos afundaram. Através do zíper nas costas, ela recordou, o pai havia removido o dispositivo eletrônico que fazia o boneco falar.

– O que aconteceu comigo lá dentro? – Mesmo descrente, ela estava curiosa para escutar a versão dos "lunáticos". – Aquelas chamas, como consegui invocá-las?

– Uma explosão involuntária da aura, a energia que nos conecta aos planos divinos – contou Levih. – Pode acontecer em momentos de estresse. Com o tempo, você reaprenderá a controlar sua força.

– Temos que voltar a Santa Helena – ela disse de repente. Não podia ficar ali. Tinha que arrumar um jeito de escapar. Improvisou. – É por lá que devemos começar a nossa investigação.

– Absolutamente não. Quanto antes se libertar de todos os seus vínculos mortais, melhor. Acabou de passar por um trauma. Regressar à universidade não vai ajudar. Além disso, não precisamos investigar nada. Temos aliados que poderão instruí-la sobre como reconstruir suas lembranças.

– Pode ser, mas tenho que voltar. – Colocou o ursinho na mochila, apertou a bolsa nas costas. – Não posso simplesmente desaparecer.

– *Rachel* nunca existiu.

– Você disse que eu era sua líder – ela usou o feitiço contra o feiticeiro. – Então, faça o que eu digo. É uma *ordem*.

Deu as costas para eles e andou até a viela. Era uma jogada arriscada, mas não tinha outra saída. Se acreditavam mesmo ser anjos, talvez o blefe funcionasse. Urakin a acompanhou, em posição de escolta. Levih ficou indignado.

– O que está fazendo, Urakin?

– Desculpe-me, amigo, mas ela está certa. Sou um soldado. Kaira é nossa superior. Ela está no comando agora.

A intenção de Levih era boa – ele só queria protegê-la de outro impacto emocional –, mas o Punho de Deus tinha razão. A hierarquia celeste é rígida, e os anjos devem respeitá-la. Os ofanins, apesar da extrema bondade (e justamente por causa disso), estão habituados a quebrar regras, sempre para ajudar seus parceiros. Dessa vez, porém, era voto vencido.

Rachel estacou no ponto mais alto da rua e de lá observou o que havia restado da casa dos pais. Não sabia se estava louca ou sã, viva ou morta. As memórias de Santa Helena eram muito fortes, não podiam ter sido implantadas. Hector existia, não era apenas um sonho. Não pretendia deixá-lo, não importava o que a dupla dissesse.

Entraram no carro. Com Levih ao volante, aceleraram em retorno a Santa Helena.

O sol estava se pondo.

11
ANJOS E MONSTROS

A NOITE HAVIA CAÍDO QUANDO CHEGARAM AOS PORTÕES DA UNIVERSIDADE. Um forte nevoeiro cobria toda a região de Santa Helena, e a temperatura despencara. A guarita na entrada do campus era agora vigiada por quatro guardas – um deles era Hermes, o zelador-chefe, com quem Levih conversara mais cedo.

Rachel sabia que os funcionários não os deixariam passar sem autorização especial, ainda mais àquela hora, o que, a propósito, era favorável a seus planos. Puxou o cartão da república e o mostrou ao Amigo dos Homens.

– Este passe é único, mas serei rápida – era uma forma de despistá-los. – Vocês podem me esperar aqui.

– Não se preocupe – Levih esticou os lábios, confiante. – Vamos com você. Fiz alguns amigos pela manhã.

Reduziu o farol, acendeu as luzes internas e sinalizou para Hermes, que dessa vez não moveu a cancela. Veio até eles com a mesma expressão cansada e, para surpresa dos celestiais, não os reconheceu – era como se os efeitos da sugestão tivessem passado. Seria um caso raro, mas não único.

– Estamos fechados – declarou, mais grave e atento.

– Hermes, não se recorda de mim? – Levih deu um sorriso. – Falamos tanto outra hora.

– Como sabe o meu nome?

– Está no seu crachá. – Engoliu em seco. – Estivemos aqui antes do almoço.

– São alunos, funcionários ou professores?

– Sou aluna. – Rachel saiu do carro. Mostrou a identificação. – Residente na república.

– Muito bem. Pode seguir – e voltou-se para Levih. – Mas não posso deixá-los passar.

Os anjos se entreolharam. Rachel insistiu na estratégia.

– Está tudo bem – garantiu ao ofanim. – Vou sozinha.

– O que vai fazer lá *sozinha*?

Sem muitas opções, ela preferiu dizer a verdade, ou parte dela.

– Tenho que conversar com Hector, se ele ainda estiver no sobrado. – E foi enfática: – Minhas ordens são para que fiquem aqui. – Apontou para as chaves na ignição. – Preciso do carro. Assim vou e volto em quinze minutos.

– Tem certeza de que ficará bem? – Levih ofereceu-lhe o assento.

– Quinze minutos – Rachel assumiu a direção. – É tudo que peço.

Vendo o automóvel desaparecer no bosque, Urakin murmurou:

– É ultrajante. Já atravessei universos, planos e dimensões. Não vou ser detido por uma cancela.

– Logo você? – estranhou o parceiro. – Desobedecendo ordens?

– É diferente – fitou os guardas no portão. – Ela não vai voltar. Estava mentindo.

A praça do campus lembrava o cenário de um filme de terror – completamente deserta. As torres do mosteiro se perdiam na névoa, e as luzes dos postes brilhavam turvas na noite gelada. Rachel estacionou em frente à entrada da república, puxou o freio de mão, vestiu a jaqueta de veludo vermelho e pegou as chaves na mochila, deixando-a dentro do carro.

Uma pesada porta de madeira dava acesso ao saguão principal, silencioso e vazio. A iluminação indireta vinha de abajures e de uma TV comunitária, ligada em um canal que só transmitia chuviscos. O assoalho era original, com grandes tábuas de madeira. Uma sala de estar próxima à janela tinha pufes e tapetes espalhados, com um *display* de cerveja grudado na parede. Do outro lado, uma comprida bancada sustentava seis computadores pessoais, e mais adiante um corredor estreito conduzia aos vestiários e à copa.

Uma escadaria restaurada, que datava da fundação do edifício, subia para a ala dos dormitórios, no segundo andar. Os antigos aposentos haviam sido adaptados para abrigar quartos modernos, com eletricidade, encanamento e pontos de acesso à internet. Eram dezesseis no total, oito de cada lado. Uma goteira insistente pingava do teto, e as lâmpadas fracas oscilavam em disparos repentinos de energia.

Rachel destrancou o quarto. O lustre tinha queimado. Acendeu a luminária da escrivaninha. Segurou o telefone sem fio. Para quem ligaria primeiro? Hector não estava lá, como ela já tinha cogitado, e, por mais que o amasse, a prioridade era se livrar dos "maníacos". Deslizou o polegar pelos botões, pressionou a tecla *talk*. Deu sinal. Discou 190.

– Departamento de Polícia de Santa Helena – era uma mulher que falava. – Boa noite.

Que piada, divagou Rachel. Se alguém ligava para a polícia, não podia estar tendo uma boa noite.

– Boa noite – tentou ficar calma. – Meu nome é Rachel Arsen. Sou aluna da universidade e tem dois homens tentando me sequestrar. Estou na república agora.

– Pode repetir o seu nome?

– A-R-S-E-N. Rachel é com C-H. – Colou os lábios no bocal. – Em quanto tempo estarão aqui?

– Pode me descrever esses homens?

Rachel se irritou, em parte pelo desespero. Eram a polícia ou uma empresa de telemarketing?

– Escute, não tem como mandar uma viatura? Você tem o meu número.

– Todas as nossas viaturas... – a ligação caiu. Um pico de luz havia cortado a força e, consequentemente, a energia do aparelho. Não era um simples problema elétrico, ela percebeu. Havia uma peculiar sensação de *imersão*, como se estivesse mergulhando num lago.

Enquanto as lâmpadas tremulavam, escutou passos no corredor – e não eram humanos. O andar copiava os movimentos de um animal quadrúpede, que arrastava as garras no chão, raspando-as contra a madeira. A ruiva teria paralisado, não fosse a experiência na casa incendiada. Depois daquela primeira alucinação, ela pelo menos sabia que qualquer aparição fantasmagórica teria sido criada por sua consciência, o que infelizmente não a isentava do horror.

O que viu a seguir foi terrível demais, mesmo para alguém de mente lógica. Um leão de juba negra e assustadores olhos vermelhos surgiu além da porta, rosnando feito um cachorro. A expressão era quase humana, os músculos rígidos e desmedidos, com grandes patas e unhas pretas. Não era um animal, mas um *monstro*, uma criatura consciente e racional, pronta a devorá-la com suas presas afiadas.

Rachel estava encurralada. Precisava sair daquele lugar. Pensou em pular pela janela, mas a distância do chão a travou. Procurou uma rota de fuga – não havia nenhuma.

– Já vai embora? – O monstro podia falar. Sorriu perversamente, com um prazer obsceno ao vê-la assustada. – Ainda não jantei.

– Meu Deus, o que é *isso*? – a moça gaguejou, largando o telefone. – Saia daqui!

– Chegue mais perto – a criatura se aproximou. – Eu não mordo.

Era um embuste. Enquanto conversavam, o monstro retesou as pernas traseiras. Deu dois passos, já dentro do dormitório, e saltou de boca aberta para estraçalhar-lhe a garganta. Rachel tentou inflamar as mãos, como fizera no condomínio, mas não produziu uma só faísca.

Estava condenada – se não morresse pelos ferimentos, sua própria mente a mataria. O leão era, seguramente, um mecanismo do inconsciente, a personificação de suas psicoses, pronto a destruí-la numa crise esquizofrênica.

Rachel se jogou para trás, quando viu a fera ser detida no ar por um homem robusto, que entrou voando pela janela – era Urakin. O celestial pulou sobre o monstro e o agarrou com os braços, empurrando-o para fora do quarto. Os dois transpuseram a porta e se chocaram contra a parede do corredor, num estrondo que abriu uma fenda através do reboco. Caíram engalfinhados no dormitório vizinho, cobertos de poeira, cimento e tijolo. O impacto abalou as fundações do sobrado, sacudindo a estrutura como a passagem de um terremoto.

Rachel aproveitou para escapar. Reuniu coragem e saiu do quarto, diretamente para o corredor. De lá, observou a escada. Se pudesse alcançar o carro, estaria livre. Dirigiria para a cidade, para a delegacia de polícia, ligaria para Hector, avisaria o médico, esclareceria toda aquela loucura.

Pisou no primeiro degrau e finalmente entendeu que o leão era só o começo. Uma figura sombria, que mais parecia um borrão, emergiu da madeira, bloqueando a passagem ao andar térreo. Tinha a silhueta humanoide, com tronco, cabeça, braços e pernas, e mais um par de asas negras que, abertas, tocavam o teto. Seu corpo era imaterial, exatamente como as sombras humanas, mas em três dimensões, o que lhe permitia transpor barreiras maciças, como portas e muros. Os olhos eram luminosos, e os detalhes do rosto, indistintos. Bateu as asas e chegou mais perto de Rachel.

– Estou cansada de você, Centelha Divina – falou a entidade. Sua voz era feminina e também diabólica. – Sua temporada de repouso acabou.

Dito isso, a figura ergueu os braços, e das costelas saíram escabrosos tentáculos de sombras, que se expandiram feito um polvo em caçada. Um deles a agarrou pelo pescoço com toda a força, jogando-a ao teto num baque engasgado.

Pressionada ao ponto da asfixia, Rachel sentiu a cabeça rodar. Então, lembrou-se de uma lição dada pelo doutor Leon nas aulas de psiquiatria, sobre as alucinações e a importância de saber enfrentá-las. Fossem ou não reais as experiências pelas quais passava, de uma coisa ela tinha certeza.

Estava na hora de reagir.

Mais atrás, no quarto destruído, Urakin e o leão se levantavam. Cobertos de poeira, trocaram olhares furiosos, ambos famintos pela batalha. Um cano furado espirrava jatos de água, e um fio partido ameaçava eletrocutar quem o pisasse.

– Forcas – reconheceu o Punho de Deus. – Sua nova forma diz muito.

– Satisfação em revê-lo, velho amigo – zombou o monstro. – Acaba de me dar um belo motivo para arrancar sua cabeça.

Foi Urakin quem agiu primeiro, lançando um murro na cara de Forcas. A fera, entretanto, foi mais veloz. Esquivou-se para evitar a pancada e mordeu fundo o antebraço estendido do anjo guerreiro. Com as mandíbulas fechadas, girou a cabeça como fazem os cães, tomou impulso e, com a boca, jogou o celeste de volta ao corredor.

A colisão derrubou outra seção da parede, espargiu mais sujeira, levantou uma nuvem de destroços. Urakin bateu com a nuca no chão, o braço pingando sangue.

Na escada, a entidade negra afrouxou os tentáculos para que Rachel pudesse falar. A moça estava agora retida entre as vigas do teto, incapaz de se mexer, totalmente imobilizada.

– Está em minhas mãos, arconte – a voz da criatura assumiu uma tonalidade imperativa. – Posso matá-la a qualquer momento. Diga-me onde a menina escondeu o mapa.

– Menina? – Rachel estava rouca pela pressão. – Que menina?

– Sabe muito bem. – Fechou as asas em torno dela. – O *mapa*. Fale onde está e nós a libertaremos. É assunto *nosso*.

– Não sei do que... – a frase se perdeu quando o tentáculo a envolveu num abraço sufocante. Estava quase inconsciente quando um clarão iluminou a república.

Um raio azulado partiu dos degraus abaixo e atingiu em cheio o pseudópode que a apertava. A ruiva foi solta na hora. Caiu pesadamente no piso, sem se ferir gravemente. Respirou fundo e viu Levih subindo a escada, aproveitando-se da distração para chegar até ela.

Enquanto a entidade tomava fôlego, o Amigo dos Homens pisou no segundo andar e amparou a arconte.

– É você que eles querem. Vá embora daqui – disse o ofanim. – Ela ainda está ofuscada pelo meu disparo de luz, mas vai se recuperar logo.

– O que são esses monstros?

– Depois explico. – Ele a empurrou suavemente. – Dou cobertura. Corra!

Rachel relutou, mas obedeceu. Estava a cada minuto mais convencida de que poderia mesmo ser Kaira, até porque, se não fosse, estaria realmente maluca. O problema é que, sendo ou não um anjo, ela ainda se sentia incapaz de lutar.

Desceu a escada, enquanto a figura de sombras se recompunha. Chegou ao saguão, correu para a porta e viu um homem entrando no prédio.

Era Hector!

Eles se abraçaram.

12
DISPARO NA NOITE

No segundo andar, Urakin se restabeleceu ao ver Forcas grunhindo através da parede. Escorou-se no cimento, tateou o chão, procurou um cano, uma barra de ferro, qualquer coisa que pudesse usar como arma, mas só encontrou vidro e sujeira.

– Engraçado como o mundo dá voltas – falou o monstro, com aquela voz que parecia um rugido. – Um dia do caçador, outro da caça.

– Eu devia imaginar que estava metido nisso – rebateu o guerreiro. – Culpa minha. Não o bani direito da última vez.

– Não se dê ao trabalho. Elas por elas – e, ao dizer isso, Forcas armou um novo salto, agora com toda a força, expandindo garras e dentes para mutilar Urakin.

Usando seu instinto de combate, o Punho de Deus pensou rápido. Olhou para o solo e avistou um extintor de incêndio. Enrolou os dedos na mangueira e a puxou, no exato instante em que o adversário pulava para mordê-lo. Levantou a cápsula vermelha e golpeou ferozmente, acertando o leão no focinho. O garrafão estourou, jorrando pó químico nos olhos do monstro, despedaçando os caninos, fazendo-o engolir poeira branca.

A fera se debateu, atordoada, com o maxilar deslocado, cuspindo sangue aos litros. Urakin prosseguiu na batalha e chutou-lhe as costelas três vezes, até escutar os ossos cedendo. Usou o extintor novamente para esmagar a espinha, que se dobrou feito madeira podre.

Forcas caiu para o lado, e sem piedade Urakin o agrediu com pisadas, mirando a base do crânio. Segundos depois, o que restava era uma pasta sangrenta – mistura de ossos, pelugem e miolos. Finalmente, o querubim penetrou os dedos no peito da besta e, com um ataque enérgico, removeu o coração.

Apesar da aparência infernal, a entidade que sufocara Rachel não era um demônio, mas um anjo, um celestial da casta dos hashmalins, os juízes e executores do céu. Os hashmalins são os senhores da Gehenna, controlam o purgatório e as prisões angélicas, localizadas na segunda camada do paraíso. Oposta aos ofanins, a ordem é capaz de infligir dor, dominar a escuridão e manipular tanto os espíritos quanto o tecido da realidade. São sem dúvida criaturas de grande poder e de igual perversidade – alguns dizem que essa natureza é o que lhes permite sobreviver e atuar em uma dimensão tão sombria.

Yaga era um desses anjos de trevas. Levih a reconheceu como aliada do arcanjo Miguel, mas não a considerava inimiga, já que os ofanins sempre evitam confrontos. Poderia tê-la matado com seu raio de luz, mas em vez disso preferiu ofuscá-la, para que Rachel pudesse fugir.

A poucos metros de onde Urakin e Forcas lutavam, Yaga abriu as asas e voltou a obstruir a escada, encarando o Amigo dos Homens.

– O que desejam com Kaira? – gritou Levih, no impulso de proteger sua líder. – O que ela fez a vocês?

– Você é patético, Levih. Volte para seus asilos e hospitais.

– Temos uma trégua na Haled, esqueceu? O que estão fazendo é ilegal.

– Foram vocês que começaram esta guerra, adoradores de animais. Agora *nós* vamos terminá-la!

E assim Yaga atacou, ampliando seus tentáculos mais uma vez. Em combate direto, era indiscutivelmente mais apta. Se decidisse aniquilá-lo, Levih se entregaria sem reagir.

Um dos braços espectrais envolveu o Amigo dos Homens, como uma cobra que agarra sua presa. E começou a apertar.

Rachel olhou para Hector e o afastou, preocupada em tirá-lo dali. O prédio tremia com os combates no andar de cima. Era impossível negar que alguma coisa estava acontecendo.

– Vamos embora, Hector – implorou Rachel, puxando-o pelo braço. – Venha comigo.

Ele não parecia nervoso. Manteve-se onde estava.

– Tenha calma – acariciou os cabelos da moça. – Qual é o problema?

– Falamos sobre isso depois. *Venha!*

– Tudo bem – ele sorriu. – Vamos para a minha casa. Mas antes quero um beijo.

– O quê? *Agora?*

– Por que não? – As madeixas louras estavam penteadas com gel, e os olhos castanhos a seduziam. – Vai se sentir bem melhor.

Rachel concordou – não havia tempo para argumentar. Encostou os lábios nos dele, num beijo que seria profundo se ela não estivesse tão afobada.

Então, um estampido ressoou no sobrado.

Sangue.

A ruiva sentiu o corpo pesar.

No nível dos dormitórios, Yaga escutou o disparo. Desfez os tentáculos, libertou Levih e atravessou o chão de madeira, flutuando em forma de trevas para o saguão no primeiro andar. Surgiu diante de Hector.

Rachel deslizou os dedos sobre a camiseta branca de alças. Viu que sangrava. Um tiro perfurara-lhe o peito, rasgando a carne na altura do coração. O namorado ainda a segurava, impassível, com um revólver na mão. A moça escorregou de seus braços e, ainda consciente, o escutou sussurrar:

– Rachel, não me entenda mal. Sempre a amei.

Os olhos de Yaga chisparam. Irada, ela afrontou o jovem Hector, que recuou quando a viu avançar.

– Maldito seja, *macaco* – o timbre engrossou. – Precisávamos dela viva!

– Mas... – os dentes trincaram de medo – achei que a queriam morta.

– Não dessa forma – esbravejou. – Tem ideia do que nos causou? Se o avatar de Kaira for destruído, o espírito de Rachel escapará para sempre.

– Tentei impedi-la de fugir – justificou-se, como se pudesse reverter a burrada. – Ela... ela... ela ainda não morreu. Eu posso...

– Tenho o castigo certo para você.

Mais preocupada em punir Hector do que em capturar Rachel, Yaga estendeu um dos dedos tenebrosos e o rapaz sentiu o coração formigar. As pernas bambearam, os braços tremeram, a cabeça girou. Dores inimagináveis o espetaram, como agulhas ferventes raspando a pele. Depois, a aflição veio de dentro para fora, com os órgãos pulsando, a ponto de explodir. No minuto seguinte, estava levitando – viu o teto da república e compreendeu que seu espírito fora *arrancado*.

A sensação de elevação durou muito pouco. Yaga empurrou a alma para *dentro* do revólver, e agora Hector estava aprisionado no metal, provando o calor sufocante que se seguiu ao disparo. O cano da pistola era tal qual sua garganta; o tambor, o estômago; a mira, os olhos; o gatilho, as pernas. Ele teve vontade de tossir, engasgado com a fumaça, mas não conseguiu.

Encerrada a transferência, Yaga reparou que Levih e Urakin desciam as escadas. A aura de Forcas havia sumido, e sozinha ela não era páreo para os dois. Decidiu fugir, recuar até que pudesse enfrentá-los em ocasião mais propícia. Atravessou a parede, voou sobre a praça em frente à república e se desmaterializou ao alcançar o bosque do campus.

– Kaira! – Levih a chamou pelo nome. – Olhe para mim.

A moça não enxergava, mas podia escutá-lo. O projétil havia rompido uma artéria, passando nas proximidades do coração.

– É grave – avisou Urakin. – Ela vai precisar de toda a energia para se recompor.

Levih puxou um lenço do paletó e o pressionou contra o ferimento, para deter a hemorragia. Ergueu a nuca de Rachel, conferiu os batimentos cardíacos.

– Kaira – repetiu. – Ouça-me. *Regenere-se*. Expanda sua aura, como fez no condomínio. *Regenere-se*.

– Talvez ela ainda não saiba fazer isso, Levih. Talvez não se lembre – advertiu Urakin. – Talvez não possa.

– Ela vai conseguir – mas Rachel continuava sangrando. – *Tente*. Sei que pode me ouvir.

Nada. Nenhuma melhora. A poça vermelha cresceu.

– Temos pouquíssimo tempo. – Como soldado, Urakin lidava melhor com situações de pressão. – Ela já perdeu sangue demais.

– Yaga... Vá atrás dela. Descubra onde se esconde.

– Tem certeza? E o que faremos com Kaira?

– Só tem um jeito de salvá-la – uma ideia brotou. – Não podemos interná-la em um hospital. Então...

– Nem pense nisso – resmungou Urakin, adivinhando a intenção do parceiro. – *Ele* é um espião.

– É nossa única chance. – Pegou a ruiva no colo. – Vou pô-la no carro. – Saíram da república. – Você rastreia Yaga e depois me encontra no porto. Sabe onde ele mora?

– Está cometendo um erro, Levih – insistiu o Punho de Deus, enquanto o ofanim a deitava no banco traseiro. – Ele é nosso inimigo.

– Por ora, tudo que precisamos é de um refúgio. – Ligou a ignição. – E *rápido*.

13
EXILADO

Levih forçou o utilitário à velocidade máxima, com o acelerador marcando 140 km/h. Destruiu a cancela numa pancada tão forte que um pedaço de madeira ficou grudado no para-brisa. O retrovisor direito se partiu, e o automóvel desapareceu na planície antes mesmo de os guardas do portão anotarem a placa.

Enquanto guiava, Levih agradeceu mentalmente a Urakin por tê-lo estimulado a invadir a faculdade, em vez de esperar pelo retorno de Kaira. Aceitara a sugestão do parceiro de contornar o campus, entortar as grades metálicas e transpor a cerca sem que os funcionários os vissem. Se não tivessem agido no momento oportuno, a arconte estaria morta agora. Os príncipes e arautos, anjos influentes que transmitem missões às hierarquias inferiores, não são tolos e escolhem seus agentes de acordo com a tarefa exigida. Levih e Urakin se completavam – eram a dupla perfeita para aquela empreitada.

Com a líder inconsciente no banco de trás, o Amigo dos Homens desceu as montanhas até o nível do mar. Chegou a uma região portuária, localizada no meio do caminho entre Santa Helena e a capital do estado. O município havia sido fundado nos anos 50, ao redor de uma promissora fábrica de autopeças, atraindo operários e técnicos de várias cidades vizinhas. Após um breve período de prosperidade, a indústria abriu falência nos anos 80, deixando milhares de trabalhadores desempregados. A crise provocou êxodo em massa, e a localidade foi praticamente abandonada, restando apenas o píer, ainda usado por moradores das áreas próximas, uma ou outra casa de veraneio e algumas lojas e serviços ligados à pesca. Nas ruas, era comum ver *outdoors* rasgados, postes de luz avariados e estabelecimentos fechados há anos. O parque de diversões deu lugar ao ferro-velho, e na avenida à beira-mar impressionava a quantidade de prédios em ruínas – armações de restaurantes e hotéis que nunca chegaram a ser construídos.

O refúgio do *espião* ficava a duas quadras da marina. Todas as habitações funcionais eram próximas à orla – as construções mais ao interior ou haviam sido engolidas pelo mato ou invadidas por gente pobre, que ali erguera barracos, hortas e casebres.

Já passava da meia-noite quando Levih avistou um prédio estreito, de três andares, com paredes de concreto e janelas cobertas por tinta fosca. Estacionou, desceu do veículo e tocou a campainha. Não escutou o alarme nem sentiu qualquer vibração, indício de que não havia anjos por perto. Bateu na porta e, ao tocá-la, reparou que era feita de aço. Observando mais atentamente, percebeu que o pequeno edifício tinha aspecto de *bunker* – blindado e discreto. Insistiu, e na quarta tentativa apelou para a garganta:

– Denyel! – o grito ecoou pelos becos. – Denyel!

Mais alguns segundos e ouviu passos subindo em crescente, como se alguém se aproximasse pelas escadas. A porta se abriu lentamente.

Do outro lado, Levih reconheceu Denyel, um dos anjos exilados. Pertencia à casta dos querubins, mas pelo tempo que estava na terra não havia como distingui-lo de um homem comum. Ocultava sua aura tão perfeitamente que passaria por gente, mesmo diante de outros alados. Era forte, como qualquer anjo guerreiro, mas tinha músculos alongados e rígidos, mais magros que os de Urakin. Era mais baixo também, comparável às pessoas normais, com cabelos negros e olhos ariscos. A barba era rala, mas por ser muito escura aparentava maior volume, subindo às orelhas para formar costeletas. Vestia-se de modo informal, com jeans surrado, cinto de couro, camiseta preta e velhos sapatos de *trekking*. Segurava uma garrafa *long neck*, com a cerveja já consumida até metade.

– Para que essa gritaria? – resmungou, tentando identificar o visitante. – Vai acordar vivos e mortos.

– Denyel – Levih ofegava. – Será que se recorda de mim?

– Vagamente. Omaha, 1944?

O ofanim não replicou. Foi direto ao assunto.

– Precisamos de refúgio. Nossa líder foi atacada – apontou para o carro. O cheiro de sangue era perceptível. – Venho implorar sua ajuda.

– *Nossa* líder? Quem mais está com você?

– Urakin, Punho de Deus – explicou rapidamente. – Fomos atacados por Forcas e Yaga, ambos aliados do arcanjo Miguel. Presumo que os conheça.

– *Quem?*

– Urakin.

– Não, os outros dois.

– Yaga e Forcas.

– Yaga? – Denyel achou graça. – Mundo pequeno. – Bebeu um gole de cerveja. – O que quer de mim?

– Refúgio – repetiu, juntando as palmas num apelo. – É por pouco tempo.

– Não deve ser só isso – a sobrancelha subiu. – Senão jamais viria até aqui.

– Ela foi ferida – os lábios de Levih trepidavam. – A bala está alojada perto do coração.

– Sei – fez, como se o tivesse pegado na mentira. – Quer *minha* ajuda? Sabe quais seriam as consequências caso aceitasse recebê-los?

Todos sabiam. Os anjos exilados não são criminosos, tampouco fugitivos – são legítimos agentes de seus arcanjos, permanentemente baseados na terra. Gozam de salvo-conduto para viver na Haled, com a única condição de não interferir no curso da guerra. Denyel era um dos partidários de Miguel, portanto um *inimigo*, conforme Urakin descrevera. Se resolvesse ajudá-los, não só perderia seus privilégios como poria a trégua em perigo, arriscando trazer ao plano físico um conflito que até então era essencialmente celeste.

– O que está disposto a dar em troca? – Denyel tinha o olhar malicioso.

– *Qualquer* coisa. Apenas salve-a. Faço o que quiser.

– Qualquer coisa? – Engoliu o que restava da cerveja, arremessando a garrafa no meio-fio. – Traga-a para dentro.

Primeiro, escuridão. Depois, negritude completa.

Uma explosão sideral. Luzes, cores e raios belíssimos. Partículas cintilantes. Fogo, gelo, rocha. Gases incandescentes. Faíscas, centelhas divinas.

Um brilho nas trevas. Um túnel que a puxava. Uma força acolhedora.

Rachel olhou para cima. Viu um feixe rasgar o breu. Era a saída – distante, intocável, como uma fresta no topo da gruta. Tentou pular, mas os pés estavam colados. O medo a sufocava.

Avistou um ponto flutuante. Uma *menina*. Levitava perto da luz, perto do túnel, perto da fenda.

Era a mesma criança – a garota do pesadelo. Ainda segurava o ursinho, e no casacão o símbolo em forma de I podia ser visto mais claramente. Tinha o olhar assustado, meio perdido... *fúnebre*. Abriu a boca para falar, mas de novo só escutou o silêncio.

Subitamente, o túnel rodou, numa dança psicodélica. A luz se transformou num redemoinho, que instantaneamente sugou a menina. Rachel foi com ela, começou a ser tragada também – assim como no sonho, estavam ligadas por um cordão, que as unia através do umbigo.

O corpo subiu. Ficou tudo claro.

A sensação era tão magnífica que ela não queria voltar.

14
ASCENSÃO E QUEDA

DENYEL MORAVA EM UM PORÃO SEM JANELAS. OS ANDARES SUPERIORES haviam sido lacrados, e a escada principal só descia, levando a um aposento escuro e pequeno, iluminado apenas por uma televisão antiquíssima, que transmitia cenas de ação de um filme em preto e branco. O refúgio não tinha divisórias internas, e na área comum alguns móveis se espalhavam confortavelmente. Uma poltrona rasgada fora posicionada de frente para a TV, e logo atrás uma mesa retangular tinha espaço para oito cadeiras. Geladeira e fogão ficavam num canto perto da pia, próximos da portinhola que dava passagem ao banheiro. Uma segunda porta, mais adiante, conduzia à garagem, bloqueada por uma enorme lata de lixo, abarrotada de garrafas e vasilhas. As demais paredes estavam cobertas de armários e prateleiras, com uma infinidade de armas de fogo, de pistolas e revólveres usados na Primeira Guerra Mundial a fuzis e metralhadoras de última geração. As gavetas guardavam munição, essencialmente, e uma caixa de madeira escondia granadas de diversos modelos.

Levih não encontrou uma cama para Rachel, então a deitou em cima da mesa. Denyel limpou os restos de comida, afastou os assentos e a esticou sobre as tábuas. Buscou uma almofada da poltrona e improvisou um travesseiro. Rasgou a camiseta abaixo do seio esquerdo e examinou o furo da bala.

– Por que ela não se desmaterializou? – era a pergunta mais óbvia.

– Bem, ela... – Levih gaguejou. – É que nós...

– Já entendi. É sigiloso. – Apontou para uma gaveta perto da escada. – Pegue a minha navalha.

– *Navalha?*

– Temos que remover o chumbo. Se não tiver estômago, não precisa olhar.

Denyel juntou alguns panos para controlar a hemorragia e preparou uma bacia para recolher o sangue. Tocou o pescoço de Rachel, mediu a pulsação e puxou uma cordinha que acionava a lâmpada do teto. Estendeu a navalha, testou o fio com o próprio dedo. Apertou a lesão. Um esguicho vermelho pulou para fora.

– O que está fazendo? – Levih tremia.

– Ferimentos graves dificultam a desmaterialização, mas ela já deveria ter começado a se regenerar. – Usou a lâmina para abrir um rasgo na carne. – Qual é a casta dela?

– Ishim. Província do fogo.

– Isso é péssimo. Ishins descontrolados são como uma bomba-relógio. – Indicou outra gaveta. – Pegue minha pinça. E me traga uma cerveja. Preta.

Com as mãos vermelhas, Denyel enfiou a pinça através do corte. Cutucou a ferida à procura do estilhaço, moveu o instrumento em todas as direções. Parou quando encontrou o projétil.

– Conseguiu? – Levih tinha os olhos cheios d'água.

– Acho que sim. Vou puxar.

– *Acha?*

– Não se preocupe. Já fiz isso centenas de vezes. – Abriu a cerveja com os dentes e a entregou ao ofanim. – Quando ela acordar, despeje isso goela abaixo.

– Ela é uma ishim – afirmou. – Vai envenená-la.

– Ela precisa se alimentar. – Bateu levemente com a pinça no rótulo. – Sabe quantas calorias tem essa bebida?

– Uma caixa de leite não seria melhor?

– Leite é para bebês – Denyel já começava a perder a paciência. – Está pronto?

Sem opções, Levih acedeu.

– Pronto.

– Então, pare de chorar. É agora.

Rachel flutuava no túnel. A escuridão se reduzira a um ponto, um buraco negro a quilômetros dali. As duas – ela e a menina – continuavam a subir, com a pequena arrastando-a pelo fio de prata, como um navio que recolhe sua âncora.

O coração se encheu de amor – não o amor entre homem e mulher, ou mesmo o amor fraternal, mas um sentimento *maior*, a união de várias sensações e qualidades humanas, da compaixão ao afeto, da euforia à ternura.

De repente, Rachel teve a certeza de que no fim do túnel encontraria a resposta para todas as coisas. Era o ponto fundamental da vida e da morte, onde tudo começa e termina.

E assim a menina se afastou. *Rachel* se afastou.

A ruiva despencou novamente, de volta ao vazio e desolado ventre da terra.

Rachel estava morrendo. *Já tinha* morrido.

O nome *Kaira* lhe pareceu estranhamente familiar. Era como se estivesse *sempre ali*, por centenas, milhares, bilhões de anos.

Rachel estava morta!

Não se lembrava de nada que precedesse Santa Helena. Não se recordava do céu, das batalhas no paraíso, de seus inimigos e aliados – só de uma palavra, uma *única* palavra.

Kaira.

– *Ahhhhhhhh!* – a moça soltou um berro esganiçado. O corpo se revirou em espasmos de dor. – Me larguem!

— Levih, a *cerveja*! – exclamou Denyel. Removeu a bala.

O ofanim obedeceu, despejando a bebida na garganta de Rachel. Virou o gargalo de uma só vez, ao mesmo tempo em que tentava segurá-la. Ela engoliu quase tudo, no reflexo de respirar pela boca. As mãos flamejaram. O fogo ameaçou se alastrar pelo corpo.

— Eu temia que isso pudesse acontecer – disse o exilado. – O tecido é muito fino aqui embaixo.

— Se ela tiver outra crise emocional...

— O prédio inteiro vai pelos ares – completou Denyel, olhando para a caixa de explosivos.

— Kaira – começou Levih, abraçando-lhe o rosto. – Transpire. Você está de volta.

— Levih? – ela reagiu, engasgada. – Onde estou?

— Segura – ele respondeu, sorrindo. Ainda chorava, mas de alegria. – Está entre amigos.

— Hector. – As experiências humanas não a haviam abandonado. – Ele... ele *atirou em mim*?

Levih não sabia o que dizer. Foi sincero.

— Hector não era seu namorado.

— O que aconteceu?

— Eu receio... – hesitou. – Hector está *morto*.

Não houve tempo para replicar. Um cansaço tremendo a abateu, as pálpebras se fecharam. O porão desapareceu novamente. As chamas regrediram.

Não. Rachel não tinha poderes místicos e nunca fora um anjo. Era uma garota comum, que amava os pais, vivia num condomínio e tinha seus medos, traumas e paixões, como qualquer ser humano.

Kaira.

Por mais que tentasse se apegar à vida mortal, sua existência terrestre havia terminado. Um nome, *o mesmo nome*, ainda lhe martelava a mente.

Kaira.

Hector estava morto. Rachel havia morrido também.

PARTE II
NA ESTRADA

15
PLATINA BRANCA

—Essa foi por pouco — falou Denyel, limpando o sangue no peito da moça. Preparou um curativo com gaze e tiras de pano. — Não queira estar perto de um ishim quando ele perde o controle.

— Achei que estivesse se referindo ao ferimento. — Levih observava a líder adormecida. Colocou o paletó sobre ela. — Não vai dar pontos?

— Seria pior. Se tudo der certo, ela vai se recuperar naturalmente. O que ela precisa agora é de comida e descanso. Estará faminta ao acordar.

— Acha que ela vai ficar boa?

— Difícil fazer um diagnóstico sem saber o que aconteceu. — Denyel ergueu o projétil contra a luz, segurando-o entre o polegar e o indicador. Não era chumbo. O metal refletia, quase igual a um espelho. — Platina branca. Com quem vocês andaram se metendo?

— Platina branca?

— Todas as jazidas se esgotaram. Não se encontra mais por aí. Para falar a verdade, não vejo uma dessas há...

— Cinquenta mil anos? — arriscou o celeste.

— Eu ia dizer *cem*. — Diferentemente das balas comuns, que se comprimem ao atingir o alvo, aquela não tinha marcas de choque. — Por isso ela não conseguia se regenerar. Estou surpreso, admito.

– Somos vulneráveis a esses metais?

Denyel jogou a peça para Levih, que a agarrou em pleno ar. Além de brilhante, era leve demais para um objeto daquele tamanho.

– É mágico, percebeu?

– É mesmo. – O Amigo dos Homens o apoiou sobre a palma. – Posso sentir as emanações. Mas onde eles o teriam forjado?

– No fogo do inferno – a resposta soou teatral. – Onde mais?

– Fala sério?

– Seria o meu primeiro palpite, se não soubesse que Lúcifer odeia Miguel mais do que tudo. Não vejo como Forcas ou Yaga possam ter moldado esta bala.

– E qual seria o seu *segundo* palpite?

– Diria que escolheu os inimigos errados, Levih. – Ele abriu uma lata de cerveja. – Agora, vamos ter aquela nossa conversa.

Denyel acertou o pagamento por seus serviços, e Levih cedeu a todas as exigências, escutando apenas e concordando com um aceno de cabeça. Os ofanins são amáveis, e isso faz deles péssimos negociadores. São incapazes de recusar um pedido e aceitam quaisquer propostas sem questionar, apenas para agradar a terceiros.

Levih arrastou uma cadeira para perto da mesa. Sentou-se ao lado de Kaira. Mediu seus batimentos – ela continuava respirando. Ficou a observá-la, sem desgrudar os olhos do curativo, atento a qualquer eventual sangramento.

Denyel trocou a camisa, lavou as mãos na pia do banheiro e voltou à geladeira. Deteve-se quando pressentiu um abalo no tecido da realidade.

– Acha que Yaga os perseguiria até aqui?

– Por que diz isso?

– Tem alguém lá fora.

Denyel sacou o que à primeira vista parecia um bastonete metálico, antes escondido nas costas, preso à cintura. Tinha pouco menos de trinta centímetros, com tiras de couro amarradas em círculo, para facilitar a pegada. Olhando mais atentamente, Levih reparou que o objeto era o punho de uma espada, sem lâmina, muito semelhante às empunhaduras comuns, mas sem a guarda que separa a folha do cabo.

Com os ombros colados na parede e a arma pronta para o ataque, o exilado subiu a escada, que terminava na rua. Tocou a maçaneta e, enquanto a girava, uma ponta espectral tomou forma, para no instante seguinte se materializar como uma sólida e afiada chapa de aço.

– Um truque dos exilados – sussurrou Denyel. Tornou a examinar o tecido. – Está tentando ocultar sua aura. – Sorriu brevemente. – Não sabe com quem está lidando.

– Consegue identificar quantos são?

– Um só. E está ferido. – Desmaterializou a lâmina num borrão luminoso. – Essa é fácil.

Abriu a porta energicamente, para surpreender o espião. Um anjo musculoso observava o prédio, tentando se esgueirar pela calçada.

– Urakin! – reconheceu Levih. – Finalmente – e o abraçou. Era como envolver um tronco de árvore. – Vamos entrando.

O querubim tinha o braço ferido pelo combate com Forcas, mas as roupas estavam refeitas – a camiseta ressurgira milagrosamente, e a japona não guardava marcas ou rasgos. Estava exausto pela batalha, mas principalmente por conta da materialização, que sempre consome muita energia. Na esperança de não ser detectado, suprimira sua aura ao chegar à cidade – uma estratégia clássica, muito usada em emboscadas e missões de assassinato. A tática teria funcionado, não fossem as habilidades sensoriais de Denyel, adaptadas para a vida na terra, portanto especialmente aguçadas.

Os dois lutadores se encararam com perturbadora antipatia, mas não foram além – Denyel era uma peça crucial para salvar a arconte, e o Punho de Deus sabia disso. Engoliu o orgulho e desceu ao apartamento, com Levih tentando aliviar a tensão.

— Kaira está se recuperando — disse o ofanim. Os olhos brilhavam. — Acho que vai ficar tudo bem.

O exilado recolheu a espada. Prendeu o cabo no cinto e escondeu o volume sob a camisa.

— Vou deixá-los à vontade — aproveitou para se ausentar. — Compras do mês.

— Há mercados abertos a esta hora? — Levih reparou no relógio pendurado na parede de concreto. — São quase três da madrugada.

— Não, não há — respondeu Denyel. Bateu a porta e se afastou.

Kaira dormia feito criança, enrolada no paletó verde-musgo. A respiração era ritmada e constante, e ela já não sangrava. As roupas estavam imundas, empapadas de sangue.

— Ela se regenera muito lentamente — constatou Urakin. Era tão alto que a cabeça quase batia no teto. — Acho que ainda não sabe usar a energia celeste, pelo menos não de maneira consciente.

— O importante é que está fora de perigo. Graças a Denyel.

— Não devia dar tanto crédito àquele espião. — Abriu a geladeira à procura de comida, mas só encontrou latas de cerveja. — Provavelmente está nos entregando para Yaga neste exato momento.

— Se acredita nisso, por que ainda está aqui?

— Estou guardando a arconte — a retidão de Urakin era cômica. — Não vou sair por aí correndo de Yaga, Denyel ou de qualquer outro facínora. Sou um querubim. Somos soldados, não fugitivos. Eles que tragam suas hostes.

— Você age como se realmente desejasse esse duelo — e, de certa forma, era exatamente isso. — Se Denyel estivesse contra nós, jamais nos teria recebido. Sua acusação não tem fundamento.

— Não é uma acusação, é um *fato*. Ele é um exilado sob o comando do arcanjo Miguel. Preciso falar mais alguma coisa?

Levih moveu a cabeça num gesto de repreensão. Desistiu de persuadi-lo. Voltou-se ao assunto central.

— Encontrou a trilha de Yaga?

— Você não vai acreditar. — Descobriu um pacote de salgadinhos e o devorou avidamente. — Está escondida em um santuário nas montanhas.

– Intrigante. Os santuários têm entradas pelo mundo material.

– Foi construído dentro de uma caverna, e arrisco dizer que é bem grande. Vi a abertura, mas preferi não avançar, para não alertá-la antes do tempo.

– Fez bem – elogiou o Amigo dos Homens. – Mas por que eles não montaram uma base no plano astral? Ou mesmo num vértice?

– Bom, vértices não são criados assim tão facilmente nem podem ser feitos em todo lugar. Ela deve ter escolhido o plano físico para vigiar Kaira de perto.

– Mas o plano físico é igualmente visível do astral.

– Sim, mas um refúgio material permitiria o contato mais próximo com seus *peões*.

– Refere-se ao tal Hector? Acha que ele era um peão de Yaga?

– Não tenho a menor dúvida. – Urakin continuava a vasculhar as prateleiras. Encontrou uma lata de atum em conserva datada de 1952, com a marcação USMC. – Os dois já se conheciam. Ele atirou em Kaira. Fingiu ser namorado dela por anos, para observá-la. Parece-me bem óbvio.

– Isso é terrível – o ofanim lamentou. – Fico triste pela alma do rapaz.

– Só não entendo ainda por que simplesmente não a mataram. O que desejavam ao emaranhar sua mente? O que pretendiam ao mantê-la viva?

Era da natureza de Levih evitar qualquer enfrentamento, especialmente os mais violentos. Mas a conclusão para aquela pergunta era lógica.

– Seja o que for, a resposta está na caverna. Temos que partir tão logo Kaira esteja curada.

– É uma ideia excelente. Eles não esperam que ataquemos.

– Talvez Zarion esteja aprisionado na mesma montanha. Se estiver, teremos cumprido a nossa missão.

– O querubim que a escoltava? – Urakin mostrou um olhar descrente. – Duvido que esteja vivo. Mas não deixa de ser uma possibilidade.

– Não seja pessimista. Não sabemos o que há lá dentro.

– Sabemos – amassou a lata de atum. – Yaga. E ela não deve estar só.

16
ANJO DA MORTE

Já era quase de manhã quando um forte cheiro de maresia encheu o porão. Denyel retornou do passeio noturno com várias sacolas de supermercado, repletas de alimentos em conserva. Frutas, ovos, mel e suco de laranja também estavam na lista, além de mais caixas de cerveja. Deixou os pacotes perto da geladeira e pegou uma lata de leite condensado.

– Divirta-se – ofereceu a Urakin, que a aceitou como uma proposta de paz, o que não mudava o fato de serem dois combatentes em lados opostos da guerra.

– Para que tantas armas? – Levih só queria puxar assunto. – Pensei que tivesse salvaguarda.

– Começou como obrigação, depois virou *hobby*. – Denyel sentou na poltrona para degustar outra *long neck*. – Nós, querubins, evitamos armas de fogo. – Era verdade. Eles as consideravam armas "sem honra". – Prefiro confiar na minha espada.

Nas prateleiras, havia pelo menos duas versões do Kalashnikov, o popular AK-47, um dos fuzis mais comercializados do mundo. Um rifle M16 parecia ter vindo diretamente da Guerra do Vietnã, e a norte-americana Thompson fez Levih recordar os filmes de máfia. As pistolas estavam nas estantes abaixo – havia um revólver Webley Mark, britânico, próximo a um Mauser, alemão, seguido por uma Luger P08, uma Colt 1911 e uma antiga Beretta, italiana, calibre 9 milímetros.

— Tem bom coração, Denyel. Não me importo com o que dizem sobre você.

— Agradeço a confiança, *pirilampo* – era um apelido jocoso para classificar os ofanins. – Mas somos anjos, não santos. Estamos além de coisas como o bem e o mal.

— Olhe como fala! – Urakin interveio a favor do amigo. Já havia raspado a lata de leite condensado e agora saboreava um vidro de figos. – Mais respeito. Baixe o tom.

— Que tal isso? – O exilado continuava sereno; o Punho de Deus, perigosamente nervoso. – Estão no meu refúgio, totalmente aturdidos, com sua líder entorpecida aos meus cuidados e cheios de inimigos à espreita. Acho que *eu* dou o tom à conversa.

— Talvez tenha se esquecido dos princípios de nossa casta, exilado. Se quer um duelo, que seja na espada.

— Pensei que estivéssemos quites, soldado. – A expressão ficou mais sombria. – Mas, se preferir lutar, não faço objeção.

— Não tem honra para me enfrentar, Denyel. – Urakin lançou-lhe um olhar de desprezo. – Depois de tudo que fez, não me espanta que até Miguel prefira mantê-lo afastado.

— Somos idênticos, Urakin. Guerra é guerra. Cumprimos ordens.

— Sou um guerreiro, não um assassino. Acha que não sei que foi um *anjo da morte*? Que matou humanos inocentes? Mutilou mulheres, crianças, obliterou linhagens inteiras?

— E o que você tem a ver com isso?

— Tudo tem a ver com isso. – Levantou-se da cadeira. – A *guerra* tem a ver com isso.

Denyel não se intimidou.

— É melhor se acalmar, legionário. – O termo era para reduzi-lo a um mero recruta. – Sente-se, se não quiser levar outra surra.

— Como disse? – Urakin avançou e realmente o teria atacado, não fosse Levih se interpor entre eles.

– Chega disso. Parem *agora*! – Lembrava um cordeiro no meio de lobos. – Temos um trato.

– Muito bem. – O Punho de Deus se aquietou, graças aos poderes do ofanim. – Só espero que valha a pena.

– Já valeu. – Levih fez sinal para que se calassem.

Todos emudeceram.

Kaira estava acordando.

Quando *Kaira* abriu os olhos, Rachel não existia mais.

Foi estranho. Ela ainda se lembrava da existência terrena, dos pais e de Santa Helena, mas essas recordações corriam agora como um filme, não pareciam ser *suas* realmente. A morte de Hector fora emblemática, acima de tudo – a partir dela, Kaira decidira sepultar suas últimas esperanças de voltar a viver como ser humano. As memórias celestes, por sua vez, suas *verdadeiras* memórias, eram tão nebulosas que a tornavam uma entidade entre mundos, perdida na dimensão material que divide o céu e a terra. Mas seria hipócrita se acreditasse estar livre de todos os laços materiais – eles eram muito fortes, a propósito, e certamente mais concretos, mais físicos, como o urso de pelúcia que ela recolhera no condomínio, o qual podia ver, tocar e cheirar.

Descobriu-se deitada em uma superfície plana, ligeiramente instável. Não reconheceu o lugar. Era úmido, cheirava a mofo, cerveja e água do mar. Levih estava a seu lado, enquanto Urakin a protegia a distância. Havia um terceiro homem no fundo da sala, jovem e bonito, mas desgrenhado, com roupas sujas e postura pouco elegante.

Tentou se erguer. O estômago reagiu. Levih a conduziu ao banheiro, onde ela vomitou tudo que havia comido nos dois dias pregressos. Quando o enjoo passou, estava absolutamente faminta, como nunca estivera. Urakin serviu-lhe ovos crus, maçãs frescas e suco de laranja. Kaira não disse uma palavra até terminar a refeição.

A cerveja preta a havia salvado, mas como resultado teve a pior indigestão de sua vida – sorte que durou muito pouco. A tontura desapareceu rapidamente, e ela relaxou tomando uma ducha gelada. Secou-se com uma toalha rasgada e vestiu as roupas extras que trouxera na mochila.

O ferimento a bala não havia sarado totalmente, mas a melhora era visível – em breve estaria curada. A dor do disparo, contudo, era insignificante diante de tudo que havia passado em tão curto período. Se fosse humana, teria enlouquecido, o que segundo ela mesma não era uma hipótese descartada. Talvez tivesse entrado num profundo estado de catatonia, como resultado de algum transtorno mental. De qualquer maneira, esta era agora a única realidade que conhecia, então resolveu mergulhar de cabeça naquele universo que, embora fantástico, parecia intensamente real.

– Que lugar é este? – foi a primeira coisa que perguntou.

– Um refúgio – explicou Levih. – Este é Denyel. Ele é nosso... – deteve-se ao apresentar o exilado. Não sabia se deveria chamá-lo de aliado ou amigo, já que ele não era nenhuma das duas coisas. – Denyel é o mestre deste santuário. Salvou sua vida.

– Denyel? – A arconte o radiografou dos pés à cabeça. De alguma forma, sabia perfeitamente com quem estava lidando. – Não parece o tipo que faz as coisas de graça.

– Nada é de graça – replicou o exilado. – Quer uma bebida?

Ela não deu ouvidos. Retornou a atenção a Levih.

– Por que Hector atirou em mim? – A pergunta era decisiva para encerrar o assunto. – O que ele pretendia ao tentar me matar?

– Hector era um peão – foi Urakin que respondeu. – Assim chamamos os seres humanos que pactuam com anjos ou demônios, tornando-se seus escravos. Hector era servo de Yaga.

– Pactuam? Em troca de quê?

O Amigo dos Homens retomou a palavra.

– Poder, conhecimento, prolongamento da vida... Depende do que a entidade pode oferecer. Os peões são os olhos de seus senhores no mundo físico. Creio que a principal tarefa de Hector era vigiá-la.

Kaira assentiu. A traição do ex-namorado era um fato terrível, com o qual ela teria de conviver para sempre.

— Ele estava quase sempre comigo, a não ser quando fazia aquelas longas caminhadas nas montanhas. – Sorriu da própria desgraça. – Confesso que esperava de tudo. *Tudo*, menos isso.

— As montanhas – sibilou Urakin. – A caverna. O esconderijo. É como eu disse.

— *Yaga*. Vocês pronunciaram essa palavra.

— Yaga é o anjo que a atacou – disse Levih. – A entidade em forma de sombras.

— Aqueles monstros são... *anjos*?

— São iguais a nós, mas associados a uma facção inimiga. – A palavra soava estranha ao vocabulário de um ofanim. – Yaga tem o poder de controlar a escuridão, daí sua aparência sombria.

— E aquele leão?

— Um querubim, como eu – revelou o Punho de Deus.

— Forcas é seu nome – prosseguiu Levih. – Ele escolheu assumir a forma de um animal, em vez de se materializar como ser humano. Não é incomum. Muitos anjos da minha casta, por exemplo, se manifestam como animais de estimação.

— Por que alguém assumiria a forma de um leão?

— Garras, presas, músculos. Posso imaginar infinitas razões, e igual número de desvantagens. Lembre-se de que os querubins são combatentes.

— Não que isso garanta muita coisa – comentou Urakin, incapaz de esconder o orgulho. Havia acabado com Forcas e sentia-se honrado por isso.

— Podemos nos transformar em animais?

— Não levianamente. A forma que adotamos é igual para todas as materializações. A não ser que o corpo seja destruído, o que obrigará o celeste a construir um novo avatar. Esse processo é cansativo e penoso, com um prolongado período de adaptação à nova carcaça. É o motivo pelo qual só nos transmutamos em último caso.

— E o que acontece quando nosso avatar é morto? – As perguntas iam se sucedendo como uma avalanche. Ela simplesmente não conseguia evitar. Era tudo tão novo, tão mágico.

– O nome disso é *banimento*. A destruição do avatar não nos mata, mas o impacto é doloroso mesmo assim. O espírito sofre um trauma psíquico e entra em hibernação até que a mente se recomponha, o que pode levar dias, anos ou séculos.

– Fui atingida em cheio e perdi muito sangue – Kaira mostrou a camiseta. – Nenhum ser humano sobreviveria.

– A energia mística da aura nos permite regenerar nosso avatar, a não ser quando o coração é atingido. O coração é o órgão que concentra a potência divina, que nos liga aos planos superiores. Em essência, somos semelhantes aos outros espíritos, e a materialização é o que nos diferencia das entidades astrais e etéreas, o que nos permite atuar na Haled.

– *Haled?*

– Assim chamamos o mundo dos homens.

– Então existem outros planos? – O conceito não era tão absurdo para ela.

– O tecido da realidade é a fronteira invisível que separa o mundo físico dos planos espirituais. É como um véu, uma cortina dimensional. Como celestiais, podemos atravessar essa membrana.

Kaira esticou a toalha sobre a cadeira.

– Quando aqueles anjos apareceram na república, tive a sensação de estar submergindo em um lago. Os circuitos elétricos falharam, as lâmpadas oscilaram, o telefone desligou.

– O que você sentiu foi um distúrbio no tecido. A membrana estava se esticando, permitindo que Yaga e Forcas passassem ao plano material. Quanto mais fina for a película, mais facilmente podemos invocar nossos poderes. Este porão em que estamos é um *santuário*, uma área onde o tecido é especialmente delgado.

– O que existe além do tecido?

– Os reinos espirituais. O primeiro deles é o plano astral, um espelho do mundo dos homens, por onde caminham os fantasmas e as almas perdidas. As camadas mais profundas levam ao plano etéreo, lar dos deuses antigos e das terras sagradas.

Planos, reinos, dimensões... Kaira jamais entenderia tudo aquilo de uma só vez. Mas, ao escutar as descrições de Levih, a primeira imagem que lhe veio à cabeça foi a menina dos sonhos, a garotinha no túnel e o cordão prateado que as ligava.

– Acho que me recordo do plano astral.

– Certamente. No astral ficam as passagens para as dimensões paralelas, com seus vórtices de ligação entre o céu e a terra. É uma camada de transição, essencial para ascendermos.

– Não. Refiro-me ao tempo em que estive em Santa Helena. Há meses sonho com uma criança, uma menina que levita na escuridão. Ontem a imagem se repetiu, quase consegui alcançá-la.

– Estava delirando – afirmou Denyel. Assistia a um filme de faroeste, alheio à discussão. – Acontece quando estamos feridos.

– Como pode ter tanta certeza? – Definitivamente, Kaira não gostava da maneira como ele falava. – Havia uma luz, um *túnel*. Talvez fosse uma dessas passagens, um caminho de ingresso ao reino dos mortos.

– Esqueça essa besteira. Não existe vida após a morte para nós, ou qualquer coisa parecida. Se nosso espírito for destruído, é o fim.

– O *fim*? Achei que fôssemos imortais.

– Ninguém contou para ela? – Denyel olhou para Urakin e Levih. Era esse o segredo que eles queriam ocultar, desvendou. A arconte tinha perdido a memória, era óbvio. – Bom, nesse caso... sinto muito. – Estendeu a garrafa. – Tem certeza de que não quer uma bebida?

Kaira não aceitou.

O sol estava nascendo.

17
GUERRA NO CÉU

Sexta-Feira da Paixão.
Os três anjos deixaram o apartamento e seguiram Denyel até a rua à beira-mar, distante apenas duas quadras do prédio onde estavam. Urakin não gostava do exilado, e justamente por isso preferia mantê-lo por perto. Na teoria, o acordo selado com Levih impedia traições dos dois lados, mas na avaliação do querubim era melhor não confiar.

Havia movimentação incomum na marina, por conta do feriado de Páscoa. Famílias zarpavam em veleiros e iates, turistas enchiam as peixarias e donos de barco faziam compras na única loja náutica da região. Um quiosque vendia café e torradas a uma mãe com crianças choronas, enquanto um *trailer* mais adiante despachava engradados de cerveja para as lanchas ancoradas no cais.

Denyel sugeriu que se sentassem a uma mesa de plástico à sombra de uma amendoeira. Eram oito horas da manhã e Kaira ainda precisava comer. Urakin estava saudável novamente. Buscou pão com geleia, leite e algumas frutas da estação. O exilado se contentou com uma garrafa de Jack Daniel's, removeu a tampa e deu o primeiro gole direto do gargalo. Puxou do bolso uma moeda de bronze e começou a rodá-la sobre o tampo da mesa. Havia um estranho símbolo gravado na superfície, uma imagem que Kaira acreditava já ter visto em algum lugar.

– Devemos partir imediatamente – sugeriu Urakin. – Se não atacarmos *agora*, eles virão atrás de nós.

– Não tomaremos nenhuma decisão até que a arconte se recupere – disse Levih. – Não podemos nos arriscar a perdê-la.

– Quem são *eles*? – perguntou a ruiva.

– Yaga e seus anjos. Urakin descobriu que estão escondidos em uma caverna nas montanhas de Santa Helena.

– Espere um minuto – aos poucos ela desbravava o labirinto. – Quando conversamos no condomínio, vocês me disseram que estamos em guerra. Uma guerra entre anjos, uma *guerra no céu*.

– Uma guerra entre irmãos – havia tristeza na voz de Levih. – Não era para acontecer.

– Comece do princípio – ela pediu.

O ofanim suspirou. A história era longa para resumir em palavras.

– Deus criou o universo em seis dias e no sétimo repousou. A mais sublime de suas obras foi a espécie humana, a grande criação que ofuscou todas as outras. Yahweh amou os mortais desde o início e, por tanto adorá-los, os agraciou com a dádiva suprema: a *alma*. Isso aborreceu os arcanjos, que se consideravam os únicos herdeiros do Criador.

– Por quê? O que a alma tem de tão sagrado?

– A alma encerra a verdadeira energia imortal. É o que permite aos homens exercerem o livre-arbítrio e regerem o próprio destino. Os anjos, apesar de poderosos, estão limitados pela natureza de suas castas. Fomos concebidos com um único propósito. Embora possamos governar as nossas escolhas, não somos capazes de nos adaptar nem de nos reproduzir. Esse era o presente que muitos alados desejavam, e assim passaram a invejar os terrenos.

– Yahweh partiu para o descanso do sétimo dia, delegando aos arcanjos a tarefa de servir à humanidade no período em que estivesse ausente – contou Urakin. – Mas a inveja desses celestiais se transformou em vingança, e isolado no trono Miguel ordenou o extermínio da raça humana. Lançou incontáveis cataclismos sobre a terra, e entre eles o maior foi o dilúvio.

– Estão dizendo que Deus está adormecido?

– Até que o sétimo dia termine, o que ainda pode durar milhares de anos – disse Levih. – Por enquanto, estamos por nossa conta. Anjos ou humanos, somos nós quem damos as cartas.

– O que tudo isso tem a ver com a guerra?

– Com a ausência de Yahweh, Miguel foi consagrado Príncipe dos Anjos, mas ele tinha um rival: Lúcifer, a Estrela da Manhã, que desejava tomar-lhe o principado. Essa contenda deu início à primeira guerra no céu, uma revolução que terminaria por expulsar os anjos caídos do paraíso. Lúcifer e suas legiões foram atirados ao Sheol, uma dimensão obscura nas profundezas do cosmo.

– É aí que a nossa história começa – acrescentou Urakin.

– Gabriel, o Mestre do Fogo, era a ponte de ligação dos arcanjos entre o céu e a terra. Também chamado de Mensageiro, atuava como vigilante, arauto e assassino. E foi justamente o contato com os seres carnais que o fez enxergá-los como parte da criação do Divino. Gabriel decidiu que abandonaria o ódio aos mortais, mas para isso teria de desafiar seu comandante, Miguel. Começou assim uma segunda batalha no paraíso, com os esquadrões se dividindo entre os novos rebeldes e as tropas legalistas. Miguel estacionou seu exército no Quinto Céu, enquanto Gabriel se exilou na primeira camada.

– Essa é a guerra que vivemos hoje – deduziu a arconte.

– Os arcanjos já lutam há séculos, e nós, incluindo você, escolhemos seguir o Mestre do Fogo, em defesa da humanidade e contra o extermínio dos homens. O Quarto Céu se transformou num infinito campo de luta, e a partir de então os dois lados estabeleceram uma trégua na terra. – O Amigo dos Homens se inclinou na direção da ishim. – Você e seu grupo original estiveram aqui antes de nós. Não sabemos qual era sua missão, mas recebemos ordens de descobri-la e completá-la, para só então retornar ao paraíso.

– Você disse que tinha aliados capazes de refazer minhas lembranças.

– Era o meu plano inicial, mas o ataque na república mudou tudo.

– Por quê?

– Nossos inimigos se revelaram – manifestou-se Urakin. – Agora, sabemos onde eles estão. Temos a obrigação de confrontá-los.

– Não é só isso – discordou Levih. Seus motivos não estavam relacionados à invasão da caverna. – Você ainda não consegue se desmaterializar. Enquanto não souber dispersar seu avatar, não podemos regressar aos Sete Céus.

– Não há agentes nossos no plano material?

– Muito poucos, e eu não saberia localizá-los. Antes da guerra, era comum encontrar celestiais vagando na terra, fosse no plano físico ou no mundo espiritual. Mas o armistício permitiu que tanto Miguel quanto Gabriel convocassem seus anjos, e hoje só descemos à Haled para cumprir tarefas específicas.

– A casta dos elohins é a exceção – lembrou Urakin. – A natureza deles é viver com os humanos, talvez por isso seja tão difícil reconhecê-los.

Os olhos de Kaira se viraram para Denyel, que até então permanecera calado, fitando o mar com a expressão descuidada. Já havia bebido a garrafa inteira de *bourbon*.

– Você é um elohim?

– Assim você me ofende, garota. – Ele já ia saindo, mas diante da pergunta resolveu ficar. – Sou um querubim, como o seu amigo de cara amassada. – Referia-se ao rosto de Urakin, cheio de cicatrizes de guerra.

– Então o que faz morando naquela pocilga?

– Ele é um exilado... – começou Levih, mas Denyel o cortou.

– Essa eu respondo, porque sei que vai distorcer a história. – Sentou-se de novo. – A convocação à qual Levih se refere tem um nome: Haniah. A ideia era esvaziar a Haled e deslocar o maior efetivo possível para lutar a guerra no céu. Com isso, a liberdade de viajar à terra foi restringida. Como os elohins não dão a mínima para o que acontece no paraíso, alguns anjos de outras castas tiveram de permanecer aqui, como observadores de seus arcanjos. Somos chamados de "exilados".

– Depois somos *nós* que distorcemos a história – corrigiu Urakin. – Não são observadores, são espiões.

— O trato que acertei com Levih compra minha lealdade. Fiquem tranquilos. Não há nada a temer.

Kaira não escondeu a decepção. Nunca esperara coisa alguma de Denyel, mas o fato de ele estar traindo sua causa — não importava *qual fosse* a causa — era preocupante, realmente. Quem poderia garantir que não trabalhava como agente duplo?

— Agora entendo por que escolheu o partido do arcanjo Miguel — alfinetou a ruiva.

— Quer discutir política comigo, criança? — O exilado ficou mais agressivo. — Acha que não escutei sua conversa no porão? Há dois dias, você nem sabia que era um anjo.

— E talvez seja melhor assim, por enquanto — Levih apartou. — Todas as perguntas serão respondidas tão logo ela recupere a memória. Precisamos encontrar o serafim que apagou suas lembranças.

— A caverna — insistiu Urakin. — Ele só pode estar lá, junto de Yaga.

— Isso amplia o contingente inimigo — calculou a arconte. — Sorte que somos quatro.

— *Quatro?* — Denyel e Urakin falaram quase ao mesmo tempo.

— Não vou deixar que você e Levih entrem sozinhos no santuário de Yaga. Sou a líder desta equipe. Partiremos juntos.

— Podemos dar conta disso sozinhos — garantiu o Punho de Deus. — E não acho que Denyel seja o mais indicado para nos acompanhar.

— Pela primeira vez, concordo com o grandalhão — falou o exilado. — Não os acompanharia nem que fosse arrastado.

— Acho que não escutou bem — Kaira olhou diretamente para ele. — É uma ordem.

O exilado se limitou a sorrir.

— Não estou sujeito à sua autoridade, arconte. Além disso, participar de missões de assalto nunca fez parte do acordo.

— Você envergonha a nossa casta, Denyel — afrontou Urakin. — Perdeu a noção do que significa a palavra *honra*.

— Olha quem fala, *rebelde*. Antes da guerra, todos nós servíamos ao arcanjo Miguel. — Ele apontou um dedo inquisidor. — Lutamos lado a lado contra Lúcifer e seus anjos caídos, enfrentamos os deuses pagãos, batalhamos juntos para defender o paraíso. Quem é você para me falar de honra?

– Obedecíamos a Miguel porque na época não tínhamos opção – ponderou Levih. – Hoje, podemos escolher.

– Conversa! Sempre existe opção. – O álcool estava fazendo efeito. – Acha que gosto de viver nesta toca de ratos?

Kaira não queria prolongar o assunto.

– Se não quiser vir conosco, não venha. Vamos partir amanhã, ao nascer do sol. Tem um dia para mudar de ideia.

– Agradecemos o que fez por nós, Denyel – Levih afagou-lhe o ombro. – Voltaremos para buscá-lo. Prometo.

– Você não me deve nada – ele se levantou. – Estarei no porão. Se quiserem, têm refúgio por mais esta noite.

– Que sujeito desagradável – comentou a ruiva quando Denyel se afastou.

– Esse aí não tem salvação – murmurou Urakin.

– Não vamos julgá-lo – disse o Amigo dos Homens. – Cada um tem seus motivos.

Kaira decidiu aceitar a oferta de Denyel e permanecer no refúgio por mais um dia. Primeiro porque não tinha opção. Segundo, pelo mesmo motivo que fazia Urakin vigiá-lo de perto – antes próximo que distante de um possível espião.

Passaram o resto da tarde enfurnados no apartamento, como parte da estratégia de ataque. Levih explicou a Kaira – agora mais detalhadamente – as verdadeiras propriedades de um santuário. Disse que o porão servia também como esconderijo, obscurecendo as vibrações místicas da aura e impedindo que os inimigos os localizassem. O refúgio de Denyel havia sido construído por ele mesmo, mas outros tipos de santuários podem surgir naturalmente, em locais santificados ou em regiões carregadas de energia espiritual.

O Amigo dos Homens falou à arconte sobre a casta à qual ela pertencia, os ishins, anjos responsáveis por reger as forças elementais, tais como o fogo, a água, o ar e a terra, bem como as substâncias paraelementais – gelo, fumaça, magma, plasma, vapor, lama, poeira, rocha e eletricidade. Contou como a ordem ajudou Deus a criar o universo, acendendo as fornalhas estelares, transformando mundos de fogo em sólidas esferas de pedra, condensando atmosferas e oceanos.

Sob a orientação do ofanim, Kaira tentou novamente invocar suas chamas, fracassando repetidas vezes. Levih acreditava que ela ainda era incapaz de acessar *voluntariamente* a energia da aura, portanto as labaredas só surgiriam em momentos de estresse – a exemplo do que ocorrera no condomínio fantasma. A mesma incapacidade dificultava a desmaterialização, problemas que seriam sanados em breve, quando ela tivesse suas memórias de volta.

Antes do anoitecer, Levih estacionou o utilitário na garagem do prédio, um aposento anexo ao porão, onde Denyel guardava uma variedade de ferramentas e autopeças, muitas recolhidas da fábrica abandonada. No meio do lixo, um veículo impecável chamava atenção – uma moderna motocicleta de corrida Hayabusa, adaptada para trajetos urbanos. A carenagem exibia tons grafite, com o cano de descarga cromado e os pneus pretos foscos. Não parecia ser usada regularmente, porque a pintura reluzia. A mecânica, calculou Levih, devia ser mais uma das paixões de Denyel, igual à coleção de armas de fogo.

O exilado consertou as dobradiças do automóvel, bambas desde que Urakin usara a porta como arma no ataque aos raptores.

Kaira comeu e dormiu, para acordar totalmente restabelecida no dia seguinte, sem sonhos com meninas flutuantes ou túneis da morte. Despertaram antes do primeiro raio de sol, pois queriam alcançar Santa Helena ainda pela manhã.

Levih buzinou ao encostar na calçada. Urakin subiu a escada e Kaira ia seguindo atrás quando sentiu que uma mão a puxava.

– Leve isto – Denyel lhe ofereceu uma pistola. – Está carregada.

Era uma Beretta modelo 1951, uma versão anterior da famosa Beretta M9. Desenvolvida na Itália, comportava um pente com oito cartuchos 9 milímetros e contava com uma trava externa, que segundo o fabricante impedia disparos acidentais.

– Não sei atirar – foi a reação dela.

– Também não sabe conjurar suas chamas. – Era um argumento sensato. – Pegue. Confiaria minha vida a ela.

– Vou conseguir ferir Yaga com *isto*?

– Talvez possa retardá-la. – Ele mostrou a lateral do cano. – Antes de disparar, solte esta trava.

Kaira aceitou o presente, escondendo a pistola na cintura, pelas costas, exatamente como ele fazia para ocultar a espada.

– Bem... – ela não esperava aquele tipo de ajuda. – Obrigada.

– Quando encontrar Yaga, mire no *coração* – o exilado aconselhou. – E não erre.

Urakin já a esperava na rua. Abriu a porta traseira como um guarda-costas que escolta seu chefe. Levih tomou a estrada para Santa Helena.

Quando viu o porto desaparecendo numa curva da serra, Kaira pensou em Denyel. Talvez aquele beberrão fosse um valoroso aliado, caso decidisse ajudá-los. No fundo, preferia que estivesse com eles, mas não podia obrigá-lo. Denyel morava na terra havia anos, e assim como Kaira vivia na fronteira entre os dois mundos, com qualidades, defeitos e vícios terrenos. Quanta coisa não podia ensiná-la, naquele delicado momento de transição entre a experiência humana e a vivência celeste? Eram semelhantes, de certa forma, e absolutamente distintos.

A maresia deu lugar ao vento seco.

Estava esfriando de novo.

18
PALÁCIO CELESTIAL

Quinto Céu, antes do dilúvio

No princípio dos tempos, quando o mundo era jovem, antes das guerras angélicas, antes mesmo da primeira rebelião, o Quinto Céu era o ponto de união dos arcanjos, os grandes líderes escolhidos por Deus para governar a terra e o universo. Aqui ficava – e ainda fica – o Vale de Yahweh, uma imensa cidade projetada pelos serafins, com seus castelos de ouro e platina, templos de pérola e marfim, catedrais de puro mármore e torres de até cinco mil metros de altura. Nas plataformas sobre os edifícios e mais acima, entre as nuvens, deslizavam esquadrões de lutadores alados, guerreiros prontos para a batalha, treinados para defender o paraíso contra qualquer ameaça ou invasão.

No centro dessa cidade-fortaleza se elevava o Palácio Celestial, uma estrutura pentagonal em forma de estrela, com uma enorme cúpula no meio. O domo de cristal abrigava a bancada dos arautos, agora vazia, e o trono dos gigantes, que de tão reluzente chegava a ofuscar. O altar de Miguel se consagrava no topo, seguido pelas cadeiras de Lúcifer e Rafael, no segundo nível, e Gabriel e Uziel, na tribuna mais baixa.

O arcanjo Gabriel, o Mestre do Fogo, aterrissou na escadaria diante do pórtico, encolheu as asas branquíssimas, removeu o elmo e o enfiou debaixo do braço. Encarou os vigias nos minaretes, cada qual numa das cinco pontas da estrela. Dois generais querubins – eram chamados de Ablon e Apollyon – defendiam a entrada. O primeiro era o soldado preferido do arcanjo Miguel, a quem ele havia presenteado com o comando da Legião das Espadas. O segundo era o braço forte de Lúcifer, um brutamontes sem consciência ou escrúpulos, mas admirável quando estourava o combate, um verdadeiro mirmidão de crueldade e dureza.

Os oficiais volveram suas lanças e o portão se abriu imediatamente, revelando um corredor em formato ogival. Gabriel seguiu por vários metros até a rotunda. Encontrou Miguel apoiado no trono, trajando sua armadura de metal prateado, com o capacete de queixada pontuda e a espada recolhida à bainha. Os cabelos negros estavam presos num rabo de cavalo, demonstrando feições masculinas e cicatrizes que subiam do pescoço à cabeça. Perto dele, Lúcifer, a Estrela da Manhã, ocupava sua própria cadeira, vestindo apenas uma toga alinhada. Os olhos eram de um azul muito profundo. As melenas louras estavam atadas em trança, e a presença refletia um charme fabuloso, irresistível. Tinha o corpo delgado, o rosto fino e a pele macia, mas a postura era magnífica, encobrindo a autoridade do onipotente Miguel.

– Vocês? – Gabriel reparou que os lugares de Uziel e Rafael estavam desocupados.

– Não se aflija, Mestre do Fogo – Lúcifer o chamou pelo título, falou como se tivesse a resposta ensaiada. – Esta tarde nós três falaremos por todos.

Gabriel não retrucou. Assumiu sua posição no estrado inferior, retirou a capa da armadura. Inclinou-se para dar a notícia.

– A situação é imprópria. O momento é delicado. – Deitou a Flagelo de Fogo. – O Primeiro Anjo se recusa a voltar.

– Um contratempo, nada mais – articulou a Estrela da Manhã. – Um obstáculo pífio em nosso caminho. Um evento que nos pode ser vantajoso, inclusive.

Miguel estivera calado até ali. Esticou as asas.

– Quem aquele inseto pensa que é? Com seu minúsculo séquito de adoradores, acha que pode ditar termos a mim?

– Ele tem bem mais do que um minúsculo séquito – ponderou Lúcifer. – Aposto que muitos alados o seguiriam, mesmo contra a nossa vontade.

– Os que vivem na terra, talvez – retorquiu o príncipe. – Mas no paraíso? Impossível. Sua influência nos pavilhões é risível. Basta eu estalar os dedos e minhas tropas brotarão às centenas. Posso erradicar os sentinelas no instante que desejar.

– E por que não o faz? – falou Lúcifer. Era uma manobra. Gabriel percebeu.

– Aonde está querendo chegar? – indagou o Mestre do Fogo.

– Não somos assassinos, somos *heróis*. Ídolos, modelos sagrados. Executar o maior dos anjos nos transformaria em tiranos. – Os braços se abriram. – Seria o mesmo que enviar uma mensagem às nossas legiões avisando que *todos* abaixo de nós são descartáveis.

– Preocupa-se demais com nossa imagem diante das castas – declarou Miguel. Retirou o elmo. Afagou o punho da espada, a valorosa Chama da Morte. – Somos figuras soberanas. A lealdade de nossos centuriões é inabalável – ele se recordou do tal Ablon. – Gabriel tem o comando absoluto do Primeiro Céu, Uziel controla os querubins e você governa a Gehenna. E o que *ele* tem? A Haled, nada mais.

– Seria de fato muito pouco, não fossem os sentinelas ungidos por Deus. – Lúcifer ergueu-se do trono, jogando a trança nas costas. – A missão que carregam é santificada. Destruí-los seria uma afronta à memória do Pai Criador.

– Lúcifer tem razão – raciocinou Gabriel. – Liquidá-los seria comparável a tentar apagar uma fogueira lançando mais combustível às chamas.

– Se queremos evitar um motim, não podemos sair à caça de mártires – continuou a Estrela da Manhã. – Somos os mais elevados guardiões de Yahweh. Devemos *louvar* suas leis, ao invés de ignorá-las.

Lúcifer sabia que era uma argumentação arriscada. Imaginou que Miguel fosse estourar em mais uma de suas costumeiras crises de raiva, mas em vez disso o príncipe apenas o escutava, fitando a cúpula de cristal com a expressão carrancuda. Foi então que percebeu o fascínio que projetava perante os gigantes, como podia persuadi-los à sua vontade. Era *ele* quem controlava os primicérios, afinal – era o senhor supremo dos céus, ninguém resistia à sua oratória.

– E o que sugere? – perscrutou Miguel. Lúcifer se alegrou. Havia ajustado a mira na direção perfeita do alvo.

– Em vez de um ídolo, fabricaremos um criminoso – sua mente era rápida. – Deixaremos de matá-lo para atacar o que ele mais venera.

– Seus filhos – murmurou Gabriel, absorto.

– O que são eles senão uma parca congregação de seres humanos? Um bando de criaturas terrenas, incendiadas de vícios, egoísmo e maldade. – Olhou diretamente para o príncipe. Conhecia as palavras exatas para envolvê-lo. – A extinção da espécie mortal já foi acertada. Dessa forma, agiremos legalmente e mandaremos um recado aos demais sentinelas. O Primeiro Anjo deve ser trazido à Gehenna *com vida*. Todos que se opuserem a nós sofrerão o mesmo destino.

– Acredita que os outros também vão capitular? – treplicou o Mestre do Fogo. – Não poderíamos acossá-los um por um.

– Ora, mas essa é uma conclusão trivial – disse Lúcifer. – A coragem deles está centrada em seu comandante. Sem ele, os missionários debandarão. Traremos um rebelde perante a justiça e esmagaremos a revolta ainda na raiz.

Miguel refletiu. A genialidade do plano de Lúcifer residia no fato de não descartar uma segunda opção. Se a estratégia gorasse, uma simples ordem aniquilaria os sentinelas de vez.

– Essa tarefa é sua, Gabriel – determinou o Príncipe Celeste. – Assumirá as rédeas do cataclismo. Aguarde as vésperas da mortandade, deixe-o pensar que nos venceu. Então, faça conforme decidimos – olhou para Lúcifer. – Capture-o vivo. Este é o meu desejo.

Gabriel acenou positivamente. Apanhou a Flagelo de Fogo.

Lúcifer fez uma saudação e deixou o palácio, para retornar às suas fétidas cavernas na escuridão da Gehenna. Antes, virou-se para trás e observou o seu trono, arranjado um patamar abaixo de Miguel. Um pensamento lhe ocorreu – por que *ele* não presidia o conselho? Era o mais sábio entre os arcanjos, o mais belo e adorado por Deus. Detinha as melhores ideias, delineava táticas de conquista, manipulava os gigantes como quem maneja fantoches.

Só havia *um* que ele não fora capaz de dobrar, e era seu irmão Rafael. Devia haver um meio de dissuadi-lo, um método certo e infalível.

Tinha que haver.

19
A CAVERNA DE GELO

Levih deixou o asfalto e conduziu o automóvel pelos caminhos esburacados que subiam as montanhas de Santa Helena. A trilha era difícil, mais apropriada a cavalos e carroças, pontilhada de farelos de pedra e enlameada em toda sua extensão. Os galhos das árvores se abraçavam no topo, formando um tenebroso túnel de plantas. O trajeto era muito usado como pista de corrida e servia também às praticas de *trekking* e *mountain bike*. Mas, naquela manhã de Sábado de Aleluia, não havia ninguém por perto, fossem estudantes, desportistas ou mesmo moradores locais.

Os sinos do mosteiro badalaram. Levih parou o utilitário num recuo de terra, trancou as portas, verificou o porta-malas e a partir de então seguiram a pé, subindo juntos para o interior da floresta. Urakin havia memorizado a localização da caverna, com sua entrada a poucos metros do cimo do morro, ao fim de uma trilha praticamente invisível a olhos humanos. A picada começava no meio do mato, sem marcas ou pegadas recentes, o que não era problema para um querubim, capaz de seguir rastros pelo cheiro.

Dali a cem metros encontraram um paredão de granito. À medida que caminhavam, a temperatura caía, repentinamente chegando a níveis insólitos, mesmo para uma cidade fria como Santa Helena. Uma névoa gelada obscureceu os raios de sol, formando uma densa neblina sobre as folhas e troncos.

– Estão sentindo? – sussurrou Kaira. – Nunca vi fazer tanto frio, nem nas noites mais geladas de inverno.

– Não é natural – advertiu Levih, removendo com o dedo a fina película sobre uma casca de árvore. – A geada é uma prevenção contra o avanço de humanos incautos. Devemos estar próximos do esconderijo.

– É ali – apontou Urakin. Havia uma grande fenda na pedra, a cinquenta metros da clareira. – Melhor suprimirmos nossa aura.

– Como? – a ruiva quis saber.

– Não se preocupe – o ofanim a tranquilizou. – Sua aura ainda não está totalmente acessível, o que nesse caso é uma vantagem. Outras entidades podem pressentir a nossa chegada pelas ondulações que causamos no véu. Por isso ocultamos essas vibrações quando não queremos ser descobertos.

– Assim como faz Denyel?

– Como exilado, ele sabe escondê-las permanentemente, coisa que a maioria de nós não consegue. Para os anjos, suprimir a energia da aura é uma ação temporária, que requer esforço e concentração. É como prender o fôlego – ele imaginou uma metáfora. – Por mais vigoroso que você seja, cedo ou tarde terá de voltar à tona.

– Entendi – Kaira sacou a pistola. – Vamos em frente.

A entrada da caverna se abria num túnel de três metros de largura por seis de altura. O chão estava coberto de neve, com estalactites geladas esculpindo o teto. A temperatura descera abaixo de zero, e nenhum ser humano avançaria daquele ponto em diante, não sem agasalhos pesados. Levih estava tremendo de frio. Urakin ofereceu-lhe a japona, mais resistente que era por sua constituição de guerreiro. Kaira, por sua vez, não se abalou. Os ishins do fogo têm o poder de aquecer e esfriar o próprio corpo, como uma aptidão necessária para controlar as forças elementais que governam. Esse era um fato animador, sinal de que aos poucos ela recuperava suas habilidades angélicas.

A passagem seguia por mais duzentos metros em ligeiro aclive, até não se ver mais nada adiante, além de um ponto luminoso no fim da galeria. Igual ao porão, a gruta era também um santuário, certamente criado por Yaga ou por algum de seus aliados. Sendo assim, Levih não teve dificuldade de manifestar seus poderes. Conjurou um raio brilhante sobre a palma da mão, à intensidade de uma lanterna, clareando os contornos ao redor. O facho era pálido e azulado, e ao vislumbrá-lo Kaira entendeu por que alguns anjos os chamavam de *pirilampos*.

Investigando os detalhes do túnel, a ruiva percebeu vultos no interior das paredes de gelo, cinco de cada lado da galeria.

– Vejam isso.

Não eram vultos, eram *corpos* – dez no total, expostos como carne no frigorífico.

– São seres humanos – observou Urakin.

– O que estão fazendo aqui? – espantou-se Levih. – O que Yaga iria querer com todos estes cadáveres?

– Motivos não faltam – raciocinou o Punho de Deus. – Ela pode ter subtraído suas almas para usá-las como espíritos escravos. Os hashmalins são experientes na manipulação de fantasmas.

– Tem toda razão. – O Amigo dos Homens estava chocado, e aquilo era só o começo. Ao incrementar discretamente o feixe, reconheceu o rosto de um dos defuntos. – Hermes!

– Hermes? – Kaira olhou mais de perto. – O zelador?

– É terrível. – As pálpebras estavam abertas, a expressão era medonha. – Como tiveram coragem?

– Essa mulher – Urakin identificou outro corpo. – Não é a funcionária que nos atendeu no posto turístico?

– Ela mesma – acedeu o ofanim. A idosa tinha marcas de queimadura, o crânio rachado.

– É melhor continuarmos andando – aconselhou o guerreiro.

Neste minuto, os três escutaram um ruído, algo parecido com um vidro rachando. Urakin assumiu a frente do grupo, preparado para atacar e defender. Kaira apontou a pistola, embora não soubesse a direção do barulho.

— O que foi isso? — Levih não viu nada.

— Veio de lá — a ruiva indicou o ponto de luz.

O túnel continuava por vários metros na escuridão. A luz vinha de uma abertura na parede norte, através da qual soprava uma brisa de aroma silvestre. Explorando a passagem, os anjos encontraram uma antecâmara de pedra, com contornos circulares e o teto baixo. Era mais quente do que a galeria anterior, com uma janela natural onde estava apoiado um fragmento cilíndrico de gelo. Media um metro de comprimento, com uma extremidade mais fina que a outra. De longe parecia uma estalactite quebrada, mas visto de perto era muito mais delicado e complexo, com prismas que lembravam lentes telescópicas. Fora posicionado metade dentro e metade fora da gruta e podia ser movido para os lados. Kaira e Levih decidiram averiguar, enquanto Urakin montava guarda no corredor, rastreando o solo, farejando nichos e cavidades.

— Parece que estamos em um mirante. — Levih espiou além da janela. — Daqui dá para enxergar a universidade e o bosque lá embaixo.

Ele colocou as mãos para fora. O choque de temperatura era absurdo.

— Tem vista para o campus inteiro. — Kaira encostou no fragmento gelado. — E o que é isto?

Levantou a terminação afunilada e arriscou olhar dentro dela. Instantaneamente, uma imagem se projetou na retina, mostrando a praça da faculdade, agora vazia. A definição era perfeita, captando cores, movimentos e variações de textura. Kaira se assustou e volveu a cabeça para trás.

— O que foi? — perguntou Levih.

— É uma luneta — ela disse, instantes depois. — Mas nunca vi nada parecido.

— Deixe-me olhar — o ofanim se adiantou. Inclinou o objeto para baixo. — Estou vendo a república. Incrível. Consigo perceber as rachaduras nas telhas do sobrado.

– É terrivelmente preciso.

– Não é obra humana. Só os ishins construiriam um artefato desses.

– Este lugar é... deve ser um observatório – concluiu Kaira.

– Sim, talvez feito para vigiá-la. – Levih empurrou o instrumento para a direita. – A área da igreja está embaçada. Que estranho!

A arconte conferiu.

– O claustro também. Algumas regiões estão bloqueadas.

Enquanto conversavam, Urakin surgiu no salão. O guerreiro era silencioso, apesar do tamanho. Despejou seu relatório:

– O túnel segue por mais cem metros, sempre subindo, para terminar numa câmara central.

– Captou a presença de Yaga? – Kaira deixou o telescópio de lado.

– Não cheguei até o final. Há outra sala no caminho, um braço da galeria principal. Vocês têm que vir comigo agora.

– Por quê? – balbuciou Levih.

– Vejam por si mesmos.

A última câmara antes do aposento central era muito maior do que a sala do observatório. O teto chegava à altura de dez metros, com estalactites escuras e o chão de rocha maciça, sem um floco de neve sequer. Tanto o calor quanto a luminosidade vinham de um ponto na parte baixa, protegido por estalagmites que abraçavam um sarcófago sem tampa.

Descendo à proximidade da luz, os três anjos avistaram um homem de olhos fechados, deitado no interior de uma cápsula de gelo. Vestia armadura completa, forjada com um metal tão brilhante que parecia superior às armas celestes. A couraça era vermelha, não cristalizada ou mesmo esmaltada, mas feita com um mineral desconhecido e puro, que pulsava em ondas constantes. Uma lança afiadíssima repousava a seu lado, de material idêntico ao projétil retirado de Kaira.

O rosto do soldado figurava perceptível entre o elmo, mas os detalhes da face não eram exatamente humanos. A pele tinha tonalidades azuladas, as feições eram finas, e os cabelos, prateados.

– É um *deles*? – Kaira imaginou que fosse inimigo.

– Não é um anjo – garantiu Levih.

– Também não é humano – constatou Urakin.

– Existe alguma coisa *além* disso? – A ruiva não conseguia pensar em mais nada.

– Sinceramente, não sei. – O ofanim estava embevecido. – O brilho é mágico. Trata-se de uma energia que desconhecemos.

– Está vivo?

– Todas as funções vitais estão conservadas – reparou Urakin. – Não há sinais de decomposição. Mas não escuto os batimentos cardíacos.

A arconte enfiou a mão no sarcófago. Tocou a superfície da armadura.

– *Ai!* – puxou o braço com um grito de dor.

– Você está bem? – Levih a susteve.

– Estou. – Os dedos ardiam. Nada grave.

– Sua pele congelou?

– Não. Está fervendo. O caixão de gelo deve estar impedindo que o calor se propague.

– Que tipo de criatura é essa? – grunhiu Urakin.

– A lança – mostrou Kaira. Havia uma série de inscrições em baixo-relevo gravadas perto da lâmina. – Conseguem ler?

– Fascinante. – O Amigo dos Homens apurou a visão. – Esta linguagem não descende dos códigos de Nod.

– Nod?

– Todos os idiomas da terra derivam da mesma fonte ancestral, os códigos perdidos de Nod, desenvolvidos pelos escribas de Enoque, a primeira cidade humana. – Tornou a olhar para a arma. – Estas gravações não pertencem a nenhuma civilização conhecida, tampouco a qualquer entidade espiritual.

– Você é especialista? – ela perguntou, em tom de brincadeira.

– Não, mas, seja o que for, é muito anterior ao dilúvio.

– Tenho uma ideia. – Urakin levantou um pedregulho. – Por que não esmigalhamos o sarcófago e libertamos este rei? O frio pode estar o mantendo em hibernação.

– E alertar Yaga da nossa presença? – censurou Kaira. – Ainda não. Voltaremos aqui depois e tentaremos removê-lo da cápsula, em vez de *quebrá-la*.

O querubim entendeu a indireta e pousou a pedra no chão com tanto cuidado que a cena seria grotesca, não fosse a tensão que o lugar transmitia.

Voltaram ao túnel, e dali só havia um caminho.

E ele levava à câmara central.

20
O ANJO BRANCO

O PONTO FINAL DA GALERIA SE ABRIA NUMA CÂMARA DESLUMBRANTE. As paredes de rocha estavam cobertas por grossas camadas de neve e cristal e haviam sido planejadas para dar ao salão a forma de uma enorme catedral de gelo. Assim como as catedrais verdadeiras, tinha as naves laterais e a central suspensas por colunas cristalinas, que levavam à abside em forma de cúpula. Uma imensa rosácea atrás do altar filtrava a luz em tons azulados, e do teto pendiam estalactites translúcidas, pontiagudas e afiadas. O espaço reservado às capelas secundárias ocultava passagens obscuras, túneis cheios de névoa que davam acesso aos aposentos abaixo.

Degraus semicirculares terminavam no oratório, e dentro dele a estátua em tamanho real de um homem, toda feita de gelo, segurava sobre a palma um fragmento de pedra negra, como se o oferecesse ao intruso. De todos os ornamentos, a escultura era a mais sublime – representava um indivíduo magro, de traços finos e cabelos compridos, vestindo uma túnica que o cobria dos pés ao pescoço. O colarinho alto imitava as batinas eclesiásticas, mas era repartido no meio, dando vida a um hábito *sui generis*.

– Onde será que estamos? – Levih arregalou os olhos.

– No covil de Yaga – endureceu Urakin. A beleza do santuário não o comovia.

– Um templo? – Kaira guardou a pistola e apertou as alças da mochila. Caminhou na direção do altar. – Que lindo.

O querubim rastreou o chão fofo, coberto por três ou quatro centímetros de neve. Levih e a ruiva subiram a escadaria em meia-lua, contornando a tribuna pela parte de trás. Observaram a escultura mais de perto. Uma vibração mística emanava do artefato em sua mão. Era feito de basalto e tinha a forma de uma pirâmide alongada, com dez centímetros de altura por trinta milímetros de base.

– Essa energia – Kaira também notou. – Vem da pedra?

– Sim – aquiesceu Levih. – É semelhante às radiações da armadura, mas ao mesmo tempo diferente.

– Sabe o que é?

– Não sabemos nada sobre este lugar, mas pela força do objeto fico surpreso que o tenham deixado desguarnecido.

– Pode ser algum tipo de arma?

– Acho que não – o ofanim balançou a cabeça. – Parece mais uma bateria, um receptáculo carregado de poder místico. Peças assim são geralmente usadas para energizar outros artefatos, mas é impossível saber com certeza.

– Bom... – a arconte estendeu o braço. – Só tem um jeito de descobrir.

Quando Kaira tocou a pedrinha, o corpo inteiro estremeceu. A primeira impressão era a de ter se transformado em um fio condutor, através do qual corriam trepidações realmente possantes. No instante seguinte, a sensação foi substituída por um solavanco de dor. Sentiu frio, um frio cortante, que começou na ponta dos dedos e desceu pelos calcanhares. Tentou recuar, ainda agarrada à pirâmide, mas as pernas congelaram. Quando percebeu a cilada, os músculos não mais se mexiam, e nem a boca ela conseguia abrir. Estava retida dentro de um esquife de gelo, completamente inerte e paralisada.

Levih também congelou, mas de medo. A estátua diante dele ganhou vida, transmutando-se numa figura de carne e osso. A expansão da aura deixou tudo mais claro – aquele era um ishim, um anjo da mesma ordem de Kaira, mas simpatizante do lado inimigo.

A entidade exibia traços iguais ao da escultura, com túnica longa, cabelos lisos e feições delicadas. Encarnado na forma humana, tinha a pele pálida, quase tão descorada quanto a tez dos defuntos. Os fios brancos e as roupas claras davam-lhe uma silhueta homogênea, frígida e sem variações de textura. Os olhos eram cinzentos e estéreis.

Na outra extremidade da catedral, Urakin viu Kaira ser atacada e seus instintos de combate se atiçaram. Avançou com os punhos fechados, disparou em direção ao altar, mas logo que principiou a corrida dezenas de estalactites despencaram sobre sua cabeça. A primeira lasca caiu a seus pés, errando o guerreiro por pouco. A segunda e a terceira ele conseguiu evitar. Rolou no chão para escapar de uma quarta, quando um pedaço agudo lhe acertou as costas, atravessando a carne e perfurando o pulmão.

– *Não!* – gritou Levih. – Deixe-o em paz!

O inimigo abriu um sorriso.

– Em *paz*? – falou, pela primeira vez. – O melhor vem agora.

Estatelado no piso, Urakin sangrava aos borbotões. Outra estalactite, das grandes, despencou na direção de sua nuca, mas por sorte inclinou-se na queda, atingindo o querubim com o corpo, não com a ponta. O impacto no crânio o desnorteou. Ele ainda tentou se arrastar, porém não tinha mais fôlego – as forças haviam sumido. Cuspiu uma torrente de injúrias, encarou o agressor, para desfalecer logo depois.

– Quem é você? – O Amigo dos Homens se distanciou lentamente.

– Sou Andril, o Anjo Branco, arconte do príncipe Miguel. – A fala era aveludada, estranha a alguém tão cruel. – Não fico surpreso que não me reconheça. É de compreensão muito lenta, Levih.

O ofanim vislumbrou seus amigos, tão facilmente rendidos ante a força do oponente. Kaira estava diante do oratório, aprisionada na coluna de gelo, e Urakin jazia desacordado no tapete de neve.

– Faça o que quiser comigo, mas não os machuque.

– Por que não disse antes? – Andril era sarcástico e se divertia ao ver os outros sofrerem. – Acha que devemos poupá-los?

— Não pouparemos ninguém – respondeu uma voz feminina.

Emergindo de uma das capelas laterais, surgiu uma entidade travestida de gente. Sua aparência era a de uma mulher jovem e bonita, mas *estranha*. Alta e magra, tinha os cabelos longos e negros, com a pele tão clara que dava para ver o caminho das veias, saltando pelo pescoço como galhos esverdeados. Os lábios estavam escurecidos e os olhos refletiam uma coloração amarela, assustadora e bizarra. Usava um vestido comprido, todo preto, feito de um tecido metálico.

— Creio que *Yaga* você já conhece – apresentou o Anjo Branco. – Assim fica tudo entre amigos.

O corpo escolhido por Yaga para se manifestar na caverna era humano, basicamente. Os anjos sempre se materializam na figura de homens, mulheres ou animais, porque esses são os organismos vivos mais complexos que existem no "mundo real". A forma de sombras era uma de suas técnicas mais poderosas, muito útil para evitar ataques físicos, mas, com Urakin derrubado e Kaira aprisionada, não havia necessidade de invocá-la. Levih não era uma ameaça, e sabendo disso ela deu um passo na direção do altar.

— Eu imploro – repetiu o Amigo dos Homens. – Yaga, *por favor*. Temos uma trégua. Para que tudo isso?

— Já mencionei o quanto é patético? – A voz era grave, mas havia perdido a ressonância satânica. – Divindades empáticas não funcionam comigo.

— O que pretendem com esta chacina? – Ele estava desesperado, e *sozinho*. – O que desejam de nós?

— Não de vocês, mas *dela* – revelou Andril. – Não percebe? Você e seu companheiro são uns inúteis, uma trupe de bufões desprezíveis. Viemos atrás da arconte.

— Está lá – pressentiu Yaga. – *Ainda* está.

— Então faça! – grasnou o Anjo Branco. – Faça *agora*. Ela é sua.

Dentro do esquife, as pálpebras de Kaira se apertaram. Uma força invisível apertou-lhe o peito, como se uma parte dela estivesse *saindo*. A dor, antes física, ressurgiu como uma estocada psíquica, esquentando o sangue e comprimindo as artérias do coração. Suas memórias se embaralharam, e ela engasgou com a própria saliva. Escutou um grito de criança, sentiu o gosto da morte, enxergou imagens frias e desconexas. A respiração falhou, a pele embranqueceu e os lábios ficaram roxos. Os olhos perderam o brilho, quando finalmente a consciência apagou.

Levih não suportava ver aquela tortura – era demais para ele. Se invocasse seus raios de luz a curta distância, poderia surpreender Yaga e até mesmo matá-la, mas seria correto tirar uma vida para salvar outra? Ele não era capaz de ferir ninguém, então talvez a solução fosse libertar sua líder, afinal seus feixes eram energéticos e podiam despedaçar o esquife.

As mãos cintilaram, e, quando ele estava prestes a disparar, uma pancada no ouvido o levou a nocaute. Andril o atacara com uma lasca de gelo, usando o instrumento como quem maneja um bastão.

– As soluções simples às vezes são as melhores. – Olhou para o corpo estirado do ofanim. Largou o tacape. Virou-se para Yaga. – E então? Ela vai sobreviver?

– Improvável. A alma está custando a sair. – As pupilas da entidade fremiam. – Vai ter uma parada respiratória.

– Finalmente uma boa notícia. – Ele engrossou a fala para lançar uma ordem. – Remova o espírito a qualquer custo.

– Sabe o que pode acontecer, não sabe?

– Claro, por isso estou aqui. Vamos pôr um fim nisso.

A aflição era tanta que Kaira desmaiou.

Decaiu num abismo de lampejos e sensações, retratos e imagens, lugares e momentos. Lembranças regressaram. Figuras vinham e iam.

Mente vazia. Escuridão.

Retornou às soturnas profundezas do além. O precipício da alma.

A luz... cada vez mais fraca. Débil. Mortiça.

A criança.

A menina que antes flutuava no túnel repousava agora à sua frente, atolada numa substância lodosa. O cordão umbilical ainda as ligava. Era um *laço*. Não se partia. Nunca quebrava.

– Me ajuda – suplicou a garota.

Kaira ficou de joelhos. Estavam tão próximas que já se podiam tocar.

– Como se chama?

– Sou a Rachel.

– *Rachel?* – Uma surpresa extraordinária. – Pegue minha mão.

A menina a segurou. As duas subiram.

Kaira não soube como, mas retomou a razão quando sentiu o ar voltar aos pulmões. Abriu os olhos lentamente e enxergou a caverna brilhando, destacada a partir de flutuações de calor. O assalto de Yaga fora tão violento que fizera o coração acelerar. Como resultado, o corpo esquentou, e de uma hora para outra ela estava mais uma vez como no interior de uma grande fornalha, exatamente como havia acontecido no condomínio. Todos os seus poderes regressaram de forma abrupta, uma sobrecarga que, se não fosse estancada, mataria a todos numa explosão sem igual.

O esquife que a prendia derreteu, evaporou numa coluna de gás. Brumas ferventes envolveram a arconte, e ela entendeu que também podia controlar a fumaça. A energia da aura cresceu, manifestando-se em invocações espontâneas. Dos olhos surgiram labaredas vermelhas, e das mãos nasceram tufos de chamas.

Avistando Yaga através da densa atmosfera, Kaira agiu em autodefesa. Não tinha nem nunca tivera vontade de matar, mas algumas de suas sensações, naquele momento, eram completamente incontroláveis. Quase que por instinto, uma radiante bola de fogo brotou entre os punhos, tão quente que o núcleo solidificou, com fagulhas de magma girando no centro. A esfera partiu praticamente sozinha, atravessou o salão desatando faíscas. Acertou Yaga no rosto.

A explosão derreteu as pilastras mais próximas, fazendo a catedral sacudir. Uma brasa endurecida atravessou o olho direito da hashmalim, abrindo um buraco no crânio, por onde foram cuspidos os miolos. Os cabelos negros se colaram à pele, o esqueleto se incinerou por completo. A malha do vestido se desintegrou, expondo as costelas tostadas.

No ardor do combate, Kaira não se deu conta do que tinha feito nem parou para pensar na brutalidade de suas ações, fossem elas legítimas ou não. Só queria seguir adiante – tinha contas a acertar. Virou-se de costas e afrontou o Anjo Branco, ainda inflada de fogo e calor. Havia algo de familiar nele, como se já tivessem se encontrado.

– Ossos do ofício – lamentou Andril, fitando o avatar carbonizado de Yaga. – Ela sabia o que poderia acontecer.

A arconte olhou para as próprias mãos – ainda ardiam. Era a oportunidade de salvar seus amigos. Se pudesse ao menos incapacitar o rival, sairia dali com Urakin e Levih ainda vivos.

– De onde nos conhecemos? – Ela *precisava* saber.

– Trabalhamos juntos por vários anos. – A expressão era irônica. – Não se lembra de mim, não é? Yaga fez um serviço brilhante, pena que não foi perfeito.

Kaira deixou que mais labaredas escalassem seus ombros e com isso esperava assustá-lo. Mas Andril era um arconte também e não se impressionava tão facilmente.

– *Rachel*. Quem é ela? O que fizeram comigo?

– A resposta está *dentro de você*.

Convencida de que o inimigo nada diria além de insultos, a ruiva repetiu a conjuração da bola de fogo. Dessa vez, mentalizou um jato escaldante, que começou como uma chispa até virar uma língua de chamas. O ataque partiu em linha reta, num crepitar característico das fogueiras em brasa.

Mas o Anjo Branco era um adversário à altura e estava consciente de seus poderes – enquanto Kaira tateava no escuro. Contra-atacou com uma rajada que reunia gás congelado e pequenos flocos de neve. As energias opostas se encontraram numa admirável detonação de vapor, com a experiência do agente de Miguel suplantando a fúria inocente da moça. O sopro gelado atacou-lhe os pulmões, fazendo-a anelar. Os músculos ficaram dormentes, os tendões se retraíram. Ela caiu prostrada na escadaria do templo.

Andril vencera. Era uma armadilha – Yaga e Forcas eram parte do plano, perdas suportáveis para a estratégia de guerra. O anjo ficou de cócoras, moveu o pulso num movimento circular. Da unha cresceu uma lâmina cristalizada, que se alongou feito uma estaca, até tocar o peito de Kaira. A ponta rasgou a malha da blusa e começou a penetrar a carne.

– Devia tê-la matado antes, mas Yaga teve essa ideia. Pior para ela. – Enrugou a cara num sorriso malévolo. – Eu sempre quis fazer isso, Centelha. Vou acabar com você, e agora ninguém vai me impedir.

Num ímpeto de crueldade e prazer, o celeste afunilou o aguilhão para a estocada final. O pior, ela pensou, seria morrer daquele jeito, deitada num altar congelado, sem nem ao menos saber ao certo quem era ou por que lutava. Mas o gosto do triunfo virou frustração quando Andril sentiu uma fisgada na base da espinha.

– Que truque dos infernos é este? – resmungou, cuspindo as palavras numa golfada de sangue.

Quando olhou para o peito, reparou que uma folha de aço despontava para fora, tingindo de vermelho sua túnica alva. Recurvou-se para vomitar a hemorragia quando outro anjo apareceu atrás dele, removendo a espada fincada nas costas.

– *Denyel?* – exclamou Kaira, com um misto de surpresa e alívio. Era o exilado, o espião que a salvara do tiro. Desprendia o mesmo cheiro de álcool e usava as mesmas roupas surradas, agora cobertas por uma velha jaqueta de couro marrom.

Andril desabou, estrebuchando e gemendo em reações convulsivas. Denyel pisou na cabeça dele e tornou a cravar a espada, dessa vez buscando o coração. Cutucou várias vezes, mas o aço raspava num objeto sólido, impenetrável.

– Levante-se. – Denyel ergueu a arconte. – Rápido, garota. Não temos o dia todo.

– Não podemos deixá-los – ela gritou. Olhou para os companheiros feridos, tentou reviver suas chamas, mas a energia não veio. Estava indefesa de novo.

– Não temos mais tempo. – O exilado a agarrou com firmeza. – *Vamos!*

– Espere. – Na afobação, ela havia esquecido que ainda segurava a pirâmide. Guardou-a na mochila e sacou a Beretta. Puxou o gatilho, mas a arma travou.

– Esqueça – advertiu Denyel. – Ele vai se regenerar logo. Temos que fugir para onde o tecido é espesso.

– Não vou abandonar meus amigos.

– Já abandonamos. – Ele a arrastou túnel afora, e sem seus poderes não havia como resistir. – Não podemos enfrentá-los neste santuário.

– *Enfrentá-los?* Yaga está morta.

– Há mais deles. Estão chegando.

21
ANISTIA

Denyel arrastou Kaira pela trilha na mata, apertando forte seu braço para que ela não escapasse. No início, a moça tentou reagir, mas ainda estava chocada, mentalmente perdida e sem saber em que direção caminhar. A ideia de deixar os amigos para trás era horrível, mas mesmo invocando seus poderes angélicos ela não seria páreo para o Anjo Branco. Além disso, se o exilado tinha falado a verdade, Andril se recuperaria em breve, trazendo mais agentes do arcanjo Miguel.

Chegaram salvos e ofegantes à estrada florestal. Avistaram o velho utilitário, parcialmente atolado, com as rodas imundas, e a Hayabusa estacionada na saída da trilha. A carenagem continuava brilhando, mas as correias estavam sujas, envoltas por grossas camadas de lama e poeira.

O anjo desmaterializou a espada, prendendo o cabo à cintura, como fazia regularmente. Subiu na motocicleta, deu partida. Chamou a arconte.

– Vamos, monte – ofereceu a garupa.

– O que há com você? – ela gritou. – Não escutou o que eu disse? Levih e Urakin continuam lá dentro.

– *Você* é que não deve ter escutado. – Ele esfregou o queixo com as costas da mão, para limpar a neve na barba. – Existem mais deles. Seremos liquidados se voltarmos à gruta.

– Como sabe? Como nenhum de nós percebeu?

– Também não perceberam Yaga e Andril. Eles mascaram suas auras. Sou mais intuitivo. Posso sentir as energias a longas distâncias.

– Posso lidar com Andril. – Era mentira. Ela estava com medo. – Se for comigo, podemos salvá-los. Vamos aproveitar que ele está ferido.

– Não vamos voltar – Denyel já tinha se decidido. – Controle-se. Você está alterada.

– E você está *bêbado*!

– Espere. – Ele fez uma pausa. – Que tal você me agradecer por salvar sua vida pela segunda vez? – Encarou-a mais seriamente. – Entenda. A catedral é o santuário particular de Andril, aonde ele retorna para recuperar suas forças. No templo, ele é imbatível. – E disparou o argumento final. – Vamos salvar os seus companheiros, mas não *agora*. Não hoje.

– Quando?

– Quando você refizer suas lembranças. Antes disso, qualquer ataque à caverna será suicídio.

Pode ser, pensou Kaira. *Devia ser*. O exilado não tinha motivos para mentir nem motivações concretas para resgatá-la. Sua primeira missão como arconte fora um fracasso, e ela não queria tornar as coisas piores. De repente, achou que estava sendo muito rude com Denyel, desde que o vira pela primeira vez no porão. Apesar de insolente, ele de fato a salvara e, ainda que desejasse alguma coisa em troca, merecia mais gratidão.

– Podemos ir agora? – ele perguntou, com certo traço de acidez. Quando a ruiva hesitou, ele a puxou para a garupa. Rodou o guidão e os motores da Hayabusa roncaram.

– Não deveria consertar este cano de descarga? – O barulho era mesmo irritante. – Achei que estivéssemos *fugindo*.

– É assim mesmo. – Qualquer crítica à moto, ele tomava como ofensa pessoal. – Ademais, o tecido é mais espesso aqui embaixo. Estamos seguros, não se preocupe.

Os dois desceram a estradinha, com o veículo pulando nos buracos de terra. Instantes depois, alcançaram a rodovia. Denyel freou ao avistar uma placa.

– Vamos para o seu apartamento? – Kaira ainda arquejava.

– É uma proposta? – a piada não teve graça. – Sem condições. Não é mais um refúgio confiável.

– Para onde, então?

– Estou pensando – ele acelerou, e as últimas palavras se perderam no vento. – Estou pensando.

Pouco mais de uma hora depois, Santa Helena já figurava distante. A motocicleta dançava tranquila ao sol da manhã, e os ânimos finalmente acalmaram. Kaira continuava aflita, mas a fuga, pelo menos, dera certo. Estavam seguros na rodovia, supostamente protegidos dos fabulosos poderes de Andril.

A Hayabusa era uma moto veloz, e sem capacete a viagem se tornava agradável – e potencialmente mais perigosa. O vento quente revigorava, mas um tombo a 200 km/h poderia feri-los, ainda que não fosse matá-los. Pensando nisso, Kaira abraçou as costas de Denyel, agarrando-se à sua cintura e colando o rosto na jaqueta de couro.

A beleza do exilado era rústica, bem diferente da de seu ex-namorado. Embora os dois tivessem o corpo perfeito, a pele do anjo era áspera, e as mãos, calejadas. Os pelos negros corriam rentes dos braços à nuca, dando uma especial impressão de virilidade. Diferentemente de Hector – a comparação era inevitável –, que se depilava para facilitar as disputas de natação, o celeste não se preocupava com a aparência, e talvez por isso fosse tão atraente. As roupas estavam limpas, mas usadas, sem nenhum perfume especial a não ser o cheiro do próprio corpo, uma mistura de suor, gasolina e cerveja.

De sua parte, ela não podia reclamar da sujeira. Havia transpirado um bocado durante o combate na caverna e depois, na descida da trilha. A blusa exibia um rasgo minúsculo abaixo do seio, onde a agulha de gelo penetrara, mas não havia sangue na malha. Tudo que mais desejava era tomar um banho decente na primeira oportunidade que encontrasse.

Ao meio-dia, Denyel deu toques no freio, desviando-se para um posto de gasolina à beira da estrada. Estavam distantes de qualquer centro urbano àquela altura, e em volta deles a paisagem era aprazível. Fazendas de gado se estendiam pelas colinas de relva, cobertas de arbustos e capim, com cercas de arame farpado dividindo as propriedades rurais, a vinte metros do acostamento. O céu era uma pintura de tons azulados, e com o avanço da tarde a temperatura subiu.

O posto tinha duas áreas de abastecimento, uma oficina e a loja de conveniência, mas estava praticamente vazio, a não ser por três frentistas e um borracheiro, trabalhando em turnos reduzidos por conta do escasso movimento no feriadão. O exilado estacionou ao lado da bomba de combustível. Estendeu o apoio lateral da moto e desmontou.

– Já sabe para onde vamos? – Kaira esticou as pernas.

– Tenho uma ideia. – Denyel entregou a chave ao funcionário, mas ficou por perto, com a atenção grudada na mangueira. – Quanto dinheiro você tem?

– Para que quer saber?

Ele desviou os olhos para o painel dos centavos e voltou-se a ela com um sorriso canalha.

– Seria gentil se começasse a retribuir.

– Retribuir? – a ruiva engoliu a resposta. É claro que podia ajudá-lo, mas a maneira como ele pedia as coisas a incomodava. Ainda assim, achou melhor não discutir.

Tirou a mochila das costas, abriu o zíper e enfiou a mão pelo forro para procurar a carteira. Os dedos esbarraram no artefato negro, a pirâmide de basalto que ela havia roubado de Andril. Puxou o objeto e o examinou à luz do dia. Tentou arranhar a estrutura com a unha, para testar a consistência – dura demais para uma pedra comum. As vibrações eram latentes e emanavam energias fortíssimas, embora Kaira não soubesse precisar sua origem. Virou a peça de cabeça para baixo e notou que havia uma runa gravada na base.

– É igual às inscrições do sarcófago – refletiu consigo mesma. Cutucou Denyel. – Reconhece este símbolo?

Ele observou a peça sem muito interesse.

– Não me lembro de nenhum sarcófago, mas acho que deveria guardar isso. Nenhum de nós sabe do que este artefato é capaz. Magia é um assunto nebuloso; melhor não arriscar.

– Não viu o soldado na cápsula de gelo? Na câmara, antes da catedral?

– Não me dei ao trabalho de explorar. Tinha assuntos mais urgentes. – Ele sempre tecia um comentário sarcástico. – Que soldado?

– Esqueça. – Ela guardou a pirâmide. – Diga-me uma coisa: por que não o matou? – A pergunta saiu como uma crítica, embora a intenção não fosse julgá-lo.

– Por que não matei quem?

– Andril. Por que só o deixou desacordado, em vez de matá-lo?

– Eu tentei, mas não consegui trespassar-lhe o coração. Era sólido. Sólido como pedra.

– Como assim?

– Também não sei, responda-me você. Não tenho ideia de como funcionam as divindades de sua casta.

– Por que não cortou a cabeça?

– Não ia adiantar. – Ele falava como um professor rabugento. – A decapitação não extermina o avatar, só o deixa mais fraco. Para aniquilar nosso corpo físico, é preciso destruir o coração. Acho que já falamos sobre isso.

– E quanto a Yaga? Está morta?

– Quem dera – a réplica foi automática. – Você apenas a baniu. O avatar foi exterminado, mas o espírito continua vivo. Sua essência regressará à Gehenna e ela ficará entorpecida até se recompor do trauma psíquico. Não nos importunará por algum tempo.

– Quanto tempo? – Kaira estava faminta por informação. – Por quanto tempo Yaga permanecerá inativa?

– Tempo suficiente para alcançarmos o vórtice. – E, já prevendo a próxima dúvida, ele prosseguiu. – Vórtices são passagens que ligam o plano astral às dimensões paralelas. Eu conheço uma dessas pontes de acesso ao Primeiro Céu, mas fica do outro lado do estado.

O frentista removeu a mangueira do tanque, e o cheiro de gasolina se espalhou pelo ar. Atarraxou a tampa do bocal e devolveu o ejetor ao apoio da bomba. Kaira e Denyel entraram na loja de conveniência.

– Quer me mandar de volta ao paraíso? – A sensação da ruiva era de decepção e descrença. – O que acontecerá com Urakin e Levih?

– Você é insistente. – Ele caminhou até a geladeira, retirou uma lata de cerveja. – Esqueça-os. Esses já eram.

– Só pode estar de brincadeira. Havia me prometido...

– Eu menti. – Ele quase engasgou em meio à golada. – Sou bom nisso.

– Mas e a minha missão? Levih disse que eu tinha sido enviada à terra para cumprir uma tarefa específica. Não posso simplesmente esquecê-la.

– Menina, vamos pôr os pingos nos is. – Denyel usava palavras humanas, reparou Kaira, talvez por viver tanto tempo entre eles. – O que eu tenho a ver com a sua missão? Meu trabalho é escoltá-la e só. O acordo com Levih não incluía qualquer coisa além disso.

– Não se dê ao trabalho – ela se irritou de verdade. – Encontro sozinha o caminho.

– Negativo. Vou com você. São os termos da minha anistia.

– Anistia?

– O ofanim não lhe contou? – Ele deu um gole profundo na bebida. – Aceitei recebê-los em meu santuário em troca da proteção do arcanjo Gabriel. Depois que violei a lei dos exilados, Miguel e suas legiões não só não me aceitariam de volta como ordenariam a minha caçada. Já devem ter ordenado, a propósito. Quero refúgio na Cidadela do Fogo.

Kaira não sabia onde era a Cidadela do Fogo, mas entendeu o que ele queria dizer. Moveu a cabeça para os lados, indignada. Bufou. Estava sem opções. De um lado, um inimigo voraz. Do outro, um crápula desonrado.

– Está bem – ela fez um muxoxo. – Urakin estava certo. Como pode se considerar um querubim?

– Não precisa me agradecer – era um deboche. – Mas tem uma coisa que pode fazer. – Apontou para o caixa. – Pague a gasolina. É o mínimo.

Ela teve vontade de incinerá-lo, mas Denyel não valia nem isso – era interesseiro, desaforado e nojento. Nunca em sua existência humana imaginou que os anjos pudessem ter sentimentos tão baixos. O exilado agora tinha a vantagem, guardava favores na manga e conseguiria a tão almejada anistia – não adiantava lutar contra isso. Kaira se curvaria a seus termos e, após recuperar os poderes, voltaria à Haled para resgatar seus verdadeiros amigos, caso eles ainda estivessem vivos. Ela acreditava que sim.

Ela tinha fé.

22
BELLE ÉPOQUE

Paris, 21 de março de 1897

Entre o fim do século XIX e o início do século XX, a Europa viveu um período de contradição. A Revolução Industrial encontrava o ápice, com uma classe operária miserável e oprimida, crianças trabalhando catorze horas por dia e mulheres se prostituindo nos intervalos dos turnos. A turbulência política deu origem aos movimentos operários, à ideologia socialista, à direita antissemita, ao comunismo e aos nacionalismos exacerbados. Mas foi também uma época de efervescência cultural, avanços da medicina e importantes invenções, tais como o telefone, o cinema, o automóvel e a luz elétrica. Para os europeus, foi sobretudo um momento de paz, uma era de prosperidade antes da grande tormenta que varreria o continente nos anos vindouros.

No primeiro dia da primavera, Paris fervilhava com seus restaurantes lotados, as ruas cheias e os parques agitados. Homens desfilavam de bengala e cartola, mulheres passeavam de chapelão e sombrinha, vendedores de jornal dividiam as calçadas com artistas e seus violinos. Na esquina da Rue de la Herpe, dois funcionários de casaca vermelha substituíam o velho poste a gás por um par de lâmpadas elétricas. A oeste, o espigão da Torre Eiffel cortava os céus como uma lança de ferro no coração da cidade.

Naquela manhã clara de domingo, em um dos cafés do Quartier Latin, onde o Boulevard St.-Michel se encontrava com a transversal St.--Germain, dois cavalheiros distintos – um italiano e outro alemão – se acomodaram numa mesa ao ar livre, sob a proteção de uma árvore de folhas largas. Mickail pendurou o guarda-chuva no encosto da cadeira. Usava um terno preto, com um lenço branco amarrado no lugar da gravata. O colete era de seda, estampado em tonalidades champanhe. Tinha olhos castanhos, pele rosada e uma costeleta loura, que descia ao rosto para se fechar num bigode.

Denyel sentou-se à sua frente. As roupas eram simples, mas elegantes – calças grossas, botas para cavalgar e casaco de linho. Cumprimentou o amigo com um vigoroso aperto de mão.

– Valeu a viagem – disse o anjo de cabelos dourados, torcendo o pescoço para espiar o cume da torre. – Nunca achei que tivessem coragem. Mas aconteceu, não é? Enfiaram esse troço nos bagos do Champ de Mars.

– Não tarda vão desmontar – comentou Denyel. A barba estava feita, e os cabelos negros, bem aparados.

– Falam isso há quase dez anos. – Mickail abriu o cardápio. Passou os olhos pela carta de vinhos. – De certa forma, faz a gente pensar.

– Pensar? – ele retrucou, despreocupado. – Pensar em quê?

– Em como as coisas se transformam. Em como tudo invariavelmente se transfigura.

A conversa estancou à aproximação do garçom – um indivíduo alto e magérrimo, trajando *smoking* escuro e luvas muito brancas. Equilibrava uma bandeja na mão esquerda, com dois pratos sujos e vários copos vazios.

– *Cognac* – Mickail arranhou o francês, forçando de propósito o sotaque alemão. Inclinou a vista para alcançar Denyel. – *Deux?*

– *Café noir* – ele corrigiu.

– *Et foie gras* – encerrou o pedido, e o atendente se afastou. – Esqueci que você não bebe.

– Tira-me a concentração. – Denyel esboçou um riso amigável. Estava contente por rever o colega, mas também curioso sobre o que ele tinha a dizer. – É ruim para o trabalho.

Mickail fez uma pausa. Encarou a fumaça que escapava de um bueiro sem tampa, do outro lado da avenida. O garçom retornou com o conhaque. Pôs a xícara sobre a mesa, com as duas rodelas amanteigadas, servidas num pires com garfos de prata.

– Calculo que não tem lido os jornais.

– Eu gosto do *The Times* – ele se referia ao mais famoso periódico britânico. – Ler os jornais é como ir à igreja: um hábito melhor se for cultivado só aos domingos. – E admitiu, enrubescido: – Às vezes faço apostas nas partidas de críquete.

O anjo louro deu uma bicada na taça, girou o copo entre os dedos. Lançara pistas óbvias, mas Denyel não as havia pescado.

– O mundo está mudando, Denyel. Eis o motivo da minha viagem.

– Deveria ganhar a vida como poeta. – O tom era cordial. Partiu um pedaço da iguaria de fígado. Levou-a até a boca. – O mundo está *sempre* mudando.

– Desta vez é diferente. É o único que não está percebendo.

Denyel bebeu o café numa cruzada de pernas. Despejou dois torrões de açúcar. Mexeu a superfície com uma colher.

– Disse a mesma coisa quando os romanos invadiram a Gália. – Ele não compreendia o motivo do alarde. – A expansão do tecido é um processo constante, segue o ritmo normal do universo.

– Não – refutou Mickail. – As mudanças são inéditas, irreversíveis. Os terrenos estão cortando os últimos laços com o mundo natural, enterrando a força de sua própria alma. – Ao longe, eles escutaram a sineta do bonde na linha Maillot. – Dê uma olhada à sua volta. Há alguns anos, um naturalista propôs que os homens evoluíram a partir do macaco. Em Viena, um médico judeu mostrou que os espíritos maléficos nada mais são que delírios, frutos de uma mente perturbada. Não bastasse, um filósofo alemão decretou a morte de Deus. – E armou-se para continuar o discurso. – As ferrovias e os barcos a vapor estão levando a civilização aos recantos mais obscuros do globo, banalizando os nódulos místicos, revertendo os últimos vértices, apagando o poder dos velhos santuários.

– Está querendo me fazer chorar? – brincou o exilado, mas a expressão do amigo era séria, então ele ficou sério também.

– É um cabeça-dura, soldado. – O loiro deu um gole profundo no conhaque. – Andei ouvindo rumores – a voz se reduziu. – Parece que todas as licenças serão revogadas.

– Não podem revogá-las – Denyel tossiu. – Os termos do exílio são claros.

– Receio que não seja bem isso. – Um grupo de marinheiros atravessou a rua fazendo algazarra, cantando *La Marseillaise*. Mickail esperou que se fossem e então completou. – Uma grande guerra está para começar, uma série de confrontações que mudará para sempre a história da raça humana.

– E daí? – Denyel encolheu os ombros. – Nada disso nos afeta.

– É a película, obviamente. O tecido está mais denso, mais espesso a cada dia – contou aos sussurros. – Os malakins não conseguem mais enxergar a terra com nitidez.

– Problema deles. Por que aqueles palermas não montam uma base no Primeiro Céu?

– Não é o que querem, pelo menos por enquanto – garantiu. – Eles têm outros planos.

– Prossiga – ele havia enfim sido fisgado.

– Tudo que Miguel menos quer é perturbar a ordem política, ainda mais agora, com as ofensivas rebeldes avançando além dos limites do Castelo da Luz. Sua relação com a casta sempre foi delicada, desde a subtração da Roda do Tempo. – E, finalmente, a revelação: – Soube que o Príncipe dos Anjos autorizou a formação de um regimento avançado, um esquadrão que agiria na terra sob as ordens diretas dos malakins. Contrário a abrir mão de suas tropas, adivinhe quem eles chamarão para fazer o serviço.

– Acho bastante improvável – Denyel entendeu a sugestão, mas não acreditou. – Nosso acordo não inclui esse tipo de coisa.

– Bom, depende de como você o interpreta. – E prosseguiu: – O trabalho seria nos infiltrar nos exércitos humanos, para junto deles combater nas guerras por vir. Disfarçados de soldados comuns, nossa missão será observar cada vitória, cada batalha, cada derrota e conquista, cada feito da humanidade.

– Que tarefa mais ingrata. – Seria como um jogo, sem desafios concretos. – O que eles querem não são lutadores, mas espiões, emissários, capachos.

– *Capachos?* – a palavra tinha sabor de ironia. – É precisamente o que somos.

Denyel bebeu mais café. A perspectiva de servir aos malakins, ainda mais numa missão infecunda, parecia de fato intragável. Eles eram anjos soberbos, distantes e frios, dotados de uma curiosidade tão mórbida que beirava o sadismo. Não nutriam sentimentos saudáveis, eram praticamente autômatos. Sua tarefa era fazer previsões, estudar e catalogar os movimentos do cosmo, para então apresentá-los diante de Deus. Para Denyel, eles lembravam calculadoras ambulantes, iguais aos ábacos chineses que ele vira pela primeira vez em Hong Kong.

– Quem lhe contou essas coisas?

– Não importa quem me contou – Mickail falou com dureza. – Tudo que você precisa saber é que o recrutamento ocorrerá dentro em breve. Como temos ordens de evitar a desmaterialização, embarquei no primeiro comboio de Berlim para cá. Faço isso porque é meu amigo, porque salvou minha vida na cidadela yamí, porque confio em você como nunca confiei em ninguém. Espero que se prepare. Não será um período fácil. Deixamos o céu para nos afastar das operações sanguinárias e de repente nos metem de volta no caldeirão.

Denyel inclinou a cabeça. Vasculhou a mente à procura de uma saída, uma brecha que fosse.

– Miguel tem respaldo legal para transferir seus poderes a príncipes de outras castas?

– No tocante aos exilados, ele tem respaldo para fazer o que bem desejar. – Mickail deu uma gargalhada nervosa. – Isso não é uma democracia, e nós não somos humanos. O trato nos concede permissão para viver na Haled e nada mais. Na teoria, somos um destacamento em serviço, agentes treinados e plenamente ativos. Todos que se recusarem a atender ao chamado serão considerados desertores.

– Entendo. – Denyel tentou se acalmar. – E você? O que vai fazer?

– Eu? – fez como se desviasse de um soco. – Não há nada que eu, você ou qualquer outro possa fazer. E, mesmo se houvesse, não faria diferença. É o que estou tentando explicar desde o princípio. Nem todas as legiões aladas poderiam afetar o curso da espécie mortal. É o fim da linha, Denyel.

– Quando, Mickail? Quando será a convocação?

– Difícil afirmar com certeza. Dez, vinte anos no máximo. Talvez um pouco mais, um pouco menos. – E acrescentou, com uma pitada de acidez: – Ficaremos sabendo pelos jornais.

– Assassinos de Deus, hein? – zombou da própria desgraça. – De volta às origens.

– Anjos exterminadores – declarou o louro. – Anjos da morte.

– Anjos da morte, então – Denyel ergueu a xícara vazia num brinde sarcástico. Ficou quieto, saboreando o açúcar molhado. A meia quadra dali, a lâmpada recém-instalada acendeu no poste de ferro. De repente, uma ideia lhe veio à cabeça. Voltou a atenção ao colega.

– A que horas sai o seu trem?

– À noite – Mickail conferiu o relógio de bolso. – Comprei o bilhete do expresso noturno.

– Sabe o que é? – Deu uma palmada no braço do amigo. – Que se dane a convocação. Estou feliz que tenha aparecido. – Chamou o garçom. Pediu uma taça de conhaque. – Acho que esta tarde vou acompanhá-lo. Só esta tarde. Só uma dose.

– Brindaremos a quê? – Mickail suspendeu o copo.

– Ao século XX. – A sina era inevitável. – Um pedaço de estrume que, queira ou não, todo mundo vai ter de engolir.

23
BATIDA POLICIAL

Ao avançar da tarde, Kaira e Denyel seguiram o curso da BR-040, a principal via de ligação à capital partindo da região serrana do Rio de Janeiro. O trecho se aplainava ao nível do mar na altura da Baixada Fluminense, encontrando uma zona industrial decadente, com refinarias que cuspiam fogo pelas chaminés, dia e noite, sem parar. A poluição queimara o solo, secara a grama e escurecera a terra, coberta por crostas de poeira química até onde a vista alcançava. Árvores retorcidas margeavam a pista, dividindo espaço com carcaças de animais atropelados. Dali, as montanhas de Santa Helena eram apenas um recorte no horizonte, unidas às outras cidades por uma cadeia de rochas dentadas.

O sol forte distorcia a paisagem, e àquela velocidade em uma hora eles já estariam no litoral. Da capital, Denyel pretendia tomar a BR-101, que contornava a orla até a divisa do estado de São Paulo. Naquele ponto, havia uma praia deserta, escondida por uma enseada belíssima, onde ficava o vórtice de acesso ao Primeiro Céu.

Diferentemente dos portais, os *vórtices* são passagens dimensionais invisíveis às pessoas comuns. Eles não ficam no mundo físico, mas no plano astral, a camada mais rasa do mundo espiritual. Para acessar um vórtice, o anjo deve antes se desmaterializar, assumindo a forma celeste. Todos os alados são dotados dessa habilidade, pois são criaturas essencialmente espirituais. Kaira tivera problemas para dissipar seu corpo físico anteriormente, mas Denyel apostava que ela conseguiria fazê-lo, com um mínimo de esforço e concentração.

Às duas da tarde, a motocicleta parou na retenção do pedágio, a primeira e única antes de chegarem à cidade grande. Denyel puxou o freio com suavidade especial, entrou na mesma fila dos carros e em instantes parou na guarita. Era visível o apreço que tinha pelo veículo, chegando a cuidar da máquina com um carinho psicótico.

– Vai querer que eu pague de novo? – Kaira resmungou.

– Se tiver o dinheiro à mão... – ele respondeu cinicamente.

A ruiva sacou a carteira e lhe entregou uma nota amassada. Tremia de raiva, mas se controlou ao pensar que logo estaria livre daquele cafajeste. Seus sentimentos em relação ao exilado eram dúbios. Sua aura de mistério a fascinava, mas seus valores eram tão pervertidos que comprometeriam uma convivência mais séria.

Denyel pagou a tarifa, e assim que a cancela abriu um policial apareceu na frente deles, fazendo sinal para que encostassem. Usava farda azul-marinho, óculos escuros e colete preto, com uma pistola cromada apoiada no coldre. Exibia a face trombuda, os olhos sombrios e os cabelos negros. Mais que um agente da lei, tinha aspecto de soldado, um guerreiro obstinado e fanático.

– Boa tarde, amigo. – As palavras educadas não escondiam a frieza. – Viajando sem capacete?

Denyel não respondeu. Em vez disso, lançou-lhe um olhar penetrante, avaliando cada detalhe do uniforme, os equipamentos e a maneira como gesticulava. Apertou os lábios e virou-se para Kaira:

– Essa não. Era só o que faltava.

– Algum problema, motorista? – o oficial chegou mais perto.

– Nenhum, capitão – o anjo reparou na insígnia. – Como posso ajudá-lo?

– Encoste o veículo ali – o agente apontou para um espaço no acostamento, onde uma viatura de quatro portas fazia a segurança. Dentro dela, outro policial dedilhava números no computador de bordo. Mais adiante, a duzentos metros, um segundo automóvel montara vigília, perfazendo um total de quatro soldados.

Denyel tirou a moto da estrada, desligou a ignição e estacionou. Kaira não levantou da garupa, ainda confusa sobre o que deveria fazer.

– Vou falar com eles – ele desmontou. – Tentarei ser rápido. Tem mais algum dinheiro?

– Isso já é demais – ela explodiu. – Nunca paguei suborno e não é agora que vou pagar. Dê um jeito nisso *você*. Quem mandou dirigir sem habilitação?

– Quem disse que estou sem habilitação? – Denyel baixou o tom, surpreso com a reação da arconte. – Só queria facilitar as coisas. Não saia daqui. Já volto.

– Que absurdo. Você não tem jeito.

Denyel caminhou vinte metros até a viatura, onde o capitão o aguardava de pé, com um dos coturnos apoiado na porta. Seu parceiro continuava sentado no banco do carona, atento a qualquer retaliação do celeste. Dentro do automóvel, um fuzil de assalto FN FAL descansava na poltrona traseira. As sirenes estavam desligadas, mas as luzes azuis e vermelhas giravam em movimentos contínuos.

– Aqui está – o exilado lhe entregou a habilitação. As datas eram válidas e as informações estavam corretas, mas o documento não era seu, havia sido roubado, cerca de um ano antes, de um cadáver que ele encontrara na estrada. O morto tinha traços semelhantes ao dele, mas qualquer um notaria a diferença, se examinasse a foto de perto.

– Está vindo de onde? – inquiriu o capitão. Era centímetros mais alto que Denyel e ligeiramente mais forte.

– Santa Helena.

– E indo para onde?

– Estamos voltando à capital.

– No meio do feriado? – Olhou de relance a carteira e a repassou ao parceiro. – Negócios ou passeio?

Denyel esfregou a barba, deslizando os dedos pelos fios ralos. Estava intrigado. Ainda que tivesse infringido a lei, aquele tipo de abordagem não era usual. Havia certa malícia no comportamento dos guardas, conduta que não se encaixava no procedimento padrão da polícia. Notou que o capitão portava uma arma cromada, com coronha e gatilho pretos.

– É uma SIG-Sauer, não é? – indicou a pistola. – Calibre 45. Não sabia que usavam esse tipo de armamento na corporação.

O policial enrugou o cenho, tomando o comentário como desaforo. Ficou furioso e reagiu com violência. Empurrou o anjo de encontro à carroceria.

– Mãos no carro ou vou prendê-lo por desacato.

O exilado não se opôs – o capitão mordera a isca. Colou as palmas sobre a janela, abriu as pernas e aguardou a inspeção. Enquanto isso, o oficial dentro da viatura anunciou as informações repassadas pelo computador.

– A habilitação é verdadeira, mas não é dele. – Devolveu a carteira ao chefe. Usava um par de luvas sem dedos e óculos de sol espelhados. – O portador foi dado como morto há meses.

– Como *morto*? Está preso, filho – gritou para Denyel e, ao mesmo tempo em que pegava as algemas, começou a revistá-lo. Apalpou as pernas, verificou as panturrilhas e, quando chegou à cintura, notou um volume suspeito nas costas, onde normalmente alguém esconderia um revólver. Enfiou o braço pela jaqueta e descobriu o cabo da espada.

Kaira acompanhava tudo de longe. Suava frio. Lentamente, desceu para os controles da moto. Segurou o guidão e de repente lembrou que estava armada também.

O capitão tocou o sabre do anjo, e alguma coisa fora do normal aconteceu. Houve um leve, porém perceptível abalo no tecido da realidade, algo que Kaira sentiu sob a forma de um vibrar silencioso de cordas, uma sinfonia de harpas em desafino. Os dedos do oficial começaram a ferver, como se ele os tivesse encostado numa chapa escaldante. A fumaça subiu num filete cinzento, e o guarda recuou imediatamente, soltando um berro gutural, demoníaco. Sacudiu a mão para amenizar o calor, e aproveitando-se da distração Denyel atacou.

Estimulado pelos reflexos rápidos, característicos da casta guerreira, o exilado puxou a espada e a moveu num ataque circular, tencionando partir o adversário ao meio. Mas a lâmina não se materializou, e tudo que ele conseguiu rasgar foi o ar.

— Droga de membrana! — O tecido era muito denso, com tantos mortais nas redondezas. — Que falta não faz um elohim.

O golpe falho deu a chance de o segundo policial revidar. Saiu do carro pela porta do carona, apoiou a pistola sobre o capô e puxou o gatilho. A primeira bala passou raspando na perna do anjo, outra se perdeu na estrada e uma terceira atravessou-lhe o ombro, abrindo um buraco na jaqueta de couro. O sangue espirrou no asfalto.

A troca de tiros alertou os motoristas, que se abaixaram nos carros, em pânico. Alguns correram para buscar abrigo do outro lado da pista, protegidos pelas muretas de concreto. Mães abraçaram seus filhos e uma fila de automóveis deu marcha a ré.

Kaira viu Denyel ser alvejado e num primeiro momento teve dúvidas se deveria ajudá-lo. Mas reconheceu que estava em dívida com ele, e além disso aquele falastrão seria seu guia, a única esperança de chegar viva ao vórtice de acesso aos Sete Céus. Ainda que a ideia soasse absurda, eles estavam juntos naquela cruzada — formavam agora uma *dupla*, a única equipe que havia restado após o aprisionamento de Urakin e Levih.

Kaira só havia dirigido uma motocicleta uma vez, quando tomou emprestada a *off-road* de um amigo de Hector para dar voltas lentas em torno do campus, o que não a impediu de assumir o comando, dando partida na Hayabusa enquanto uma bala zunia sobre sua cabeça.

Denyel escutou os pneus cantando, olhou para trás e entendeu o plano da ruiva. Em vez de avançar contra o capitão, preparou-se para saltar. Quando a arconte passou correndo por ele, o anjo se agarrou à traseira da moto. Jogou as pernas para cima e pulou na garupa, numa manobra tão rápida que o policial perdeu a mira. Em seguida, eles aceleraram para a rodovia, alheios aos disparos das armas de fogo.

— O que disse a eles? — ela precisava gritar para ser ouvida.

— *Eles* não são humanos — avisou Denyel. — Viu o que aconteceu quando tocaram minha espada?

Sirenes apitaram. Da retenção do pedágio, duas viaturas partiram em perseguição. O suposto capitão ordenava o ataque, bradando comandos histéricos, mas ele próprio ficou para trás, ainda aturdido, com a mão tórrida, chamuscada. O cheiro da carne era horrível, um misto de enxofre e putrefação. Da boca saía um líquido viscoso, e os olhos ficaram vermelhos. Deu dois tiros com a SIG, enquanto seus agentes acionavam os motores.

– Como assim *não são* humanos?

– Raptores – ele falou ao ouvido dela. – Acelere esta moto. Vão nos alcançar!

Kaira tentava manter o veículo em velocidade média, de olho no painel, porque sua habilidade de condução era parca. Se atropelasse uma tira de borracha ou encontrasse óleo na pista, perderia o controle e os dois terminariam esfolados.

Os raptores, contudo, estavam mais perto a cada minuto. Com a estrada vazia, o progresso dos carros era veloz, sem curvas ou retenções. Denyel viu quando um deles esticou o corpo para fora, atirando várias vezes com um revólver calibre 38. Kaira fez uma evasão em zigue-zague, que evitou os ataques, mas os deixou emparelhados com os inimigos. O exilado se inclinou sobre ela, passando os braços por baixo de suas axilas, para segurar ele mesmo o guidão.

– O que pensa que está fazendo? – Ela tomou o movimento como tentativa de assédio.

– Neste ritmo vão nos acertar!

Mais tiros.

Uma rajada de fuzil picotou o asfalto, e finalmente Kaira permitiu que Denyel segurasse os controles, mesmo em posição desconfortável. O celeste torceu a pegada e a moto empinou, desenhando uma trilha negra no solo. O odor de borracha irritou as narinas. Os anjos sumiam do alcance das balas.

– Quem são esses raptores? – A pergunta de Kaira era praticamente uma intimação. Denyel largou o guidão da Hayabusa. Inclinou-se para trás.

– Demônios, espíritos encarnados.

– São aliados de Andril?

– Não – ele grasnou, como se aquela fosse uma questão puramente lógica. – Andril é um anjo. Raptores são *demônios*.

– O que fazem atrás de nós? – O barulho do escapamento dificultava o diálogo.

– Os raptores são... – imaginou outra de suas analogias. – São como estagiários do inferno. Sua missão é capturar celestiais na Haled. Acho que cruzamos o caminho deles.

Kaira viu pingos vermelhos escorrendo no banco.

– Você está sangrando.

– Não diga – ele agiu com indiferença. – Estou bem. E não se preocupe, vou levá-la ao vórtice, conforme prometi.

– Eu não quis dizer...

– CUIDADO!

Enquanto falavam, um caminhão Mercedes Axor se lançou estrada adentro, surgindo de uma das saídas laterais. Sobre o chassi transportava um contêiner pesado, longo e maciço, lacrado por espessas chapas de aço. Manobrou feito um dinossauro metálico, ao som de motores e engrenagens rangendo. O escapamento cuspia gases escuros, com as rodas imensas ameaçando esmagá-los.

Distraídos, Kaira e Denyel por pouco não foram trucidados, quando a volumosa carreta mergulhou sobre eles. Os braços da ruiva tremeram, mas os reflexos angélicos a salvaram. Desviou-se na última hora, escapando com maestria da muralha ambulante. A moto cambaleou, quase caiu, para retomar o equilíbrio cinquenta metros à frente. Nenhum dos dois se feriu, mas parte da carenagem encostou no caminhão, deixando um risco na lataria.

– Tenha mais cuidado – Denyel se enfureceu. – A minha moto. Arranharam a moto!

Kaira julgou a reação doentia.

– Também aprendeu isso com os mortais?

Ele nem escutou. Recurvou as costas e pelo retrovisor observou os ocupantes do enorme veículo. Os rostos eram humanos, mas não completamente. Os olhos estavam contorcidos, como se encaixados fora do lugar. Se avistados de longe, seriam confundidos com homens comuns, porém Denyel tinha uma percepção avançada e logo os reconheceu como uma segunda equipe de espíritos raptores. Um desses viajantes tinha no ombro uma espingarda calibre 12, e com ela tentou atirar pela janela.

— Pelo jeito, são vários — ele constatou.

— Não vão mais nos alcançar. — Kaira fitou o velocímetro. A moto era muito mais célere que qualquer automóvel ou caminhão.

— Tenho uma estratégia melhor. Reduza.

— Reduzir? — Ela achou que fosse uma piada. — Não era para acelerar?

— Mudei de ideia.

— Vão nos apanhar.

— Não. *Nós* vamos apanhá-los — o timbre ficou mais heroico. — Somos anjos, você e eu. Não vou correr desses abutres.

— Se é o que deseja... — De certa forma, ela até preferia. — Diga-me o que devo fazer.

— Apenas dirija. E tenha mais cuidado com a moto.

24

FAÍSCA

Em condições normais, um caminhão jamais alcançaria uma motocicleta de corrida, ainda mais num trajeto sem curvas. Portanto, ao se decidirem pelo contra-ataque, Kaira desacelerou, abreviando a distância entre eles e os retardatários infernais.

Denyel contou três raptores na boleia – um ao volante e mais dois ocupantes, todos armados. O motorista usava um macacão azul, sem estampas ou marcas. Outro vestia jeans e camisa quadriculada e o terceiro trajava um casacão verde-musgo. Os traços demoníacos começavam a sumir, com a carne se adaptando à carcaça terrena.

– Preste atenção, criança – exclamou Denyel. – Vou lhe ensinar algumas lições esta tarde.

Foi com esse tom de sabedoria barata que o exilado se acocorou no banco da moto, tomando impulso para um salto impossível. Jogou-se contra o radiador do Mercedes, cravou os dedos no gradeado, apoiou os pés sobre o para-choque, para dali escalar a carroceria, escolhendo a divisão do carona para lançar seu primeiro ataque.

Os raptores sentiram o baque e, quando o celeste surgiu na lateral, um deles engatilhou o revólver. Denyel recuou, buscando cobertura. Os disparos resvalaram o chassi, alguns perfurando a placa de ferro que protegia o pneu.

Enquanto o inimigo recarregava, o anjo preparou um novo assalto. Deslizou até a porta direita e, com a celeridade de um gato, desferiu um soco através da janela. O murro esmigalhou o crânio do monstro, destruiu o maxilar e projetou farpas de dente no para-brisa. O infernal apagou, mas era difícil ter certeza se havia morrido.

O segundo raptor, de casaco verde, armou a espingarda, e notando que ali era presa fácil Denyel desapareceu da linha de fogo. Subiu até o topo do veículo e posicionou-se no vão entre a cabine e o compartimento de carga – uma perna de cada lado. Os próprios adversários facilitaram o combate quando uma detonação de escopeta abriu um buraco na capota de aço. Denyel era o alvo, mas conseguiu se esquivar e, antes que a fumaça assentasse, agarrou um dos inimigos pelo cabelo, rodou o quadril e o atirou para trás.

O raptor caiu de costas sobre o contêiner, perdeu a arma, mas levantou-se logo em seguida, desajeitado, torto, procurando equilíbrio sobre o transporte em alta velocidade. A capacidade de controlar o eixo do corpo era natural dos querubins, e Denyel calculou que aquela seria uma briga fácil, ainda mais porque eles eram espíritos novatos e não tinham a força ou a inteligência dos guerreiros celestes. Em astúcia, porém, faziam-se insuperáveis, um trunfo inestimável contra as entidades aladas.

Quando o anjo segurou a gola do inimigo para arremessá-lo ao asfalto, notou que o demônio retirava do bolso duas granadas de fragmentação. Arrancou os pinos com os dentes, e na pressa Denyel só teve tempo de se agachar. O infernal era suicida e morreu com os explosivos na mão. Pedaços de carne deflagraram no ar, fundindo parte do forro do cargueiro, abrindo uma fresta sob eles. As portas traseiras voaram, o transporte saltitou.

Denyel sobreviveu aos estilhaços, mas não pôde evitar o tropeço que o fez cair ao interior do contêiner, através da ranhura aberta pela energia da explosão. Aterrissou com elegância, mas o que lá encontrou era inesperado e profano.

O caminhão transportava uma *brigada*, um comando de raptores portando fuzis, coletes à prova de balas, capacetes e roupas negras de assalto, à moda dos esquadrões de elite. Denyel não sabia qual era a origem do bando, sua missão ou destino, mas ao levantar viu-se cercado por vinte diabos em forma humana – estavam todos sentados em bancos laterais, dez de cada lado. Felizmente para ele, os infernais também não o esperavam.

Houve um momento de hesitação quando o anjo se erigiu das brumas. Os raptores são frágeis e pouco habilidosos se comparados aos celestes, mas bastava um tiro no coração para Denyel ter seu avatar destruído, então ele agiu sem demora. Apesar da superioridade numérica dos demônios, havia ali uma clara vantagem. Dentro do compartimento esfumaçado, escuro e sombrio, eles estavam ocultos da observação externa, invisíveis aos mortais que dirigiam na estrada. O tecido da realidade era, portanto, ligeiramente mais fino, flexível o bastante para ele invocar sua arma.

Girou o corpo num círculo completo e, à medida que a lâmina se materializava, passou o fio a degolar os soldados mais próximos. Cinco foram decapitados, tiveram a testa lanhada e outro ficou cego quando a folha de aço lhe decepou o nariz. Os capacetes de nada ajudaram, já que as relíquias sagradas podem destroçar qualquer superfície mundana.

Mas os raptores eram muitos. Um deles removeu a pistola e acertou Denyel nas costelas. O projétil penetrou de cima para baixo, queimando a pele no contato da pólvora, varando o estômago e saindo pelo abdome. O celestial deu o troco, cortando o agressor pela metade. O cadáver rolou na pista, obrigando as viaturas mais atrás a se desviarem abruptamente.

Denyel expeliu uma mácula de sangue, e numa tática programada a tropa apontou seus fuzis, todos ao mesmo tempo.

O exilado não resistiria às próximas salvas.

Ainda no comando da Hayabusa, vinte metros à frente, Kaira tinha dificuldade de enxergar a batalha. Escutou a explosão, deduziu que Denyel estava em apuros e achou que deveria socorrê-lo, em retribuição ao resgate na caverna de gelo. Pelo retrovisor, viu que ele havia desaparecido, submerso em meio ao vapor. Reduziu para alcançar a traseira do Mercedes, mas, ao alinhar a moto à carreta, o motorista rodou o volante, numa guinada drástica à esquerda. A ruiva acelerou novamente, escapou do impacto, passou rente ao para-choque e contornou o caminhão pelo outro lado.

No compartimento de carga, os raptores apertaram o gatilho, mas erraram a mira quando o veículo guinou. Os tiros falhos perfuraram as paredes, criaram pontos de luz, transformando a câmara de aço numa caixa acústica, deixando os próprios diabos atordoados. Denyel pegou um deles e o arrojou para fora. Com a espada fatiou três satânicos, quebrou a perna do suposto líder com um chute. Os demais estavam zonzos, escoriados, não ofereciam perigo, mas agora o querubim estava preso, detido numa ratoeira ambulante. Se pulasse na estrada acabaria ferido, quem sabe até mutilado.

– *Salte!* – Kaira apareceu ao guidão, quase colada na retaguarda do carro. Denyel passou à garupa, ágil como um macaco.

– Você? – Uma surpresa total. Foram as manobras da moça, afinal, que haviam feito o caminhão oscilar. – Achei que não soubesse guiar.

– Eu não sei. – E imitou a frase dele. – Não precisa me agradecer.

Denyel ficou sem palavras, até que mais sirenes os alertaram.

– Acelere pela direita.

Kaira obedeceu, agora mais segura ao controle da direção. Emparelharam a dois metros do caminhão e avistaram o motorista – único raptor ainda vivo na boleia. O infernal os enxergou, disposto a prosseguir no combate. Nisso, Denyel apertou o traseiro da ruiva.

– Vai me desculpar – avisou, antes que ela ralhasse. – Dessa vez é por uma boa causa.

Sacou a Beretta que a arconte escondia no cinto e desferiu um tiro certeiro na cabeça do condutor. O disparo entrou pela têmpora, dilacerou o cérebro e matou a criatura na hora.

O defunto caiu como um saco de batatas sobre o volante. As rodas giraram com o peso, numa manobra tão acentuada que o transporte não escapou à inércia. Carga e carreta capotaram três vezes, arrancando árvores na margem da pista, destruindo placas no acostamento, num magnífico clamor de vidro, poeira e metal.

O caminhão estabilizou de pernas para o ar, com a carroceria enviesada na estrada. Uma nuvem de terra o envolveu, à medida que os raptores murchavam em suas cascas funestas.

– Pare a moto – pediu Denyel.

Kaira freou numa derrapagem cinematográfica.

– O que houve?

Ele desceu da garupa e examinou a Hayabusa. Um tiro de 45 atravessara o tanque, fazendo o combustível vazar.

– Vão me pagar. Cada gota.

– Mais deles estão vindo – escutaram as sirenes. – Vamos ficar parados?

– Vamos exterminar esses ratos de uma vez por todas – ele lhe devolveu a pistola. Selou o furo com um chumaço da jaqueta. – São uma praga. Nunca vi tantos juntos no plano material.

– E o que sugere? – a arconte guardou a Beretta.

– O tanque deles está rachado – Denyel apontou para o veículo, deitado a trezentos metros dali. – Exploda-o quando os carros passarem.

– Quer que eu o exploda? Não sei se consigo.

– Não consegue acender uma faísca? Uma mísera faísca?

– O tecido aqui é muito denso – ela estava insegura. – Vou tentar.

Kaira se concentrou, procurou expandir a aura pulsante, como fizera nas ocasiões anteriores, mas não era tão fácil assim. Embora ela mesma não soubesse, a dificuldade em conjurar suas chamas era psíquica, acima de tudo. Enquanto as memórias não fossem restauradas, ela só conseguiria tocar sua essência quando se deparasse com um perigo mortal.

– E então? – insistiu Denyel.

– Não dá – ela fechou os olhos e tornou a abri-los. – A película está se alargando.

Denyel ajeitou os cabelos. Era um soldado inteligente, apesar de vulgar, e já havia passado por muita coisa em suas longas aventuras na terra. Não demorou para compreender a natureza dos fatos.

– O que você precisa é de um estímulo emocional.

– De onde tirou essa ideia? – a ruiva o encarou. – O que preciso é de tempo.

– Não temos tempo.

O exilado estava convencido de sua percepção e sabia exatamente o que fazer – mas não podia explicar em palavras. Na iminência do ataque, não pensou duas vezes e agiu como um perfeito querubim, deixando fluir seus instintos. Deslizou os dedos pelo queixo da moça e, antes mesmo que ela notasse, a beijou intensamente entre os lábios. Impressionada com a ousadia, Kaira respondeu com descrença – era totalmente absurdo! Ficou em choque por vários segundos, aceitando as carícias do anjo, para logo depois voltar à realidade, empurrando-o com toda a força para trás.

– Me solte – limpou os lábios. – Como tem coragem? Sou sua superior. *Nunca mais* tente isso!

Ela estava enrubescida, não só de vergonha, mas de raiva. O coração bateu mais rápido, com o sangue borbulhando nas veias. Como Denyel podia ser tão petulante? Como chegara a ponto de beijá-la? Era uma afronta, um insulto à sua patente. De tão indignada, ela seria capaz de esganá-lo, de incinerá-lo até o último fio de cabelo – e era exatamente isso que ele esperava.

Kaira não produziu só uma faísca. Com a pulsação agitada, sua aura esquentou, estimulando a erupção das divindades angélicas. De súbito, uma fabulosa explosão engoliu a carreta, num incomparável estouro de fogo e fumaça. O clarão foi percebido a quilômetros, a fuligem subiu num cogumelo escarlate. As viaturas cruzavam a pista no momento exato e foram arrastadas pelo incêndio, com os raptores enfim aniquilados pela ira celeste.

Denyel mergulhou no asfalto. Kaira permaneceu imóvel, ainda provando as energias térmicas que ao longe se propagavam.

– Sabia que ao menos uma faísca você conseguiria. – O querubim se levantou, sujo e coberto de cinzas. – Acho que vou chamá-la assim daqui por diante.

– Como?

– *Faísca*. – Ele retomou o guidão. – Para que nunca se esqueça do que pode fazer.

Ela moveu a cabeça numa negativa.

– Você é um clichê encarnado. – Assumiu seu lugar na garupa. – Podemos continuar agora?

– Continuar o quê?

– A viagem. – Ela entendeu a indireta, mas preferiu não encorajá-lo. – Achei que estivéssemos a milhas do vórtice.

– Claro, vamos andando. – Denyel ligou o motor. – Mas antes preciso almoçar. Esse alvoroço todo me deu fome.

– Quer que eu dirija? – Era uma provocação.

– Não estou assim tão mal – ele retrucou. – Desculpe-me pelo beijo. Não era minha intenção.

– Qual era a sua intenção?

– Espero que entenda. Foi necessário.

– Sem problemas – garantiu a moça. – Só não faça de novo.

– Tem minha palavra.

Os carros de polícia e dos bombeiros chegaram dali a dez minutos, dessa vez guiados por autoridades humanas. Denyel passou à última marcha, avançando pela autoestrada em velocidade assombrosa.

Kaira vislumbrou os contornos da cidade grande e pensou no significado do *beijo*. Preferia que nunca tivesse ocorrido, mas era tarde para lamentar. A última coisa que queria era desenvolver sentimentos por Denyel, um patife machista, depravado e vazio.

Depois de viver por anos como estudante em Santa Helena, ela não sabia dizer o que realmente a aborrecia. Quais eram as reais intenções de Denyel? Estava apenas sendo prático, conforme atuam os anjos guerreiros, ou guardava interesses escusos? E o que seria pior, beijar um pilantra ou ser tratada como objeto por ele?

Qualquer celestial entenderia o comportamento de Denyel, mas a faceta humana de Kaira ainda a perturbava, regressando em sensações conflitantes. Como anjo, ela era uma fortaleza inabalável. Já como mulher, preferia um beijo sincero.

25
PLANOS E DIMENSÕES

DENYEL RESOLVEU DESCANSAR ANTES DE SEGUIR VIAGEM. PRIMEIRO porque precisava comer. Segundo, porque policiais de verdade fariam uma *blitz* rodoviária para encontrar os culpados pelo "assalto" ao pedágio. Além de evitar complicações, ele teria tempo de se recompor – estava sangrando à luz do dia, de maneira que era melhor se esconder até o início da noite.

Fez um desvio e entrou no estacionamento de uma lanchonete *fast-food*. Parou a moto num canto afastado, atrás de uma pilha de pneus velhos, perto de um terreno baldio. No horizonte, urubus sobrevoavam uma área que parecia um lixão. Eram quatro horas da tarde, e o calor começava a dar trégua.

– Estranho – murmurou Kaira, apurando a vista contra o sol vespertino. – Acho que já estive neste lugar.

O exilado não deu atenção.

– Traga-me alguma coisa para comer. Melhor eu ficar aqui – tirou a jaqueta. – Hambúrguer, *milk-shake* e refrigerante... não dietético, normal. Escolha o que encontrar de mais calórico.

Ela continuava hipnotizada pela paisagem.

– O que são realmente esses raptores?

– Você já perguntou, eu já lhe disse.

– Será que pode dar uma resposta agradável para variar?

Denyel suspirou, cedendo à insistência da ruiva. Ele a conhecia melhor agora e sabia que ela não descansaria sem ter a curiosidade saciada.

– Quando um humano morre, várias coisas podem acontecer. Se a alma for essencialmente maligna, há a possibilidade de ela decair ao inferno.

– Nunca pensei nisso de forma tão literal. – Ela prendeu os cabelos num rabo de cavalo.

– Nós chamamos essa dimensão de Sheol. *Inferno* é um nome terreno, embora muitos de nós o tenhamos adotado. – Ele se acomodou entre dois pneus de caminhão. – Todo espírito que chega às profundezas tem chance de crescer, mas ingressar nas fileiras satânicas não é tarefa simples. Só os mais aptos conseguem, empregando violência e malícia para superar os rivais. Alguns desses candidatos se alistam como raptores, cuja missão é servir na Haled. Capturar um anjo é garantia de promoção, e aqueles que têm sucesso são aceitos imediatamente em uma das ordens infernais.

– Por que os demônios superiores não vêm eles mesmos à terra? Imagino que também possam se materializar, como eu e você.

– A maioria pode, de fato, mas viajar ao plano físico não é como tomar um elevador. Assim como os alados, que vivem uma guerra no céu, o Sheol também é agitado por lutas constantes: reinos contra reinos, ducados contra ducados, feudos contra feudos. Quanto mais poderoso for o demônio, mais ligado estará ao seu domínio, mais servos para comandar, mais soldados para liderar, e com tantos adversários qualquer ausência se faz perigosa.

– É comum nos depararmos com essas criaturas, vagando por cidades e estradas?

– De certa forma, embora os mortais não possam notá-los. O que não falta na terra são seres humanos perversos, e todos eles são potenciais raptores. Não se engane quanto ao altruísmo da humanidade. Lúcifer recebe toneladas de almas corrompidas a cada dia.

– Como acha que eles nos encontraram?
– Não sei, mas duvido que tenha sido premeditado. Apenas lançaram a rede e nós caímos. Os raptores são soldados descartáveis, e justamente por isso são agentes perfeitos no mundo material. São espíritos novatos, ainda apegados à carne, portanto se sentem confortáveis entre os terrenos, copiando os vivos em todos os aspectos.
– Incrível. Jamais imaginei que esse tipo de coisa fosse possível.
– Ainda não viu nada. – Denyel gostava de esnobar, mas era um canastrão de primeira e não conseguia impressionar ninguém. – Agora, que tal trazer o meu lanche? Ainda tem dinheiro?
– Tenho o cartão de crédito.
– Saque a quantia que puder e guarde as notas. Depois, jogue-o fora.
– Por que eu faria isso?
– Porque ele é falso, mais um dos engodos de Yaga e Andril. Lembre-se que Rachel *nunca existiu* de verdade. Se o cartão ainda estiver funcionando, o Anjo Branco poderá nos rastrear.
– Está bem. – Kaira olhou para a carteira. Pensou ter visto a mesma cena em algum filme de espionagem. – Com quem aprendeu essas coisas?
– Pergunte a Urakin. Ele saberá responder.

Kaira entrou na fila de atendimento da lanchonete, preocupada com que não a reconhecessem depois do tumulto no pedágio. Teve a impressão de que cada um daqueles rostos a fulminava, prontos a telefonar para a polícia tão logo ela virasse de costas. Um homem com macacão de oficina mecânica a observava de jornal na mão, e, sentada numa mesa afastada, uma mulher de cabelos dourados engolia fatias de *bacon*. Fora alguns olhares indiscretos, ninguém lhe deu atenção, à exceção do funcionário do caixa, que aceitou as notas e confirmou o pedido.

Enquanto aguardava, correu a vista pelas suculentas imagens estampadas no painel luminoso: sanduíches, *sundaes* e sorvetes com cobertura de chocolate. Embora não estivesse com fome, sucumbiu à tentação e somou uma porção de *nuggets* e refrigerante à lista, que chegaram antes do pedido original. Acabou devorando os pedacinhos de frango enquanto esperava o *cheeseburger* e, quando finalmente o sanduíche ficou pronto, seguiu a recomendação de Denyel e espalhou maionese sobre a rodela de carne, separando duas porções de *ketchup* e mostarda. Acrescentou à bandeja *milk-shake*, torta de maçã, batatas fritas e bebida calórica. Saiu pela porta de vidro e andou até o estacionamento.

O anjo continuava estirado sobre os pneus, com a espada desmaterializada na mão. Viu a ruiva trazendo o almoço e recolheu a empunhadura, para degustar a refeição. Limpou a ponta dos dedos com duas folhas de guardanapo e levou o canudo do refresco à boca, num gesto de brinde.

– Saúde. – Sorveu um gole, lembrando quanto aquela comida era nociva aos humanos. – "Saúde"... que piada.

Kaira sentou-se à sua frente, sobre um caixote de madeira. Sentiu uma leve cólica na boca do estômago, nada que não pudesse aguentar.

– Em quanto tempo acha que chegaremos ao vórtice? – Resgatar os amigos havia se tornado uma meta, ainda mais depois que ela descobrira não ter pais ou família.

– Depende mais de *você* do que de mim. – Ele abriu a embalagem da torta de maçã. – Chegar ao vórtice não é o problema, mas para atravessarmos o túnel você precisará se desmaterializar.

– O tecido da realidade – ela murmurou. – Confesso que ainda nem sei exatamente o que ele é.

– É a membrana mística que separa o mundo físico do espiritual – disparou Denyel, lacônico. – Levih não lhe falou dessas coisas?

– Ele me disse. Mas para onde esse *tecido* nos leva?

– Tudo bem – deu-se por vencido. Tirou o pão do *cheeseburger*, deixando aparente o interior do sanduíche. – Imagine que esta rodela de carne é o plano material, a substância, o *núcleo*. O queijo imediatamente sobre ela é o plano astral, que a envolve totalmente. Essa camada grossa de maionese é o plano etéreo, mais difuso e afastado. Você pode acrescentar mais molhos, assim como existem múltiplos planos que se sobrepõem ao mundo físico e são cópias deturpadas dele, com suas próprias leis e regras. – Apontou para o *milk-shake*. – Digamos que esta vitamina de leite batido é o céu. Ele não é um *plano*, e sim outra *dimensão*, que nada tem a ver com a terra nem está sobreposta a ela. É um universo afastado, acessível apenas através de portais e vórtices. – Indicou em seguida a torta de maçã, ainda quente. – Este doce seria o inferno, também atingível somente por meio de passagens e túneis. – Espalhou as batatas fritas sobre a bandeja. – Há infinitas dimensões, algumas com criaturas e civilizações que nem mesmo os anjos conhecem. – Abriu os sachês de *ketchup* e mostarda, traçando uma linha vermelha e outra amarela que começavam no sanduíche e se cruzavam sobre as batatas. – Dois rios espirituais são as rotas mais conhecidas entre as dimensões. – Apontou para a trilha vermelha. – O rio Styx desce para os reinos inferiores, entra no Hades, ramifica-se em inúmeros braços e contorna o Sheol. – Indicou o caminho de mostarda. – E o rio Oceanus sobe às terras elevadas, atravessa Asgard, toma seus canais e termina no Terceiro Céu. Esses rios são usados como vias cósmicas por anjos, demônios e espíritos.

– Ainda não respondeu à minha pergunta. Como o tecido surgiu e por que foi criado?

– Faísca, vou lhe dizer uma coisa... Isso é algo que ninguém sabe. Se alguém lhe disser que conhece a resposta, está mentindo. Tudo que existe são especulações, nada mais.

Kaira provou uma sensação de refluxo, com a dor no estômago aumentando. Mas não queria interromper as exposições de Denyel, quando ele finalmente se dispunha a dar respostas concisas. No fim das contas, pensou a arconte, talvez ele não fosse assim tão indomável.

– Qual é a especulação mais aceita?

– Segundo os malakins, a membrana teria se formado a partir da consciência coletiva da humanidade, agindo como uma barreira psíquica. Trata-se de uma cortina involuntária que os mortais teriam desenvolvido para desacreditar tudo aquilo que não compreendem e com o qual não conseguem lidar. Por isso nossos poderes não podem ser conjurados onde a película é espessa. É o motivo pelo qual o tecido se adensa quando nos aproximamos das cidades e dos centros urbanos.

A ruiva fixou um ponto aleatório no asfalto.

– Isso é filosofia pura.

– Foi o que eu disse. Não tente raciocinar muito a respeito, nunca vai chegar a uma conclusão. – Ele devorou o sanduíche, partiu para o *milk-shake*. – Filosofia é para os seres humanos. Somos anjos, apenas executamos as tarefas que nos são ordenadas. Nossa própria existência neste universo é ilógica, um disparate. Seria uma contradição tentar encontrar um motivo.

– E quem são esses *malakins*?

– Nem me fale deles – o exilado fez uma careta de desprezo. – São uma corja de estudiosos que se dizem sábios e acreditam que entendem de tudo. Nunca confie neles.

Denyel terminou o lanche e pôs a mão na boca para disfarçar um arroto. Deitou de lado a bandeja vazia e se apoiou nos pneus para se levantar. Alisou a jaqueta e esticou os braços, estalando todos os ossos do corpo. A força regressava, estimulada pela ingestão de alimentos calóricos. Voltou à Hayabusa. Firmou os punhos sobre os controles, enquanto a tarde caía no oeste.

– Já vamos partir? – Kaira pensou que estivessem ali para descansar.

– Não gosto deste buraco. Cheira mal.

– Eu só preciso... – ela se agarrou à grade que cercava o estacionamento. – Preciso de um minuto.

Denyel não havia percebido, talvez por sua condição abatida, mas Kaira estava pálida, totalmente desnorteada. As mãos formigaram, os joelhos tremeram e náuseas a assaltaram violentamente. Era como se tivesse engolido um frasco de ácido, com os órgãos efervescendo a ponto de estourar. Inclinou a cabeça e vomitou comida misturada com sangue na grama do terreno baldio. Denyel a segurou.

– O que aconteceu? – Ele nunca vira nada igual. – Foi baleada?

– Não estou ferida. – Ela regurgitou novamente. – Não que eu me lembre.

A atenção do exilado correu à bandeja de *fast-food*.

– Não vai me dizer que comeu essa porcaria?

– Só alguns... seis *nuggets*... e refrigerante. Molho agridoce.

– Não acredito. Quer se matar?

– Que mal podia fazer? – O corpo de Kaira perdeu a pujança. Denyel a agarrou.

– Você é uma *ishim*, uma força viva da natureza. Não pode ingerir alimentos industrializados ou químicos de jeito nenhum. É veneno mortal para sua casta.

– Como eu ia saber?

Mais sangue escorria agora pelos lábios. Denyel verificou-lhe o pulso, checou as secreções abaixo das pálpebras e concluiu que a situação era grave.

– Você tem que se desmaterializar, senão vai morrer. – Posicionou-a na garupa da moto. – Segure-se em mim. Vou levá-la para um lugar mais discreto.

– Denyel... – ela tocou sua mão. – Acho que não vou aguentar.

O rosto ficou empolado, com o inchaço na garganta quase obstruindo a respiração. A vista embaçou, e os globos oculares rodaram em seu eixo.

– Tem que aguentar. Você é meu passaporte para a anistia.

Kaira não podia acreditar. Não bastassem todas as transformações pelas quais passara, estava mais uma vez às portas da morte – e de novo só havia Denyel para salvá-la. O mais estranho era que, pela primeira vez, sentiu que confiava nele. Não porque queria, mas porque *precisava*.

Não tinha outra opção.

26
ÚLTIMA CHANCE

A DESPEITO DE SEUS PODERES EXTRAORDINÁRIOS, OS ANJOS TÊM FRAQUEZAS também. Os querubins, por exemplo, não podem recuar do combate, muitas vezes expondo seus aliados a um enfrentamento desnecessário. Os ofanins não podem matar. Já os ishins são especialmente sensíveis às substâncias refinadas. Kaira já vinha sentindo indisposições como aquela em Santa Helena e, quanto mais se aproximava da essência celeste, mais suscetível ficava às limitações de sua casta.

As dores que sentia afetavam unicamente seu corpo material, e Denyel sabia que se ela pudesse dissipar sua carcaça estaria livre da morte física, portanto não sofreria nenhum trauma psíquico. Faltava encontrar um pedaço de terra onde o tecido fosse suave, facilitando assim o processo de desmaterialização. O exilado considerou voltar ao porão, mas àquela altura estavam muito distantes do porto.

Optou por tomar uma estrada interestadual que rumava para as cidades do interior, até uma comarca entre dois municípios que, no passado, abrigara prósperas fazendas de café. A maioria desses ranchos estava abandonada ou fora convertida à produção pecuarista, com largas áreas desabrigadas e tranquilas, vastos campos destinados ao pasto e bosques ocasionais com morros de relva.

Puxou as correias da motocicleta ao limite da exaustão, e com isso ele e Kaira levaram apenas quarenta minutos para encontrar uma dessas propriedades rurais. Saíram da pista asfaltada, pegaram uma estradinha de terra, esconderam o veículo num matagal e avistaram as ruínas de uma velha casa colonial, com mais de cem anos, da qual só restara o esqueleto. Trepadeiras cobriam as paredes, com a estrutura do segundo andar desabada. Uma árvore crescia no espaço onde havia sido a cozinha, expondo grossas raízes que despedaçavam o assoalho. Um canto próximo à fundação estava seco, praticamente intocado, e mais adiante uma passagem inferior dava acesso a uma escada que, em outros tempos, levaria à senzala doméstica.

Não havia ninguém por perto. Denyel estendeu Kaira sobre uma laje de rocha. Passou-lhe o dedo sob o nariz, para conferir se ainda respirava e com que frequência. Abriu os olhos verdes à força, tentando reanimá-la com um sacolejo.

– *Ei...* Consegue me ouvir?

– Longe – a ruiva mal articulava as palavras. A garganta tinha um gosto horrível, excretando uma gosma incolor.

– Escute. Você precisa se desmaterializar agora – ele sussurrou. – Não existe outro meio de sobreviver. Eu a aguardarei do outro lado.

– Espere, Denyel – a voz tremulava. – Eu não... *não sei* fazer.

– *Não sabe?* – O exilado ficou sem reação. – Levih não lhe ensinou?

Kaira não respondeu. Tentou seu melhor, procurou visualizar a membrana, mas era realmente impossível. Alguém ou alguma coisa a travava no plano físico.

– Não vou conseguir – ela agora tinha certeza. – Desculpe-me por estragar os seus planos.

– Disse a mesma coisa na estrada. É claro que vai conseguir, Faísca.

– Preferia que não me chamasse assim.

Ele achou engraçado.

– Vai querer outro beijo? – Era uma forma de descontrair. – Tente de novo.

– Não é a mesma coisa – ela explicou. – Estou presa aqui. Sinto-me *ancorada*.

A descrição despertou em Denyel a imagem de tempos remotos, e ele se deu conta de que talvez Kaira não pudesse mesmo desfazer a carcaça. Já havia presenciado situação semelhante no caso dos anjos renegados e com alados vítimas das pavorosas habilidades dos hashmalins. Yaga estava por trás disso, obviamente – era como uma sombra para ele, sempre aparecendo para malograr seus sucessos.

Sacou do bolso uma antiga moeda de bronze, do tamanho aproximado de um dobrão espanhol. Havia um símbolo gravado em ambas as faces, o mesmo que Kaira vira pela primeira vez na marina.

– Vai ter que aguentar por mais uns minutos. – Ele usou a jaqueta para aquecê-la. – Voltarei antes que você possa notar.

Sumiu pela abertura sem porta.

Kaira não suportaria nem mais meia hora.

Denyel retornou vinte minutos depois, com cinco garrafas de leite debaixo dos braços. Kaira não enxergava mais, embora ainda escutasse ruídos. A língua tinha ficado roxa, e uma substância pastosa inundou-lhe a garganta, fazendo-a engasgar. Parecia mais um boneco, um pedaço de carne pendurado no açougue.

O muco nada mais era do que fluidos condensados de ectoplasma, a porção material do tecido da realidade, com a qual os anjos constroem seus avatares. Os celestes são mestres na materialização e não desperdiçam uma só gota ao formar seus invólucros – o que não ocorre no caso de outros espíritos. Ao passo que Kaira desfalecia, seu corpo começava a murchar, e o excesso de gosma denotava que os órgãos internos estavam se desfazendo. Por esse motivo, os cadáveres dos anjos banidos se reduzem a crostas mortiças, ainda mais vazias que os próprios defuntos humanos.

Denyel tirou do bolso um tablete marrom, muito parecido com uma barra de chocolate, porém mais volumoso. O cheiro era doce, tinha uns cinco centímetros de espessura por dez de comprimento. Separou-o num canto e pegou um frasco de leite.

– Abra a boca. É sua última chance – ele a ergueu. – Depois disso, nunca mais vai reclamar do meu beijo.

As palavras soaram feito ecos dentro de um tubo metálico. Kaira fez todo o esforço possível para descolar os lábios e, quando menos esperava, sentiu um impacto agudo na altura do umbigo. O exilado desferiu-lhe um soco no estômago, fazendo-a vomitar tudo que ainda restava. Regurgitou pedaços de *nuggets*, sangue pisado e um líquido negro que parecia refrigerante. Tossiu, pigarreou, cuspiu gosma e saliva e, quando empinou o nariz para respirar, Denyel fez com que engolisse dois litros de leite de uma só vez. Em seguida, empurrou-lhe a barra calórica pela goela, fazendo com que não perdesse uma migalha sequer.

Kaira desabou, exausta e transpirando. O ar que invadiu as narinas carregava uma fragrância libertadora – era o cheiro da vida, a suprema sensação de estar ativa de novo.

– Denyel... – tateou o solo à procura de sua mão. – Vou ficar boa?

– Não sei. Fiz o que pude.

– Não era minha intenção complicar sua anistia.

– Então é melhor descansar. Ficarei de guarda esta noite.

– De guarda?

– Raptores – ele tocou o punho da espada. – Nunca se sabe.

Ela pegou no sono, no mesmo instante em que o sol se deitou nas colinas.

Era um bom sinal.

27
A HORDA

Um carro de passeio desgovernado invadiu o posto de gasolina e brecou a centímetros da porta de vidro. O motorista, um policial militar com farda de capitão, saiu do veículo, entrou cambaleando na loja de conveniência, com uma das mãos em carne viva e a outra segurando uma arma. As câmeras do circuito interno registraram o momento em que ele disparou contra o peito do atendente, fazendo-o cair sobre a caixa registradora. Pulou a bancada, engoliu um pacote de biscoitos, devorou quatro bombons. Correu dali para a geladeira, bebeu três latas de refrigerante. Depois, roubou as chaves do funcionário e se meteu no banheiro. Trancou a porta.

Os clientes escutaram os tiros, e os seguranças foram acionados. Dois guardas penetraram na loja, com coletes à prova de balas e pistolas carregadas. Não encontraram o suspeito. Arrombaram o lavatório.

O ladrão havia sumido.

Sirith recuperou a força e se desmaterializou no banheiro, onde o tecido era mais suave. Uma vez no plano astral, flutuou para cima, atravessou o telhado da loja, voou na direção sul. Não tardou estava planando sobre o conjunto habitacional suburbano, o mesmo que visitara dias antes. Avistou o campinho de futebol, desceu, mergulhou no chão de concreto, afundou-se na terra até alcançar o nível dos esgotos. Seguiu por um túnel fedorento, adentrou uma sala profunda, escura e cheia de ratos. Em volta das paredes se acocoravam centenas de espíritos maléficos, com a aparência monstruosa, a face colérica. Como ele, muitos tinham forma híbrida, com asas, presas, caudas, aguilhões de veneno, alguns com carapaças, cascos e chifres. Outros lembravam cadáveres andantes, de tez cinzenta, olhos furados, carne decomposta.

Acomodado no meio da horda, espalhado num assento espectral, Guth o encarava. Era guardado por dois demônios quadrúpedes, espécie de cães musculosos, com dentes molhados e coleira de espinhos.

Sirith estava nervoso, histérico, indignado. Caminhou até a base do trono. Seu semblante era de pura raiva, e teria avançando não fossem os cachorros, que o miravam de boca aberta. Parou com os punhos cerrados, as asas balançavam de ira.

– Guth, seu filho da puta! – esbravejou. – Sua incompetência quase acabou comigo. Isso não vai ficar assim.

– Aquiete-se, camarada. – O diabo fez cara de sonso. – Do que está falando?

– Não banque o idiota. – As pernas se mexeram. – Você me prometeu uma *horda*. – Olhou ao redor. – O que esses imprestáveis ainda estão fazendo aqui?

– Eu lhe enviei três brigadas. O que mais desejava de mim?

– Foda-se, Guth. Eu avisei quantos raptores seriam necessários. – Deu um berro realmente possante. – Eu avisei!

O demônio de pele verde ficou sério, afrontou o visitante. Fez sinal para que os espíritos os deixassem. Eles se enfiaram nas pedras, adejaram às galerias acima. Quando estavam finalmente sozinhos, Guth levantou-se do trono, com ar conciliador.

– Acha que fiz de propósito? – A expressão era falsa. – Somos fortes, estamos um patamar além desses diabretes. A maioria deles não tem energia para se materializar, outros se recusam a fazê-lo. Reuni setecen-

tos soldados, como pediu, mas manifestá-los na terra, todos de uma vez?
– Deu um riso. – Impossível. Entreguei minha própria essência às brigadas, cumpri minha parte.
– Não foi o bastante. – Sirith se acalmou. – A arconte é poderosa demais.
– Bom, a resistência já era esperada.
– Não da maneira como ocorreu.
Guth voltou à cadeira, sisudo e pensativo. Apoiou o queixo no dorso da mão, observou os canos do teto.
– E se pudéssemos arrastá-los para o mundo espiritual?
– Inviável. Um anjo exilado a está protegendo. Ele nos farejaria a quilômetros.
– Hmmm... – deu um suspiro. – Não estava sabendo.
– Nem eu. Ele não fazia parte do coro original.
– Se conseguíssemos atraí-los para o plano astral, ou para uma área de interseção, conseguiríamos pegá-los.
– Como faríamos isso? – A ideia era boa, mas difícil de ser executada.
– Não sei. A mente é você. – Guth fez uma pausa. – Não é? – Deu um assovio e os demônios retornaram, como falcões que respondem ao treinador. – Encontre um meio de lançá-los através do tecido e terá meu apoio irrestrito. – E encerrou, acariciando a mandíbula de um dos cachorros. – Estamos juntos nesta cruzada.

28

ÉDEN CELESTIAL

Kaira despertou com o perfume de terra molhada. Era noite e chovia fraco nos campos de pasto – uma noite fria, sem lua ou estrelas, com os pingos estalando nas telhas partidas. Experimentou uma condição esquisita, de reconforto e disposição, muito comum após uma crise de febre, quando o corpo se aquece e a energia retorna. A cabeça já não latejava, e a alergia desapareceu. Achou-se coberta por um pedaço de lona, um tecido rígido e sujo, mas suficientemente quente para protegê-la do orvalho. As gotas caíam através de um buraco no teto, formando poças cristalinas entre os azulejos do casarão.

A fonte de luz vinha de uma fogueira acesa por Denyel, que encontrara outra área seca para descansar. Estava sentado sobre uma viga de carvalho, bebendo cerveja, com mais doze latas esperando para ser provadas. A motocicleta fora trazida para dentro, e agora o querubim apenas a contemplava, escutando música num rádio de pilha. Sintonizado numa estação FM, o programa apresentava melodias antigas. Pelo alto-falante, a ruiva reconheceu "Can't Take my Eyes off You".

— Adoro essa música. — Acomodou-se ao lado dele.

— É mesmo? – O exilado mostrou-se descrente. – Não é da sua época.

— Da *minha* época?

– Quero dizer que você não estava na terra quando a canção estourou.
– E você, estava? – O tom era desafiador.
– Estive nesse show. Rhode Island, 16 de novembro de 1967. Aretha Franklin, The Four Seasons, Smokey Robinson & The Miracles.
– O que foi fazer em um show de música? – A pergunta surgiu automaticamente.
– Por que eu mentiria para você?
Kaira escoldrinhou o novo parceiro de missão e de repente o enxergou de outra maneira.
– Não é tão ignorante quanto eu pensava, Denyel. O que aconteceu com você? Por que se tornou um anjo exilado?
– Fala como se isso fosse demérito. O termo *exilado* é pejorativo. Não somos renegados e muito menos bandidos. Há longo tempo selamos um acordo legítimo que nos permitiu viver eternamente na terra. – Lançou uma pinha à fogueira. – Mas esse trato nos custou caro. Muitos hoje nos acusam de covardia, mas não têm ideia a que tivemos de nos submeter para continuar existindo no plano físico.
– Se não é caçado, por que precisa de anistia?
– Quero regressar ao paraíso, mas as legiões de Miguel não me aceitariam de volta. O que me resta são as forças revolucionárias de Gabriel. Levih prometeu que as tropas rebeldes me acolheriam.
– Espere. – Ela não estava acompanhando. – Primeiro você lutou para ficar na Haled. Agora deseja *voltar*?
– Você nunca entenderia. – Ele abriu outra lata.
– Tente.
Denyel despejou cerveja na boca. Depois, replicou com um suspiro.
– Ficará mais segura se eu não lhe contar a história da minha vida.
– Eu tinha a impressão que diria isso – ela assentiu com um sorriso. – Mas veja. Esta guerra me parece tão inoportuna. Não existe uma força superior para arbitrar o conflito? Enquanto batalhamos no céu, milhares sofrem na terra. Não seria nosso trabalho ajudá-los?
– Força superior? – O querubim não entendeu. – Por exemplo?
– Deus, por exemplo. – Era o ponto a que ela queria chegar.

– Já discutimos isso. – Denyel não queria se estender em questões filosóficas. – Yahweh está dormindo.

– Sim, mas considero no mínimo grotesco que um anjo nunca tenha visto a face de Deus. O que ele é? De onde veio? Qual é sua função neste universo?

– Só um arcanjo poderia lhe dizer. São os únicos que estiveram frente a frente com o Criador.

– E o que eles falam?

– Não falam nada – mas, ao ver a moça desapontada, ele emendou: – Está sendo lógica de novo. Deus é um nome, um conceito. Seu verdadeiro significado transcende qualquer pensamento, está além da ideia de ser ou não ser, além mesmo da categoria de existir ou não existir. O poder supremo age através de nossas divindades, somos o veículo que ele escolheu para se manifestar na esfera terrena. – Alimentou o fogo. – O cosmo é como um grande deserto, e o mundo não é tão diferente. Cada um deve decidir por si mesmo. Se homens e anjos estão se matando, não é a Yahweh que devemos culpar.

Kaira guardou silêncio por vários minutos, vislumbrando o crepitar da fogueira. As respostas a todas aquelas questões brotariam quando ela restaurasse a memória, mas por enquanto não conseguia esperar. De outro ponto de vista, talvez fosse necessário aprender a conviver com certos mistérios da vida, para os quais simplesmente não havia respostas.

Denyel tirou a camiseta e examinou as lesões à bala, agora envoltas em uma casca de sangue coagulado. Estavam sarando, mas lentamente.

– Como está o seu ombro?

– O tiro que perfurou a costela foi pior, mas até amanhã estarei... satisfatoriamente recuperado. – Ele colocou a bebida no chão. Mudou de assunto. – Sinto muito, mas não tenho boas notícias.

– Posso imaginar. – Ela pressentiu o que estava por vir. – É o meu avatar. Não sou capaz de dissipá-lo.

– Se fosse, não estaríamos mais neste fim de mundo. – Ele pegou a terceira lata. – Você pode se regenerar e já conjura suas chamas. Não entendo por que não consegue cruzar a membrana.

Naquele instante, a imagem da menina do sonho apareceu diante dela, como um relâmpago estourando a seus pés. Relembrou o cordão de prata que as ligava e como ele a sugara para cima, para o túnel de luz no auge da gruta. Recordou as seguidas vezes em que a garota se manifestara, primeiro em Santa Helena, depois no porão e posteriormente na caverna de gelo.

– Rachel, a criança que visita meus pesadelos. Andril disse que havia algo *dentro* de mim.

– Ele falou isso?

– Sim, e logo depois Yaga me atacou. Senti como se uma força estivesse se agarrando ao meu peito, enquanto a hashmalim a *puxava*. Era uma energia viva, senciente, não sei explicar.

Denyel cruzou os braços e enrugou as sobrancelhas, numa expressão descontente.

– É bem sério, então. – Achegou-se a ela. – Deixe-me ver uma coisa. Vai confiar em mim?

– Em quem mais eu confiaria?

Com uma das mãos, ele envolveu a cintura de Kaira, e com a outra deslizou os dedos por dentro da blusa, até encontrar o seio esquerdo. Sentiu seu coração palpitando – cada vez mais rápido – e pressionou o indicador de encontro ao mamilo.

– Quer parar com isso? – ela recuou, mas não o repeliu. Havia certo erotismo nos movimentos do anjo; ela não sabia se queria realmente parar.

– Não se mexa – ele falou com firmeza. – Não é o que parece.

Esperou mais alguns segundos, usando o tato para fazer medições. Enfim, escorregou os dedos suavemente para fora.

– E então?

– Já se arrependeu de coisas que deixou de fazer?

Ela encolheu os ombros. Estava tremendo.

– Do que está falando?

– Yaga. É uma das figuras mais execráveis que conheci – praguejou como se estivesse cuspindo. – A aliança com Andril já era esperada. Aposto que tudo isso foi ideia dela.

– Mas aonde você quer chegar?

– Os hashmalins são anjos da punição, torturadores de almas. Entre suas várias aptidões, está a habilidade de controlar espíritos, podendo sugá-los dos corpos terrenos, estejam eles vivos ou mortos, para em seguida guardá-los ou prendê-los em objetos físicos ou em outros corpos. – Ele amassou a latinha. – Sua mente não foi apagada. Eles aprisionaram uma alma em seu avatar.

Kaira fez como se não tivesse escutado.

– Isso é possível? Podem usar esse poder mesmo em nós, celestiais?

– Na prática, nossos avatares são iguais a qualquer objeto material. Os efeitos dessa investida psíquica variam segundo a força de vontade do alvo. Algumas vítimas resistem, outras não aguentam e morrem, e as que sobrevivem sempre ficam atrapalhadas, pelo menos por algum tempo. No seu caso, creio que o espírito humano dentro de você bloqueie suas memórias, dificulte o acesso à aura e a impeça de se desmaterializar.

– Quantas possibilidades... *Ilógico*, de fato.

– Não lhe parece óbvio? – Ele enfiou um galho sob o fogo. – Se você se desmaterializasse, a alma escaparia. O poder de Yaga age nesse sentido.

– É uma prisão, para mim e para Rachel. – Estava claro agora. – Mas como podemos remover o espírito?

– Qualquer hashmalim poderia libertá-la, mas a ordem, quase toda, abraçou a causa do arcanjo Miguel. Outros aliados talvez soubessem o que fazer, o problema é que para encontrá-los teríamos de ascender ao Primeiro Céu. – Ele fez uma pausa e olhou para a chuva. – Assim, enfrentamos um dilema.

– Não posso me desmaterializar, tampouco ascender.

– De maneira que só nos resta uma solução.

– Estou ouvindo.

Denyel balançou a chave da moto.

– Pronta para uma longa viagem?

– Mais longa do que a que já estávamos fazendo? – ela brincou. – Acho que estou pronta para tudo.

– Que bom que está confiante.

– Tenho de estar. Sou a líder. – E emendou: – Para onde vai nos levar?

– É segredo – ele sempre a surpreendia. – Vá descansar.

– Não estou com sono. E não vou dormir enquanto não me disser.

– Ótimo. – Ele se deitou de barriga para cima. – Considere-se de guarda. Está menos ferida que eu.

Denyel revirou-se na pedra, enquanto a arconte continuava desperta. Era da natureza da casta ver o mundo com olhos curiosos.

– Não acha que é hora de levar as coisas um pouco mais a sério? Você é um querubim, um soldado, mas age como adolescente.

– Você não entendeu. É segredo *mesmo*. – Ele se cobriu com a jaqueta. – Acorde-me quando o sol nascer.

Denyel se esticou para desligar o radinho, mas Kaira ainda não estava plenamente satisfeita. Havia uma persistência singular em suas ações, que só podia vir da essência humana que carregava. A canção mudou para "Moonlight Serenade".

– Só me diga uma coisa, então. O que acontecerá com o espírito de Rachel, quando ela for liberta?

– Bom, a não ser que tenha sido uma menina muito má, vai para o céu. Para o Terceiro Céu.

– É para lá que seguem os justos?

– Chamamos essa camada de *Éden Celestial*, para diferenciá-la do Éden ou Jardim do Éden, um velho nome para designar o mundo dos homens.

– Existem dois Édens? – Kaira estava confusa de novo. – Por que chamar tanto a terra quanto a terceira camada pelo mesmo nome?

– Não tenho certeza. Presumo que é porque ambas foram destinadas a abrigar as almas humanas, a primeira na vida e a segunda na morte. O Terceiro Céu é a morada dos santos, com suas cidades e colônias espirituais. É o destino final dos mortais que alcançaram a redenção e também das pessoas comuns que viveram dignamente.

– Já esteve nessas colônias?

– Nenhum de nós esteve. Os anjos não são admitidos no Terceiro Céu, só os espíritos humanos. O Éden Celestial, com o Elísio, seu pavilhão de entrada, forma uma fronteira segura entre as legiões de Miguel, estacionadas no Quinto Céu, e os exércitos de Gabriel, refugiados na primeira camada. Aquele que dominar esse nível intermediário terá uma base definitiva contra o inimigo.

– Por quê? Por qual motivo não podemos entrar?

– Diz que me comporto como adolescente, mas agora é você que está agindo como criança. – Ele estava exausto. – Não me pergunte mais nada por hoje.

Denyel silenciou a música. Fechou os olhos. Kaira continuou agitada, andou até a abertura do casarão, pensando no túnel da morte, lamentando que todos aqueles pesadelos fossem de fato reais. Apoiou as costas no umbral coberto de limo, encarou os riscos de chuva. Rachel *existia*, não era apenas fruto de sua imaginação, e talvez fosse essa pequena centelha que a tornasse assim, tão humana.

Mas e se o espírito fosse expulso? Suas memórias celestes regressariam, mas a que custo? O que aconteceria a Rachel? O que aconteceria a *ela*?

Mulher ou anjo? Kaira precisava escolher.

29
GUERRA DE TRINCHEIRAS

Nordeste da França, 1º de julho de 1916

DENYEL FINGIU ESTAR DORMINDO. ÀS VEZES CONVENCIA, ÀS VEZES NÃO. Segurou o rifle entre as pernas, encostou-se na armação de troncos e tábuas. Inclinou a aba do capacete, fechou os olhos. Escutou um clique de alicate, alguém abrindo e fechando a pinça em movimentos nervosos. Percebeu um apito, um silvo estridente que vinha de longe. Primeiro era como o sopro do vento, depois imitava um assovio. A seguir, a explosão. O chão tremeu. Choveram terra e cascalho.

– Não consigo dormir – reclamou um rapaz com sotaque irlandês. – Não entendo como consegue. Não sei como ainda tenta.

Denyel fez como se despertasse. Bartley Smith era o que ele aprendera a chamar de amigo, ou algo próximo a isso. Estava sentado a seu lado, sorvendo os restos de uma sopa gelada, com o fuzil apoiado na lateral da trincheira. O uniforme era o padrão da Força Expedicionária Britânica: verde-escuro, com botas marrons e capacete metálico do tipo Brodie, que os soldados detestavam. O rosto era magro e pequeno, o corpo fraco, com barba ruiva e olhos castanhos.

– Não tenho problema para pegar no sono – admitiu outro recruta, Edward Hughes, um sujeito flácido e barrigudo, já na casa dos 30. Limpava a lama grudada na sola. – Faço de conta que são tambores. O som é idêntico, não acham?

Denyel espiou pelo periscópio. O sol nascia, uma manhã clara e azul. Tentou enxergar além dos arames e cercas, mas os quartéis inimigos estavam ocultos entre as nuvens de gás. As descargas de metralhadoras não paravam, eram contínuas dos dois lados, levantando rocha e poeira. O espaço entre as posições alemãs e as inglesas constituía um trajeto de morte, ondulado por ininterruptos disparos de artilharia, que dia e noite castigavam o solo com munição explosiva. A relva havia sumido, as árvores eram como postes quebrados. Com seus poderes angélicos, ele vislumbrou um agrupamento de fantasmas, um exército de criaturas inúteis e invisíveis, que perambulavam sem rumo, uns gritando freneticamente, outros tentando avançar, alguns reclusos em seus cantos funestos. Virou-se para os companheiros. Encaixou a baioneta.

– Acha que vai ser hoje? – perguntou o irlandês.

– Estamos bombardeando os alemães faz cinco dias – disse Denyel. Mais três soldados se juntaram ao grupo. – Se isso não é uma preparação para o ataque, não sei o que é.

– Chumbo grosso – concordou Edward, o recruta gorducho. – A artilharia está lançando de tudo. Escutaram o último disparo? Não são só obuses. Tem morteiros também.

– Vai ser uma carnificina – sorriu um londrino de bigodão, que haviam apelidado de Mr. Hyde, pela força além do comum e o corpo excessivamente peludo. – Não deve ter sobrado ninguém. Vou recolher algumas carabinas Mauser. Estou montando uma coleção.

A conversa calou à aproximação do oficial graduado, o tenente Aaron Cooper, um jovem aristocrata de caráter duvidoso, que havia seis meses dirigia o pelotão. Sua farda era semelhante à dos soldados rasos, mas usava um quepe com o emblema real. Os calçados eram longos e pretos, sem cadarços, iguais a botas para cavalgar.

– SENTIDO! – gritou o sargento, um galês de 50 anos com bigode espesso e fama de durão. Todos se ergueram, de peito estufado. O tenente cruzou a trincheira, em uma breve revista às tropas. Depois, parou no meio dos homens.

— Bom dia, senhores. Tenho notícias do comando. — Cruzou os braços. — O general Haig autorizou o avanço da infantaria às 7h30 de hoje. — Silêncio geral. — Isso mesmo. Vamos acabar com esses comedores de salsicha.

Ainda o silêncio. Ninguém se manifestou. Nenhum brado, nenhuma resposta. Eram 6h40, o que lhes dava menos de uma hora até o início do arranque. Cooper enfiou as luvas nos dedos. Ajeitou o chapéu. Prosseguiu:

— Essa será a maior ofensiva já deslanchada. Sei que muitos de vocês estão cansados, sei que muitos querem voltar para casa. Façam o seu trabalho e findaremos esta guerra até o outono — prometeu, tentando animá-los. — O dia será decisivo. É a oportunidade de escrevermos nosso nome e o da 23ª Divisão nas páginas da história. — E encerrou com uma frase elitista: — Boa sorte, cavalheiros. Vida longa ao rei George.

A maioria dos soldados respondeu mais por força da disciplina. O tenente os saudou, movendo-se para outra seção da trincheira. Bartley Smith tocou o braço de Denyel.

— 7h30? — cochichou, para que o sargento não o ouvisse. — Por que não falaram antes?

— É para ser um ataque surpresa.

— Surpresa para eles, não para nós. — Despejou a caneca de sopa. — Que bosta. Esqueci de escrever aquela carta. Tinha tudo na cabeça. — Tirou um papel do bolso. Testou o lápis sem ponta. — Devia ter calculado. Nos deram comida quente ontem à noite. Última refeição.

— Não vamos morrer, Bartley. — As chances eram boas, de fato. As posições inimigas estavam sendo massacradas havia dias. Difícil imaginar que alguma coisa ainda se movesse por lá. — Vai ser mais como uma caçada. Não gosta de caçar?

Os pensamentos do irlandês estavam em outro lugar.

— Montmartre. É o bairro de Paris favorito da minha mulher. Quero visitar Paris quando a guerra acabar. Já esteve na França?

– Sim. Há alguns anos.

– Quanto tempo faz que estamos nesta lixeira? – Ele havia perdido a noção.

– Quase dois anos.

– Tudo isso? – Mais uma detonação. – Nunca me disse se também é casado.

– Só tenho uma paixão na minha vida. A Rose.

Os dois gargalharam mais alto que as metralhadoras. A tensão desvaneceu, por um instante apenas. Rose era uma ratazana, um animal que vagava pelos abrigos, rondava as latrinas, uma espécie de mascote da companhia, que os homens costumavam alimentar. Tornara-se dócil, nunca mordera ninguém.

Novo estouro. Uma explosão anormal, abafada, sem o estalo de engrenagens, sem aquele apito de ferro caindo.

– Isso não foi morteiro – sibilou Edward Hughes.

– Estão deflagrando as minas – disse Mr. Hyde. Preparou o tripé e enfiou a cartela na Vickers. – Quando silenciar, a infantaria entra em ação.

Às 7h20, dez minutos antes do horário marcado, o furacão de canhões emudeceu. Ao longo dos quarenta quilômetros que compunham a linha britânica, todo o Quarto Exército estava pronto para arrancar. Com o revólver na mão e um apito no pescoço, o tenente Cooper esquadrinhava o campo através do periscópio, aguardando o sinal dos coronéis.

Denyel era o primeiro da fila. Verificou o equipamento. O fuzil Lee Enfield tinha a munição engatilhada, o cano limpo. Carregava no cinto quatro granadas número 36 e um porrete com cabeça de metal, próprio para a luta corpo a corpo, para o caso de um enfrentamento direto.

Como muitos anjos exilados, Denyel fora orientado por seus novos arcontes, os malakins, a atuar na dianteira de cada confronto. Estava autorizado a usar suas divindades para autodefesa, mas era proibido de empregá-las para salvar a vida de seres humanos ou alterar o rumo de uma batalha ou campanha. Era esperado que matasse, como qualquer outro soldado, contanto que não excedesse as capacidades terrenas nem demonstrasse aptidões além do normal.

O tenente verificou o relógio de pulso, subiu a escadinha de madeira. Deu um tiro para o alto. Soou o apito, acompanhando os outros comandantes de pelotão. Sob a cobertura das metralhadoras, as tropas transpuseram o parapeito, avançando em conjunto, progredindo à região devastada.

O impulso inicial de correr logo se reduziu para velocidade de marcha quando as carabinas alemãs se calaram. Nenhum som vinha das valas germânicas, sugerindo que boa parte dos soldados inimigos havia enfim sucumbido. As unidades se organizaram em linhas estendidas, com dois ou três passos entre os homens e uns cem metros entre as fileiras. Atrás das levas de assalto vinham os grupos de apoio e, por último, os reservas. Era uma multidão verde-oliva, refletiu Denyel. Praticamente a Força Expedicionária inteira fora movida para o combate, totalizando vinte mil soldados nas alas norte e sul.

O avanço ficou lento já nos primeiros metros, com o terreno irregular e instável. Havia muita fumaça, uma névoa quase tão espessa quanto o *fog* londrino. Recrutas tropeçavam em poças de lama, sulcos abertos pelas chuvas e pelos canos de drenagem. O solo era traiçoeiro, cheio de estilhaços, arame farpado, vergalhões e lascas de concreto. Mas o risco maior era o de encontrar uma mina, ou uma bomba qualquer que não houvesse estourado.

– Vou dizer uma coisa. – O ruivo Bartley caminhava atrás dele. – Não tenho medo de morrer. Mas tenho medo de ser morto.

– Já falei que ninguém vai morrer – retrucou Denyel. Estava confiante na estratégia aliada, mas, à medida que se aproximavam do território inimigo, ele notou um distúrbio no véu, um detalhe imperceptível aos sentidos humanos. Afora um ou outro fantasma, o plano astral estava deserto, um cenário atípico para uma área esterilizada. Deveria haver sombras, espectros gritando, espíritos rondando a membrana, almas penadas em eterna agonia.

Denyel saltou sobre o irlandês, e quando a névoa baixou uma bala partiu das posições adversárias. Depois, vieram as rajadas. Disparos de granadas, rifles, morteiros, obuses. O celeste olhou para os lados, visualizou uma dezena de ninhos de metralhadora, nos flancos, na retaguarda, alguns recém-montados, armados nas fossas abertas pelas próprias bombas inglesas. Um cadáver desabou sobre ele, três homens caíram a seus pés.

— Temos que recuar! — berrou o querubim, tentando se proteger sob uma armação de tijolos. Um projétil passou raspando na orelha, outro atravessou a clavícula.

Bartley estava duro, paralisado. O anjo avistou uma posição mais segura, a trinta metros dali. Ignorando o ferimento no ombro, pôs o amigo nas costas e levantou-se cautelosamente. Mas o perigo era grande, não havia como escapar. Chumbo ricocheteava, cápsulas zumbiam. Pulou dentro de uma cratera, deitou o ruivo no chão.

— Você disse que seria como uma caçada — resmungou Bartley Smith. Denyel reparou que ele também fora atingido. O dorso sangrava, o capacete desaparecera na confusão.

— É uma emboscada — pensou em voz alta. — Estavam escondidos nos abrigos subterrâneos.

Uma granada de mão com haste de madeira — a famosa Stielhandgranate prussiana, o "amassador de batatas" — deslizou na fenda, mas por sorte gorou. Outro expedicionário tombou, rolou no buraco.

— Que merda — o irlandês segurou o uniforme, viu o sangue espirrando. — Não escrevi a maldita carta.

— Deixe isso para lá. — Denyel vasculhou os bolsos. Achou uma atadura, mas o amigo estava condenado.

— Eu tinha tanta coisa para fazer. — O rosto ficou plúmbeo, a respiração foi sumindo. — Queria ter mais tempo, nem precisava ser muito. — O coração parou, as pupilas se apagaram. Bartley morreu de olhos abertos, e o celeste o escutou murmurando, já através do tecido: — Paris é adorável nesta época do ano.

Uma luz de contornos opacos radiou no plano astral, desenhando uma espécie de vórtice, um túnel que instantaneamente sugou a alma do jovem irlandês. O querubim suspirou, largou o defunto no chão, enquanto no mundo físico a batalha continuava. Ouviu passos ritmados e, pelo atrito das botas, soube quem era. Cinco soldados alemães cercaram a fossa, dois com submetralhadoras Bergmann e os demais de carabina em punho. Miraram contra ele, e, no reflexo de sacar a espada, Denyel levou a mão à cartucheira. Só encontrou sua pistola Webley Mark e usou seus reflexos de querubim para fuzilar instantaneamente os germânicos, todos com disparos na testa.

Quando as descargas pararam, Denyel regressou ao campo de ação, e o que viu foi uma cena inesquecível, apavorante e horrenda. Em poucos minutos, parecia que toda a Força Expedicionária havia sido aniquilada, massacrada pela superioridade da estratégia alemã. O terreno, antes assimétrico, fora nivelado com um tapete de corpos, misturado à pasta de cadáveres de uma ponta à outra do horizonte. Alguns gemiam, ainda vivos, afogados nos córregos de sangue, sufocados pelas sucessivas camadas de carne. No mundo espiritual, um vapor turvo rodeava as trincheiras, com os fantasmas se reagrupando, as sombras atirando nos adversários quiméricos.

Só na manhã de 1º de julho, as perdas britânicas somaram dezenove mil homens. O dia terminaria com 72 mil baixas, entre combatentes ingleses, franceses e alemães. A Batalha do Somme, como seria descrita nos livros de história, durou pouco mais de quatro meses e contabilizou um milhão de mortos e desaparecidos. Até hoje é considerada a mais sangrenta do Exército Britânico.

Denyel fitou o corpo de Bartley, rodou a cabeça, contemplou as baterias inimigas. Distinguiu mais expedicionários caídos, entre eles o barrigudo Edward Hughes, o temido Mr. Hyde, com a Vickers nos braços, e mais adiante o tenente Aaron Cooper, deitado com o apito entre os dentes.

Ao observar a ausência de fantasmas, mais cedo, durante a marcha, Denyel poderia ter soado o alerta, e se o tivesse feito talvez seus amigos ainda estivessem vivos, possivelmente não teriam perecido de forma tão trágica. Mas seria uma atitude inglória, um ato contrário aos códigos angélicos. Ele também era um soldado, um lutador de causas mais nobres, um guerreiro celeste com uma missão a executar.

Por anos ele se recordaria daquelas palavras. "Não tenho medo de morrer. Mas tenho medo de ser morto", e os lamentos espectrais. "Paris é adorável nesta época do ano."

Sentou-se no chão, a pele sangrando. Pegou uma barra de chocolate, deu uma mordida. Puxou a tampa do cantil, bebeu um gole de uísque – puro malte.

Apanhou o fuzil e rastejou de volta aos quartéis aliados, para integrar os novos grupos de assalto. Tentou deixar de lado as emoções, procurou esquecer os colegas terrenos. Rememorou uma frase que ele próprio dissera e que o ajudava a prosseguir sempre que a razão vacilava.

Não era uma guerra. Era um *jogo*.

PARTE III
AMAZÔNIA

30
FALCÃO-PEREGRINO

Denyel não dormia profundamente fazia vários anos. Os anjos não costumam sonhar, mas certas recordações às vezes retornam em períodos de inação, como um mecanismo da mente para que não se esqueçam dos fatos passados, em meio a uma existência tão copiosa.

De repente, estava de volta ao fatídico ano de 1978, com uma pistola na mão direita e oito daqueles cartuchos na outra. Não precisava mais esperar, não devia nada a ninguém. Sentou-se na poltrona do apartamento, meteu as balas no pente, enfiou a arma na boca. Se atirasse seria o fim, teria acabado. Não seria visto nem encontrado. Quem procuraria por ele?

Era um covarde, no fim das contas. Estava com medo, mas medo *de quê*? Havia aceitado a missão, agora tinha de enfrentar as consequências. Não era humano. Não era mortal. Então, o que estava esperando?

Deu o último suspiro. Puxou o cão. Tocou o gatilho. Apertou.

Acordou com o clique da arma travando.

Era dia. O sol nascera e o tempo havia esquentado. O orvalho deixara úmida a laje de pedra, com folhas de capim saltando pelos azulejos rachados. Viu Kaira no gramado, tentando atirar com a Beretta. Mirava um pedaço de lenha queimada apoiado sobre uma rocha, dez metros adiante. Resmungava sozinha, procurando compreender os detalhes do mecanismo, que insistia em não disparar.

Denyel pediu a pistola emprestada.

– Aqui – mostrou a trava lateral. – Tem que subir este pino.

– Eu subi. Tenho certeza que destravei.

Ela ergueu a pequena alavanca e apontou para a madeira. Mais uma vez, a Beretta falhou.

– Esta sua arma está estragada – voltou-se para ele, mas aí o tiro partiu, subindo em direção aleatória, pegando os dois de surpresa.

– O problema não é a arma, é *você* – explicou Denyel. – Sua casta parece ter certas limitações no que diz respeito aos dispositivos mundanos. Foi assim desde que inventaram a roda.

– Por isso o meu telefone não funcionava?

– Pode ser. – Ele buscou a última lata de cerveja. – Tente de novo. Quero ver.

Kaira fechou um dos olhos, esforçando-se para visualizar o carvão. Puxou o gatilho e a pistola disparou normalmente, mas a bala passou muito longe do alvo.

– Não é tão fácil quanto nos filmes. – O coice deixou o pulso doendo.

– Deixe-me ajudar. – Denyel a abraçou por trás, para auxiliá-la com a postura. – Segure a coronha com as duas mãos e alinhe a mira com a ponta do cano. Prenda a respiração quando for atirar.

A arconte fez conforme demonstrado. De novo o coice, com a bala acertando a base da rocha.

– Melhorou – falou o exilado. – Quer praticar?

– Vou ficar sem munição.

Ele lhe ofereceu outro pente, com mais oito cartuchos, que havia escondido no bolso do jeans.

– O que seria de você sem mim?

Restavam cinco projéteis. Kaira perdeu mais dois, com os outros dois penetrando no tronco, até que o quinto tiro finalmente o derrubou. Nada surpreendente, mas acima da média para um principiante. Substituiu o pente e, ao procurar Denyel, notou que ele havia sumido.

Estava de volta ao casarão e agora examinava um mapa rodoviário, que havia guardado sob o assento da moto.

– Tefé, Amazonas – falou quando Kaira apareceu nas ruínas.

– Vamos viajar para a Amazônia?

– Não perguntou ontem qual seria o nosso destino? – Ele mostrou as letras e símbolos. – Tefé é onde *começa* a nossa viagem, e dali para o rio Juruá.

Uma trilha azul indicava o rio Solimões, com seus afluentes que levavam ao coração da floresta. Acima, listras cinzentas representavam as fronteiras da Venezuela e do Suriname, com imensas áreas verdes de selva para todos os lados.

– Não prefere usar o GPS? – Ela fez menção de pegar o celular na mochila, mas o exilado a deteve.

– Já me localizei. – Apertou as pálpebras para enxergar melhor. – BR-040 e BR-070, depois seguimos de balsa.

– São cinco mil quilômetros.

– Realmente, é um pouco longe – concordou Denyel.

– *Um pouco?* Fica do outro lado do país. O que vamos fazer lá?

– Eu me lembro de ter-lhe dito que era *segredo*.

– São pelo menos sete dias de carro – Kaira era boa de cálculo. – Estamos juntos, só espero que valha o esforço.

– Acho que consigo fazer na metade do tempo.

Ele conduziu a motocicleta para fora do casarão. Ligou o motor quando pisaram na grama. Seguiram lentamente até alcançar a estrada, agora preparados para iniciar a jornada.

– Quanto consegue dar nesta moto?

– Já cheguei a 350.

– Deve ter uma coleção de multas.

– Sabe como eles a chamam no Japão?

– Hayabusa?

– Falcão-peregrino. O animal mais rápido do mundo.

– É como se estivéssemos voando?

– O que quero dizer é que, nessa velocidade, nem os radares nos enxergam. – Ele fez os canos roncarem. – Segure-se.

31
MOTEL COSMOS

Kaira e Denyel deixaram a região metropolitana do Rio de Janeiro na manhã do Domingo de Páscoa. Os fracos pingos de chuva incomodaram a princípio, mas o tempo clareou quando o sol atingiu o zênite. Com o tanque cheio, os anjos viajaram por quase dez horas sem parar, e ao cair da noite já estavam cruzando a divisa do estado de Goiás. Contornaram um trevo rodoviário onde a BR-040 encontra a estadual DF-003, levando direto à capital federal. Dali em diante, havia um retão com terrenos planos dos dois lados – à esquerda nascia um campo árido, com porções de terra vermelha, e à direita a grama crescia em arbustos rasos, escondendo estradas e trilhas sem calçamento.

Denyel sentiu um forte cheiro de gasolina, misturado a uma sensação de umidade nas pernas. Parou imediatamente a motocicleta.

– Como eu odeio esses raptores – esfregou a mão sobre o banco. – Mataria um por um se pudesse.

– O que houve dessa vez? – Kaira aproveitou para se espreguiçar.

Ele mostrou o orifício na carenagem, por onde um dos tiros penetrara. O chumaço havia se desfeito, e agora o combustível escorria às gotas.

– Vou precisar de uma massa fixadora, pelo menos até termos tempo de consertar. – Ele estava transtornado, não pelo atraso, mas pela moto.

– Isso vai nos consumir algumas horas, em um momento em que não poderíamos parar.

– Há um centro urbano mais à frente. – Luzes piscavam além do retão. – Talvez encontremos uma oficina aberta.

– A esta hora? – Já passava das oito da noite. – Acho difícil, mas podemos tentar.

– Não temos como prosseguir sem isso?

– Já estamos quase na reserva. – Ele voltou aos controles. – Vamos ver se encontramos ajuda.

Denyel parou em três postos de gasolina à procura de acessórios ou peças, mas não encontrou um só mecânico de plantão – não apenas porque era noite, mas porque era Domingo de Páscoa. Na terceira tentativa, entraram em um ponto de abastecimento nas proximidades do aeroporto internacional, com os aviões cortando o céu num estridente som de turbinas a jato.

Estacionaram enfim em uma área aberta, com vagas para automóveis e saída direta para a rodovia. O exilado empurrava a Hayabusa, tentando pensar na melhor solução. Kaira caminhava a seu lado, com a mochila presa às costas.

– Não tem outro jeito – murmurou Denyel. – Acho que vamos ter que esperar até amanhã.

– Sério? – Os ishins são naturalmente impacientes, sempre preferem estar em movimento. – O que faremos enquanto isso? Não podemos passar a noite toda ao relento.

A menos de cinquenta metros, um letreiro luminoso, decorado por toscas lâmpadas vermelhas, anunciava a entrada de uma hospedaria. Na placa lia-se, em letras coloridas: "Motel Cosmos – suítes privê, ar-condicionado, canal erótico, frigobar".

– Quanto dinheiro disse que ainda tem?

– O suficiente. Saquei tudo que pude no caixa eletrônico.

– E como se sente agora? Digo, depois da intoxicação?

– Quase boa, mas não totalmente. Melhorando – respondeu a ruiva.
– E você?

– As costelas ainda doem, especialmente depois de um dia inteiro na estrada. Seria ótimo se comêssemos e dormíssemos um pouco.

– Por mim tudo bem. – Não havia muitas alternativas. – Acha que é seguro entrarmos na cidade?

– Não precisamos. – Ele foi andando na direção do motel. Kaira entendeu o que pretendia. Sentiu um frio na barriga.

– Por que não procuramos um hotel de verdade? – ela trepidou.

– Quanto menos atenção chamarmos, melhor – ele se justificou. – Além disso, estamos ao lado do posto de gasolina. Tão logo o sol nasça, ajeitamos a moto e continuamos a viagem.

– Sim, mas este não me parece um lugar muito confortável. Deve haver melhores opções adiante.

– Você ficou nervosa de repente – provocou Denyel. – Foi alguma coisa que eu disse?

– Não estou nervosa. Só quero evitar constrangimentos.

– É a única que está constrangida – ele falava espontaneamente. – Para mim, aqui está perfeito.

Chegaram à fachada do motel, com o celeste arrastando o veículo. A recepção lembrava uma guarita envidraçada, com um corredor para carros que terminava em dezenas de garagens privadas. Uma mulher de meia-idade e feições indígenas apertou um botão e abriu a cancela.

– Suíte privê – pediu Denyel.

– *Duas* – corrigiu Kaira.

– Duas? – A recepcionista aproximou a orelha do vidro.

– Suíte *dupla* – retificou o exilado, fazendo um movimento para que a ruiva se calasse. – Com hidromassagem.

– Seu chaveiro. – A mulher lhe entregou um molho com a chave do quarto e outra que destrancava a geladeira. Ele conduziu a Hayabusa até o estacionamento exclusivo.

– O que está pretendendo? – reclamou Kaira, sussurrando para que ninguém a ouvisse.

Denyel a encarou com um sorriso *blasé*. Desceu o portão de metal.

– Pelo jeito não se deu conta da situação, *arconte*. – Acendeu as luzes. – Os raptores ainda podem estar atrás de nós. Estão monitorando a frequência da polícia. Não sabe do que eles seriam capazes para nos encontrar.

– Acabou de dizer que preferia enfrentá-los.

– Prefiro, mas não esta noite. – Subiram a escadinha que levava à suíte. – Hoje o que eu quero é uma cama, comida quente e algumas cervejas. – E, quando notou a expressão da moça, acrescentou: – Não fique desapontada.

– Estou ótima – ela contra-atacou.

– Melhor não levantarmos suspeitas. Acredite, tenho experiência nesses assuntos. – Ele abriu a porta. – Um casal vai ao motel e aluga *dois* apartamentos? Francamente.

O quarto do Motel Cosmos revelou um luxo cafona, com chão de mármore negro, luzes vermelhas e espelhos fixados nas paredes e no teto. O banheiro tinha uma piscina de água quente, e próximo ao frigobar uma cortina escondia a ampla janela com vista para a cidade. Só havia uma cama.

– Não se preocupe – disse Denyel. – Durmo no chão.

Denyel procurou no cardápio o prato executivo. Telefonou para o serviço de quarto e pediu filé com batatas fritas, especificando que acrescentassem camadas triplas de queijo sobre a carne. Escolheu salada verde para Kaira e não dispensou as latas de cerveja, as quais, como anjo, bebia livremente sem engordar. Pelo ritmo com que se curavam, ele calculou que aquela seria sua última refeição antes da completa regeneração, o que economizaria novas paradas ao longo da estrada.

Denyel terminou o jantar e entrou no banheiro, tirou a camisa e tocou com a ponta dos dedos o ferimento nas costas – ainda sangrava. Rasgou um pedaço do lençol e improvisou uma gaze, mas não conseguiu alcançar a região atingida. Kaira o avistou pelo espelho e se ofereceu para ajudar.

– E se eu pedisse que nos trouxessem álcool e mercúrio? – sugeriu, parada na porta do lavatório. – Pode infeccionar.

– Não adiantaria. Antissépticos e remédios não funcionam conosco, porque nossas células não se curam realmente, como acontece com os seres humanos. Sangue, ossos e tecidos lesados são simplesmente descartados e substituídos por novos. É o motivo pelo qual precisamos comer quando estamos feridos. Os nutrientes físicos se transmutam em carne materializada.

– Bom saber. – A ruiva usou uma folha de papel higiênico para limpar o machucado. – Por isso também precisamos dormir?

– Quanto menos força fazemos, obviamente mais energia nos sobra para a regeneração. – Ele reagiu ao toque da gaze. – Vá com calma.

– Tem que ficar parado. – Kaira buscou um esparadrapo no *nécessaire*. – Assim não consigo fixar.

– Não pedi que ajudasse. Posso fazer isso sozinho.

– Então faça – ela retorquiu, largando o adesivo sobre a bancada da pia.

Denyel parecia especialmente desagradável aquela noite, talvez por conta dos estragos na moto, mas a verdade é que Kaira também não estava muito bem. Agora, não era mais a nova condição que a perturbava, e sim o fato de saber que carregava consigo uma *alma*, o espírito de uma criança inocente preso ao seu corpo, flutuando entre a vida e a morte.

Não teve paciência para aguentar as grosserias do anjo, então saiu do apartamento por uma porta lateral que dava acesso a um corredor interno, com passagem para as outras suítes. Precisava ficar sozinha, tomar ar fresco – a necessidade não era apenas psíquica, era fisiológica também. Perseguiu o sopro do vento e subiu uma escada de incêndio até encontrar o terraço, uma laje de concreto com dutos de ventilação e antenas de TV. Dali, Brasília era visível como minúsculos pontos de luz, trilhas cintilantes na paisagem noturna. No céu, a constelação de Órion se destacava por seu brilhante cinturão de caçador, também chamado no Brasil de Três Marias.

Kaira fitou o horizonte, quando a rota de um avião a trouxe de volta à realidade, sobrevoando o motel com um ruído ensurdecedor. Depois, silêncio de novo. Denyel apareceu a seu lado.

– Como conseguiu? – Ela mesma puxou assunto. Não estava mais zangada.

– Segui você pelo cheiro. – Ele se sentou sobre uma pilha de tijolos. – Cansei de fazer essas coisas.

– Refiro-me ao curativo. Como conseguiu fixá-lo?

– Faísca, se eu não soubesse cuidar de mim, ninguém mais cuidaria. – Chegou mais perto. – Desculpe-me pelo que disse. Não foi pessoal. É coisa minha.

– É o que faz de melhor? Se desculpar?

– Infelizmente não – ele retrucou, em tom de mistério. – Por que veio para cá?

– Rachel – ela murmurou, contemplativa. – Não sei quais memórias são dela e quais são minhas. Algumas impressões são ainda tão claras... Eu me lembro de estar deitada na grama com o meu pai, contando as estrelas na primavera. Recordo as festas de Natal, as viagens à praia, as crianças brincando no condomínio. Sinto falta da minha mãe.

– O que exatamente a intriga?

– *Nós*. Somos o maior mistério de todos, não acha?

– Quem? Eu e você?

Kaira sorriu. Dessa vez não soube dizer se ele estava brincando ou se realmente não havia entendido.

– Não. Nós, os *anjos*. – Encarou as luzes da capital federal. – Somos entidades aladas, nascemos há bilhões de anos, e ainda assim somos tão ou mais humanos do que os próprios humanos. Pelo menos *eu* me sinto humana. E você... – ela fez um muxoxo. – Nunca vi alguém com vícios tão terrenos. Sem ofensa.

– É a carne – comentou o exilado, e pelo tom da voz não havia se ofendido. – Este avatar que materializamos nos torna vulneráveis às armadilhas emocionais. É claro que o nosso caso é diferente, você sofreu com os poderes de Yaga, e eu... – Ele se detém. – Eu sou uma figura única. Mas essa sensação que você está provando não é exclusiva. Aconteceu com os primeiros anjos.

– Com os primeiros anjos?

– Os primeiros anjos enviados à terra. – Outro avião. Denyel fez uma pausa, esperou a aeronave se afastar. – Antes de adormecer, Deus entregou o controle do paraíso aos cinco arcanjos e delegou ao maior de todos os anjos a tarefa de descer à Haled para servir e guiar a humanidade, sem interferir em seu curso. Esse anjo reuniu um grupo de alados de várias castas, cuja missão seria viver entre os mortais, para ensinar-lhes os valores divinos. Esses agentes foram chamados de *sentinelas*.

– Essa história eu não conhecia.

– Quando os arcanjos resolveram exterminar a espécie mortal, os sentinelas foram convocados de volta, mas já era tarde demais. Depois de tantos séculos no plano físico, eles haviam criado laços afetivos, alguns tiveram filhos, constituíram família, fizeram amigos. Como um pai que defende sua cria, eles seriam capazes de tudo para impedir as grandes catástrofes e salvaguardar os terrenos.

– E o que aconteceu depois?

– Os sentinelas não eram anjos comuns, eram poderosíssimos celestes agindo em nome de Yahweh. Eles continuaram na terra, ajudando a raça humana a sobreviver à Era Glacial e aos cataclismos subsequentes. Então veio o dilúvio e a maioria deles morreu. Dizem que alguns foram capturados, e esse foi o fim desse honrado grupo de emissários de Deus.

– Que triste – ela lamentou. – Um trabalho de eras reduzido a um simples conto de fim de noite.

– Ninguém sabe qual foi o verdadeiro papel deles na formação das primeiras civilizações. Conta-se que instruíram os mortais no uso do fogo, das artes, da magia. Praticamente tudo que eles fizeram se perdeu, sua obra foi apagada dos registros celestes, e os malakins são proibidos de estudar a respeito. Mas é assim que sempre termina, não é? Os vencedores contam a história.

– Então você acha que nossos sentimentos são legítimos? Essa sensação puramente carnal?

– Não acho que seja carnal, acho que é divina, acima de tudo. É o motivo pelo qual Miguel nunca se manifestou na Haled, com medo de provar as percepções humanas, como aconteceu ao seu irmão Gabriel.

– Homens e anjos não são tão diferentes, enfim.

– Nossas naturezas se cruzam. – Ele se levantou. – Agora tenho que repousar, por alguns minutos que seja.

– Pode ficar com a cama – replicou a moça. – Vou continuar por aqui. Faltam poucas horas para o amanhecer.

– Como preferir. – Ele pisou na escada, mas antes de descer se virou para ela. – E sobre o curativo, eu não consegui fazer.

Kaira não disse nada.

Ela já sabia.

32
O PRIMEIRO ANJO

Sudoeste Asiático, Paleolítico Médio

Passava do meio-dia. O aldeão andava sozinho na imensidão da planície, com a gazela morta no ombro. Demonstrava inigualável vigor, embora não tivesse a aparência tão jovem. Do peito nasciam pelos castanhos, que convergiam ao queixo numa barba volumosa. Na mão esquerda portava uma lança. Não calçava sapatos. Vestia apenas uma tanga de pele, costurada em várias camadas de couro de leão.

Voltando para casa, provou no ar o cheiro de fumaça que o vento trazia, e não eram os vestígios de uma fogueira comum. Com seus poderes aguçados, distinguiu o odor de carne humana, largou a caça no chão, deixou a arma de lado.

O coração disparou. Subiu no topo de uma colina e de lá avistou sua aldeia. As tendas estavam queimadas, e a ação fora tão rápida que o fogo já havia se extinguido, sobrando apenas rumas em brasa, destroços de madeira, palha e cerâmica. As tamareiras haviam sido incendiadas, assim como os depósitos de carne e de frutas. A fonte no centro da vila fora maculada, e dentro dela o aldeão identificou dezenas de corpos, cadáveres humanos, incinerados barbaramente, com a pele negra, feridas expostas, alguns com o esqueleto à mostra.

Correu o mais depressa que pôde, como se fosse capaz de reverter a tragédia. Atravessou o entulho e se ajoelhou à margem do oásis, trazendo para fora um de seus filhos, o primeiro que havia encontrado. Virou-lhe a cabeça e se deparou com uma caveira sem lábios. Os olhos haviam murchado, com pedaços do cérebro escapando pelas rachaduras no crânio.

No começo, não sentiu raiva. Por vários minutos ficou solitário, em solene meditação, com o vento agitando as águas da fonte. Nem os pássaros voavam por perto – era uma tarde infeliz, sem lamentos de criança ou gritos de mulher. De tão abalado, não teve discernimento para pensar ou mesmo para supor quem promoveria uma atrocidade daquelas.

Com a mente em branco, pressentiu as vibrações de uma aura, uma presença fortíssima que perto dele se manifestava. Era o arcanjo Gabriel, o Mestre do Fogo, também chamado de Mensageiro, que retornava à Haled como havia prometido. Trajava a armadura de placas douradas, com o elmo de chapa fina protegendo os cabelos. As enormes asas se expandiram, fazendo-o levitar como se erguido misticamente. Na cintura carregava a Flagelo de Fogo.

O aldeão o afrontou, desafiando o arcanjo, que se aproximava. Sua expressão era de ira e surpresa, como se não pudesse acreditar que tal carnificina viesse de entidades tão nobres. Deitou o filho na borda, velando o corpo por mais uns instantes. Gabriel apenas o mirava – a postura era arrogante, superior, de um líder que punira justamente seu comandado, dando a ele o tratamento devido.

– Acabou – disse o arcanjo, com a voz comparável às melodias mais belas. – O que você estava vivendo era uma *ilusão*, não era real. Não é um deles, é um dos *nossos*. É um anjo, um alado, um herdeiro dos céus. – Estendeu a mão. – Venha. Chega de brincar com esses macacos. Retorne comigo à casa de Deus.

O aldeão não se comoveu. O sangue fervia, o coração era praticamente uma bomba. Não era admissível, refletiu – os arcanjos não tinham esse direito. Estava em uma missão grandiosa, delegada por Yahweh, apesar de que agora nem isso fazia mais diferença.

– Puxe sua espada, Gabriel.

– Minha espada? – O arcanjo fingiu não entender. – Com que propósito?

– O que você fez... – Ele se corrigiu, com a garganta em soluços. – O que *vocês* fizeram foi abominável, um ato hediondo e desumano. Em nome de todos que aqui morreram, eu vou enfrentá-lo e de alguma forma o vencerei.

– Não preciso sacar minha espada para liquidá-lo, sentinela – o tom endureceu. – Pense bem no que está fazendo. Não tem a menor chance de me derrotar.

– Veremos... – E, dito isso, esquentou sua aura, invocou toda a energia para se armar. A cólera o tornava mais forte, e ao clamar pela alma de suas crias ele experimentou uma sensação preciosa, uma espécie de ressonância que fez seus poderes vibrarem, elevando-os além dos limites normais.

Gabriel e o anjo estavam distantes pouco menos de trinta metros, e no momento em que o aldeão avançou, preparando um soco radiante, o Mensageiro o travou com suas habilidades telecinéticas.

– Já disse. Não há como me vencer. – Torceu a face em desprezo. – Sou um arcanjo, escolhido por Deus para reger este universo. Seus sentinelas se tornaram um bando de fúteis, amantes de criaturas feitas de barro. Vou arrastá-lo de volta ao paraíso, esteja você vivo ou morto.

Como quem deseja corrigir um soldado, Gabriel concentrou um violento ataque no peito da vítima, invocando uma onda magnética que o acertou sem piedade, lançando-o a muitos metros da vila. O corpo rolou feito um projétil de catapulta – saiu destroçando as tendas, abrindo uma trincheira no chão, para terminar em uma imensa cratera, levantando poeira, cuspindo areia no céu da planície.

Vitorioso, o Mestre do Fogo levitou até o buraco, flutuando a centímetros da abertura. A aura do adversário havia sumido, deixando claro que estava morto, ou então gravemente ferido.

– Não pensei que seria tão fácil – Gabriel franziu as pálpebras. Empregou a telecinese para afastar as pedrinhas. – A Haled nos torna mais fracos, e o contato com os homens nos deixa covardes. Amaldiçoado seja...

Mas de repente alguma coisa se moveu. O arcanjo se inclinou, chegou mais próximo da fenda, a tensão aumentando. Espiou lá dentro. Foi tomado de alívio ao distinguir um rato do deserto, que ao percebê-lo disparou assustado.

Relaxou.

Era o fim.

Não.

Uma mancha emergiu da areia, e não houve espaço para reação.

Antes que se desse conta, Gabriel viu um murro chegando, o punho crescendo. Foi atingido por um possante soco no queixo, uma pancada tão majestosa que fez seu elmo voar, estraçalhando-se em mil pedacinhos.

Caiu para trás. Foi arremessado quilômetros afora, arrastando a face no chão, engolindo terra, em cambalhotas desengonçadas. Parou de costas, esparramado. Retomou a postura com a visão ainda turva, apalpando o solo à procura do capacete.

Como?, ele pensou. Que absurdo, que ousadia! A vivência na terra não o havia esmorecido, só o tornara mais forte. Gabriel era um gigante, não podia ser humilhado. Foi então que experimentou a fúria pela primeira vez, deixou que as emoções aflorassem. Estava confuso, indignado. Encostou o dedo no rosto e provou a consistência do sangue – um filete vermelho agora escorria pelo nariz.

– Como se atreve? – rosnou entre os dentes. As notas ecoaram no firmamento. – Como ousa me acertar?

– São os meus filhos, Gabriel – disse o sentinela. O assalto não o havia ferido, só o deixara escoriado. Estava ileso e de pé, ereto sobre a cratera. – Posso senti-los.

– Sua aura... – ele não compreendia. – Está *apagada*.

– Aprendemos a ocultar infinitamente nossa aura pulsante. É natural àqueles que vivem na terra – exclamou o anjo, orgulhoso. – Jamais encontrará os outros. – A fala era idêntica ao trovão. – Hoje um de nós vai morrer. Um de nós *deve* morrer.

Gabriel esticou a coluna, verificando se as placas da armadura permaneciam ajustadas. Não permitiria uma vergonha daquelas – havia enfrentado os monstros primevos, era um descendente legítimo de Deus!

O aldeão marchou em sua direção, primeiro trotando, depois em carreira, com aquele ímpeto capaz de desbancar o mais brilhante dos deuses. O Mestre do Fogo preferiu não encará-lo, assim agrupou sua essência para fazer o chão da esplanada tremer. Uma fenda de dez metros se abriu, correu aos pés do sentinela, que, mesmo retardado pela energia, a transpôs com um salto sobre-humano.

O arcanjo suou, acrescentou uma nova estratégia ao combate. Fez um pesado fragmento de rocha flutuar e o lançou sobre o inimigo, que contra-atacou com um murro, o mesmo que anteriormente o acertara, carregado de emanações cintilantes. Esmigalhou a pedra quando enfim a tocou, não apenas a quebrando, mas pulverizando-a totalmente. Gabriel tentou mais uma vez, movendo um pedregulho maior, novamente despedaçado.

Decidiu que não subestimaria mais o rival e ergueu um naco do solo arenoso, uma ilha flutuante de terra, rocha e mineral. A essa altura, a planície lembrava os escombros de uma casa implodida, com gretas de terremoto, poeira e cascalho. A pedra girou no ar, para ser reduzida a miúdas partículas ao simples contato do aldeão.

Houve uma explosão muito intensa. Gabriel protegeu os olhos com os braceletes dourados. Recuou alguns passos ao observar o persistente adversário emergir do pó, vencendo a corrente invisível que o segurava. Fazia tanta força que as pegadas formavam valas na terra e, com um grito que sacudiu as montanhas, chegou ao alcance de um soco.

Despreparado para a inacreditável façanha, o Mensageiro não teve escolha a não ser buscar o cabo da espada, o que para ele era uma desonra. Dobrou o cotovelo para sacá-la, mas o sentinela o segurou pela mão.

– Não pode ser. – O arcanjo não acreditava. – É apenas um anjo. Um *anjo*!

Alucinado pela injustiça, o aldeão se preparou para a disputa de força, mas Gabriel estava irado também. Nunca antes fora depreciado, e aquele que era tido como o mais constante dos primogênitos perdeu o controle de suas emoções. Os olhos dos duelistas faiscaram, e, na briga entre um arcanjo raivoso e um anjo ferido, o mais velho levou a melhor.

Gabriel endureceu os músculos para desembainhar a Flagelo de Fogo e no mesmo movimento empurrou o rival, que caiu de bruços no chão. Era um sacrilégio matar outro de sua espécie, mas ele não se conteve, tomando impulso para a fincada mortal.

Foi uma mão luminosa que o parou.

– O que está fazendo, Gabriel? – falou uma terceira voz, cujo timbre se comparava a um coro de alados, todos cantando juntos. – *Pare!* Não vou deixar que o mate.

O Mestre do Fogo se virou para arrostar o irmão – o arcanjo Rafael, também chamado de Cura de Deus ou Quinto Arcanjo, que se manifestava em tonalidades difusas. Diferentemente dos outros gigantes, Rafael não tinha forma carnal, mesmo quando materializado na terra. Seus contornos eram visíveis como uma silhueta brilhante; trajava um manto de luz, asas espectrais e uma auréola dupla ao redor da cabeça. Carregava também uma espada, presa à roupa por uma faixa dourada. A aura era magnífica, acolhedora e singular, desprovida de sentimentos agressivos.

– Solte-me! – berrou Gabriel. – Largue-me. Vou acabar com ele!

– Não, não vai – redarguiu a Cura de Deus, agarrando o irmão pelo pulso. – Acalme-se. Lembre-se do que nos disse nosso pai.

A resposta saiu como um urro. Rafael tinha razão, mas Gabriel não distinguia mais o certo do errado e, na confusão, agiu sem pensar. A Flagelo de Fogo desceu, escapando à pegada de Rafael, mergulhando no ar, soltando fumaça. O fio atravessou o coração do aldeão, despontando nas costas, penetrando depois o solo de pedra. Desnorteado, obscurecido pelo rancor, o Mensageiro transpirou, retraiu sua arma, devolvendo a lâmina à bainha.

O mais ilustre dos sentinelas, ao qual chamavam Primeiro Anjo, o arauto de Yahweh, enviado do paraíso ao mundo, o rei dos homens sobre a terra, caiu morto nas areias do deserto.

– O que foi que eu fiz? – Gabriel fitou o avatar derrubado.

– Você o matou – disse Rafael. Quando a boca abria, era como se uma orquestra se levantasse.

– Eu não queria. – As mãos tremiam, tinha as unhas incrustadas de pó e fuligem. – Não era para ser assim. Não foi como eu planejei.

– Dessa vez vocês foram longe demais. O que virá a seguir? Genocídios, catástrofes, assassinatos em massa? Sem os sentinelas, a Haled ficará desguarnecida.

O Mestre do Fogo encarou o horizonte. Era uma figura reluzente, com a aura do Quinto Arcanjo se espelhando na armadura dourada. Inclinou o queixo e revelou os planos do príncipe, sem medir as consequências.

– Está começando. Já começou.

– Não fui consultado. – A sinfonia ficou estridente. – Não vou permitir.

– Miguel deu a ordem. O processo é irreversível.

– Irreversível? – Rafael brandiu a espada, uma longa haste que mais parecia um rastro de luz. – Percebo que ainda temos opiniões divergentes acerca de muitas coisas.

Ele amparou a cabeça do morto. Encostou os dedos no ferimento. O coração estava frio, cauterizado e cinzento. Virou o cadáver de frente e com um só golpe perfurou-lhe o pulmão. O corpo sacudiu como se atingido por um raio, a planície refulgiu com a energia dourada, uma explosão silenciosa que excedeu o brilho do sol, cegando os arcanjos num clarão momentâneo.

Quando amainou, o aldeão renasceu com um suspiro, contorceu-se entre as pedras quebradas. O sangue retornou à carcaça, o ferimento se regenerou, carne e espírito foram restaurados. Rafael era o patrono dos ofanins, e sua arma não era feita para matar – fora um presente de Deus, uma herança das Batalhas Primevas, para que com ela ressuscitasse os irmãos.

Gabriel vislumbrou o espetáculo, abismado, sem saber como reagir.

– O que diremos a Miguel? – Ele ainda estremecia. – O que contaremos a Lúcifer?

– Você não vai dizer nada. – Era óbvio. Nunca engoliria uma vergonha daquelas. – E eu? Vou fazer o que deve ser feito.
– Não pode desafiá-los. Isso seria...
– Não vou desafiar ninguém. – O Quinto Arcanjo recolheu a espada.
– Por quê? – Gabriel insistiu. – *Por que* deixou que eu o matasse?

Sempre complacente, Rafael apenas o abraçou, deslizou o polegar sobre os lábios sangrentos do irmão. Em seguida, afastou-se, rechaçando o parente, que relutava em soltá-lo. A voz irrompeu em tons de violino.

– Tenho que ir agora, Gabriel.

Desta feita, a Cura de Deus se desmaterializou, abandonando o Mensageiro de joelhos, com a face afundada nas palmas. Gabriel não tardou a ir embora, e enquanto isso o sentinela se levantava.

Não era uma *ilusão*.

Estava vivo.

33
AS NAÇÕES ANTEDILUVIANAS

A SEGUNDA-FEIRA DEPOIS DA PÁSCOA FOI UM DIA MOROSO, COM OS ESTAbelecimentos comerciais abrindo com quase uma hora de atraso. Denyel montou guarda na porta da pequena oficina mecânica anexa ao posto de gasolina, comprou a massa fixadora e ajeitou a carenagem da Hayabusa num segundo, sempre com o rosto arrasado ao ver a preciosa motocicleta danificada.

Dali, ele e Kaira pegaram a BR-070 e em seguida a BR-364, numa extenuante viagem até a cidade de Porto Velho, que em condições normais não levaria menos de dois dias. Prosseguindo direto, com pausas apenas para abastecer, completaram o trajeto em 35 horas. O único contratempo foram as estradas, algumas em péssimo grau de conservação, sobretudo no trecho que cruzava o estado de Rondônia. Naquele ponto, a autopista tinha rachaduras, vincos e buracos, alguns enormes, provocados pela erosão.

Não se depararam com nenhum raptor, e nem policiais comuns os importunaram, o que reforçou a teoria de Denyel de que o ataque no pedágio fora casual, não premeditado. De fato, era a hipótese mais plausível, ainda mais pela evidência do caminhão com a tropa armada – não havia explicação lógica para os infernais enviarem um pelotão especialmente para aniquilá-los.

De Porto Velho, chegaram à capital do Amazonas, num itinerário que cruzava rios, ruas de terra e passagens sem qualquer pavimentação. Em Manaus tomaram uma balsa pelo Solimões, uma embarcação imensa, que permitia o transporte de carros, móveis, animais e até casas inteiras. O que os surpreendeu nessa etapa foi a duração da viagem – como muitos, eles não haviam parado para pensar na grandeza do estado, o maior do país. A subida pela via fluvial levou dois dias, e no final do percurso os celestes aportaram em Tefé, um município de 65 mil habitantes no extremo norte do Brasil.

Tefé era (e ainda é) uma cidade pequena em muitos aspectos, mas grande para os padrões ribeirinhos. Um aeroporto regional comporta aviões de médio porte, que fazem a transferência dali à capital em pouco mais de duas horas. Sabendo disso, ainda em Manaus, Kaira tentou convencer Denyel a optar pela malha aérea, mas ele se recusou a deixar a Hayabusa em estacionamentos públicos, quanto mais a vendê-la. Isso acabou se mostrando um problema mais tarde, porque a máquina não poderia, de qualquer maneira, seguir com eles rio acima – o que os obrigou a alugar um contêiner no porto apenas para guardar o veículo. Cobriram-no com pedaços de lona e rolos de plástico, para conservá-lo da ferrugem e da corrosão, afinal não sabiam quando o veriam de novo. O exilado saiu do depósito irritadíssimo, e ao vê-lo bufando a ruiva não resistiu à pergunta.

– Por que se preocupa tanto com um pedaço de lata?

Denyel a encarou. Apertou-lhe o braço.

– Prometa que virá buscá-la, Faísca, caso alguma coisa aconteça comigo.

– Acha isso realmente necessário? – ela torceu o nariz.

– Esta motocicleta não pode cair em mãos erradas. – E repetiu, quase gritando: – Prometa!

– Tudo bem – ela se rendeu. – Eu prometo.

Em Tefé, os celestes procuraram negociar o aluguel de um barco, mas não encontraram um só habitante que aceitasse guiá-los pelo rio Juruá e de lá em diante. A solução foi comprar uma pequena traineira, de casco de madeira, sem velas, movida a motor, curta e fácil de navegar. Pintada de branco e verde, tinha pneus nas laterais, para amortecer a raspagem no píer. Era controlada do interior de uma cabine minúscula, onde mal cabia uma pessoa.

– Tem certeza que sabe guiar esta coisa? – perguntou Kaira a Denyel, antes de entregar o dinheiro vivo ao pescador.

– Não é a primeira vez que faço essa viagem – ele respondeu, sucinto. Ainda estava aborrecido por ter deixado a moto para trás.

Caminharam sobre um ancoradouro rústico, próximo a uma praia fluvial, na margem esquerda do Solimões. O sol aparecera aquela manhã, mas a umidade era sempre alta, com nuvens de chuva que ameaçavam cair a todo momento. Os afluentes imitavam estradas de águas barrentas, e no horizonte só havia floresta, por centenas de quilômetros, em todas as direções.

Os celestes partiram de Tefé naquele mesmo dia, e ao controle da traineira aos poucos Denyel foi recobrando o humor. Kaira, em especial, nunca estivera tão confiante, em contato direto com a água e a terra. Foi ali, em pé sobre o convés, respirando o ar puro da mata, que ela percebeu o que era ser uma ishim, verdadeiramente – o que significava incorporar os poderes supremos da natureza. Naquele rincão, sua sensibilidade à flora e à fauna era ainda mais apurada. Podia sentir os peixes nadando sob o casco, os pássaros cantando nas árvores e até o lento crescimento das raízes no solo. *A vida na cidade e as facilidades da tecnologia nos afastam não só do mundo real, mas também de nossa própria essência,* ela pensou, e ao imaginar isso compreendeu a aversão que muitos membros de sua casta tinham aos centros urbanos, quando obrigados a descer à Haled.

– Até que você não pilota tão mal – ela elogiou. Tinham conversado pouco até então, primeiro pela urgência da viagem, depois pelo desânimo de Denyel. – Onde aprendeu?

Ele fez uma carranca enigmática, que se misturou ao sorriso ordinário.

– Já fiz de tudo um pouco. – Novamente, uma resposta evasiva, mas ele não queria continuar intragável. Então, mudou de assunto, escolhendo um tema que, ele sabia, seria útil para ambos depois. – Eu me recordo de quando este rio era canalizado, com paredes fortificadas de rocha, comportas, postos de parada e canaletes que corriam para o interior da floresta.

– Este rio era canalizado? – O rosto de Kaira era só ceticismo.

– Acha tão difícil de acreditar?

– Até onde sei, esta área só começou a ser explorada no século XIX. Não há registros de canais de pedra nesta região.

– Aprendeu isso na faculdade? – ele debochou, mas depois prosseguiu. – Houve um tempo em que a selva inteira estava ligada por rotas navegáveis, que conectavam templos, cidades e pirâmides. A hidrovia mais importante começava a leste de Tefé e terminava nas montanhas do Peru.

– Duvido – ela insistiu. – Como ninguém até hoje encontrou os vestígios? Os povos sul-americanos mais antigos datam de quatro mil anos. Nunca uma cultura dessa magnitude desapareceria totalmente.

– Você é uma criança, Faísca. – Denyel se divertia falando assim. – O Império Yamí floresceu há mais de trinta mil anos.

– Impossível. Isso seria antes do aparecimento das primeiras civilizações humanas, datadas de dez mil antes de Cristo.

– Tente tirar essa palavra da boca, "impossível". Nada é impossível. Depois de tudo que já viu, não sei como continua a usá-la. – Ele retomou a narrativa. – Yamí era um dos reinos antediluvianos, que encontrou sua majestade antes da grande inundação que devastou Atlântida, Enoque e tantas outras cidades-Estado pré-cataclísmicas. O dilúvio universal foi a terceira e última grande hecatombe, enviada pelos arcanjos para aniquilar a raça mortal.

Kaira resolveu dar crédito à história.

– É isso que estamos procurando? Uma cidade em ruínas?

– Isso seria bem mais fácil. Os yamís foram inteiramente aniquilados. Nada sobrou, pelo menos não no mundo físico.

– O que estamos procurando, então?

– Eu já disse, não posso contar.

– Se tem uma coisa que eu não compreendo é *você*, Denyel. – A ruiva falava sinceramente, não para criticá-lo. – Já lhe disse isso no motel.

– Sou um produto do século XX, garota. Sou um soldado, e como tal cumpro ordens. Apenas me tornei o que ordenaram que me tornasse.

A arconte sabia que esse era um sinal para inverter a discussão.

– Conhece bem o caminho?

– Estou seguindo meus instintos. Da última vez que estive aqui tudo era diferente, mas acho que encontrarei a entrada. – Ele rodou o timão, respeitando a curvatura do rio. – Tem mais uma coisa. Aconselho-a a manter a mente aberta. Se encontrarmos o que viemos buscar, o que você verá adiante pode ser, digamos, uma experiência um tanto excêntrica.

Kaira tentou imaginar o que poderia ser mais excêntrico do que lançar bolas de fogo ou combater um anjo de trevas. Mas acabou aceitando a sugestão do celeste e se preparou para encarar qualquer realidade, por mais fantástica que fosse.

O sol se deitou. Começou a chover. Penetraram no rio Juruá, e de lá rumaram para um de seus mais estreitos afluentes. Uma névoa fria sublinhou o canal, e os anjos navegaram a noite toda, até o astro dourado ressurgir com o calor da manhã. Denyel virou a embarcação e a guiou por um braço comprido, quase um riacho, até uma enseada bloqueada por um enorme rochedo. Do topo descia uma belíssima queda-d'água. As árvores ao redor encobriam o céu, formando uma obscura gruta de plantas.

– É aqui – anunciou o celeste. – Eu acho.

34
VÓRTICES E VÉRTICES

A PROFUNDIDADE DO CASCO NÃO LHES PERMITIU ATRACAR PRÓXIMO DA MARgem, então Denyel lançou âncora, desligou o motor, ajustou o cabo da espada e se preparou para pular. Kaira checou a munição da pistola – oito cartuchos prontos para ser disparados.

– O tecido aqui é finíssimo – ela já começava a identificar as variações. – Tem a mesma consistência de seu santuário, no porão.

– Esta região nada mais é do que um grande santuário, toda ela, precisamente como era o planeta nos dias anteriores ao dilúvio.

O exilado saltou para a margem, mas Kaira não tinha a habilidade de controlar o equilíbrio, então arremessou a mochila na terra, mergulhou de cabeça, nadou alguns metros, afastou as algas que grudavam na roupa e escalou as pedras que cercavam a enseada. Recolheu a bolsa, prendeu-a às costas e dali observou melhor o entorno. O riacho terminava num fosso de águas cristalinas, modelado pela erosão da cachoeira. O fundo era lodoso, embaçando qualquer percepção clara do leito. Rachas e gretas, grandes e pequenas, picotavam o paredão, escondendo peixes e répteis – e, quem sabe, criaturas mais fabulosas, ela imaginou.

Denyel tomou sua mão e a ajudou a subir dos pedregulhos à mata. Juntos, penetraram na selva fechada, e, apesar do calor matutino, abaixo das árvores a temperatura era gélida. O nevoeiro que sublinhava o rio deu lugar à cerração, e à medida que avançavam a umidade crescia. O chão era lama pura, e os troncos estavam cobertos de musgo. A densa vegetação retardava o progresso, mas por algum motivo o exilado resistiu a sacar sua arma.

– Este recanto não deve ser profanado – explicou. – É uma floresta sagrada. Algumas dessas plantas estão aqui há milhares de anos.

Como quase nunca concordavam, Kaira achou por bem apoiá-lo.

– Parece que as árvores estão vivas. Quero dizer, não apenas biologicamente. É como se fossem conscientes.

– O universo inteiro é consciente. – Dessa vez ele não falava só para demonstrar sabedoria. – Existem vários níveis de consciência, a dificuldade está em se conectar a elas. A sensação que você está provando é própria de sua casta e obviamente aflorou aqui, onde o tecido é suave.

Caminharam por mais alguns quilômetros e, ao avistar um regato, optaram por uma curta parada. Denyel explorou marcas no solo, examinou flores e raízes, procurando pistas da direção.

– Ainda falta muito? – Kaira perguntou.

– Se estivermos no caminho certo, alcançaremos a entrada no início da noite.

– E se estivermos errados?

– Aí teremos de voltar e recomeçar do zero. Pode levar semanas até encontrarmos a passagem.

– Semanas?

– Veja pelo lado bom. Não morreremos de fome. – Ele amarrou o cadarço e regressou à picada. – Vamos lá.

Por várias horas, Kaira e Denyel desbravaram vales, subiram montanhas, cruzaram ribeiros, transpuseram lagos, exploraram árvores, cavernas, cascatas e fontes. Quando a noite caiu, a ruiva teve a impressão de que estavam definitivamente perdidos, até que o exilado parou a trinta metros de uma clareira, sinalizando para que não fizesse barulho.

– Está vendo aquela bruma, além do matagal? – sussurrou. A claridade da lua era escassa, mas suficiente para enxergarem adiante. – É uma manifestação etérea. Estamos próximos do vértice agora.

– Estamos atrás de outro vórtice?

– Não. Vórtices são túneis dimensionais. O que buscamos é um *vértice*. – E se apressou a esclarecer: – Os vértices são áreas demarcadas em que os mundos físico e etéreo se cruzam. São interseções planares e funcionam como bolsões, onde tanto criaturas materiais quanto seres etéreos podem se encontrar.

– O que seriam essas criaturas etéreas? Fantasmas?

– Fantasmas são almas atormentadas, eternamente presas ao plano astral. O plano etéreo é o refúgio dos antigos deuses humanos. São entidades dotadas de grande poder, mas incapazes de se materializar. Muitos vértices foram criados no passado, justamente para permitir a interação dessas divindades com seus sacerdotes tribais. Hoje são raríssimos, já que não resistem ao menor abalo no tecido.

– É a razão pela qual viemos para cá, para nos encontrar com esses deuses? – Kaira fez uma pausa. – E quem são eles? Achei que só houvesse um *Deus*.

– Há um único Deus criador, Yahweh, o mesmo que nos deu à luz e fertilizou a humanidade. – Denyel falava em murmúrios, enquanto progredia pelo terreno. – As divindades etéreas nada mais são do que espíritos evoluídos, que inspiravam seguidores e seitas, por isso são chamados de "deuses". Agora o que precisamos é localizar o ponto de entrada.

– Existe um ponto específico de acesso?

– Não só isso. Certos vértices só se abrem em determinadas horas do dia, ou em ocasiões especiais, como o alinhamento dos astros. Outros necessitam de chaves místicas. Vamos torcer para que o nosso seja do tipo mais simples.

Andaram por mais uma hora, indo e voltando, caminhando em círculos sob o nevoeiro. A bruma dificultava a visão, e a iluminação fraca da noite não ajudava. A vegetação era uniforme, sem marcos distinguíveis. Denyel sentou-se sobre um tronco apodrecido, para planejar a próxima ação.

— E se a entrada não for por aqui? — Kaira sugeriu.

— É por aqui, tenho certeza. Teoricamente só precisaríamos sentir as vibrações da membrana e seguir ao local onde ela é mais fina. Mas pelo que vejo há algum efeito místico confundindo a nossa percepção. Eu já devia ter imaginado que eles fariam de tudo para ocultar a passagem.

— É uma forma eficiente de defenderem suas fronteiras — ela reconheceu. — O que faremos?

— Não sei. — O anjo estava impaciente. — Aceito sugestões, embora não veja como você pode me ajudar.

Kaira reparou no brilho prateado da lua, que ali chegava em raios oblíquos, através da copa das árvores. Vasculhou a mochila, como fazem os exploradores em viagem, avaliando os objetos que pudessem ser úteis. A atenção deteve-se no celular, que mantivera desligado para economizar bateria.

— Denyel — ela o chamou. — Antes de eu ser atacada na república, as luzes do corredor tremularam. Por quê?

— Efeito da materialização. Qualquer alteração na película afeta as energias na área, incluindo as correntes elétricas, ainda que por poucos segundos.

— Sério?

— Seríssimo. — Ele descontraiu usando um exemplo banal. — Nunca leu histórias de terror em que as lâmpadas vacilam quando a assombração aparece? Isso acontece de fato, sempre que um fantasma tenta projetar sua imagem através da película. É uma técnica chamada de *aparição*.

— Bom, então que tal usarmos isso? — ela tirou o telefone da bolsa.

— Duvido que as entidades nativas tenham mascarado o vértice contra dispositivos assim.

— Seria perfeito. — Denyel abriu um largo sorriso. Não queria admitir, mas a ideia era genial. — A bateria vai falhar quando o tecido decair. — Estendeu a mão. — Dê-me o aparelho.

— Não mesmo. A ideia foi minha. Se quiser, me acompanhe.

A ruiva saiu pela mata. Nada contra Denyel, até que trabalhavam bem em equipe. Mas ela não tolerava mais o querubim se gabando de ter soluções para tudo. Seus modos eram patéticos, e ela precisava ganhar seu respeito.

– Não seja infantil – ele protestou, enquanto a perseguia.

– Infantil? Sou sua superior.

– Mas ainda insiste nisso? – Ele arredou uma samambaia gigante. – Já expliquei. Não lhe devo obediência. Você é uma arconte de Gabriel. Eu, um soldado do arcanjo Miguel.

– *Era*. Não rejeitou o Príncipe dos Anjos quando nos deu abrigo em seu santuário? – Ela não desgrudava os olhos do celular. – Não quer anistia?

– Sim. E daí?

– Se Gabriel o aceitar, terá de me obedecer. Portanto, é melhor ir se acostumando.

– Está querendo me provocar, Faísca?

Num bote traiçoeiro, Denyel tentou roubar o aparelho, mas ela se desviou, e acabou irritada com a atitude.

– O que há com você? Eu lhe dei uma *ordem*!

– Desprezo suas ordens.

A rebeldia do anjo a enfureceu, e os dois interromperam a caminhada para discutir.

– Está indo longe demais, querubim. – Ela sacou a Beretta. – Vai fazer o que eu mando.

Denyel não desejava o confronto, mas era de natureza petulante. Materializou a espada.

– Se vai atirar em mim, melhor antes destravar a pistola – zombou. – Acabo com você num piscar de olhos.

Ela estava disposta a pagar para ver.

– Tente.

Subiu a trava da arma e os dois se encararam num inconveniente dilema. Tinham avançado, meio sem querer, além de seus próprios limites, e agora não podiam mais recuar. Se Kaira cedesse, perderia para sempre a autoridade, e se Denyel desse para trás jamais recuperaria o moral. Estavam num impasse, cada qual pronto a lançar seu assalto. O exilado ergueu a lâmina sagrada, e a ruiva puxou o cão da Beretta.

Então, a luz do celular oscilou. Imediatamente a tensão do combate morreu, e os anjos se viraram para o aparelho, firmando uma trégua espontânea.

– Viu isso? – Denyel foi o primeiro a falar. – Parece que estamos perto.

Kaira levantou o telefone, e a energia da tela iluminou toda a clareira. Em volta deles, havia seres medonhos, criaturas de corpo animal, mas sagacidade humana. Lembravam lobos pequenos, ligeiramente menores que os lupinos europeus, quase como cães supercrescidos. A pelagem tinha coloração castanha, com os fios negros nas patas e sobre a nuca agora eriçados para a batalha. As orelhas grandes lhes davam um aspecto vampiresco, com os olhos brilhando no escuro. Emitiam um rosnado perturbador, baixo e constante. Exibiam presas aguçadas, pingando saliva, tornando óbvia a disposição para o ataque.

– Na verdade, acho que já chegamos – ela constatou.

35
ENTRE FERAS E LOBOS

Kaira e Denyel não sabiam exatamente quando ou onde havia ocorrido a transferência planar, porque estavam discutindo no momento em que ingressaram no vértice. Talvez por isso, por aquele indesejável embate de egos, tivessem sido apanhados em flagrante pelos vigias que os aguardavam, muito bem preparados para conter qualquer invasão.

O conflito de emoções entre os dois, aliás, era natural. Os anjos também têm sentimentos, o que não é exclusivo da raça mortal. Prova disso eram os próprios arcanjos, como Miguel, que por ciúme decidira aniquilar a humanidade, lançando à terra fabulosas catástrofes. Lúcifer também não era muito diferente – queria ascender acima de Deus e por sua ambição fora relegado ao inferno. A cronologia do universo está repleta dessas figuras passionais, inclusive daquelas que, como Gabriel, se arrependeram e decidiram lutar em prol dos terrestres.

– Não se mexa – aconselhou Denyel, absolutamente estático. Ao seu redor contou dez lobos, e aparentemente não havia como escapar.

– Acha que eles nos entendem?

– Óbvio que entendem. – E acrescentou: – Fique calma. Tenho uma carta na manga.

Mas o trunfo gorou antes mesmo de ser posto na mesa, quando uma flecha de penas azuis foi lançada na noite, direto ao coração da arconte. Denyel enxergou o tiro chegando e, com suas reações felinas, pulou sobre ela, salvando-a da trajetória mortal. A seta a acertou de raspão, cortando-lhe o braço esquerdo abaixo do ombro. Kaira sentiu uma dor como nunca provara e deu um grito de aflição ao se deitar sobre a grama. Denyel a protegia, mas ainda estavam rodeados pelos abomináveis lupinos, presos numa roda de garras e dentes.

Observando que os animais não os atacavam, o querubim concluiu que havia esperança de evitar a peleja. Decidiu apostar todas as fichas. Largou a espada e se levantou, com as mãos para cima.

– Sou Denyel, da casta dos querubins – falou em voz alta. – Viemos à procura de Andira.

– Sabemos quem você é – exclamou uma criatura, de espécie completamente distinta, que aos poucos se tornava visível na negritude silvestre. Apareceu finalmente quando os cabelos irromperam em labaredas, formando línguas de fogo sobre a cabeça. Os olhos ardiam em brasas profundas, e as orelhas se afinavam nas pontas. O corpo era humano, moreno, e trajava uma tanga de palha, que lhe cobria o sexo. Carregava um arco de madeira com flechas de plumas coloridas, mas o detalhe realmente bizarro estava nos pés: os calcanhares se voltavam para frente, como se encaixados de forma contrária. – Sua presença é tolerada, mas tenho ordens para exterminar qualquer celestial que cruze estas bordas – a voz crepitava feito carvão. – Entregue-a e poderá passar.

Kaira ergueu-se devagar, com a mão espalmada sobre o machucado. O corte doía, mas por sorte era apenas um arranhão. Olhou para Denyel – o que ele iria fazer? Decidiria entregá-la, como era de seu feitio, ou novamente usaria seus segredos para ludibriar o guardião? Dada a briga que tiveram minutos antes, a ruiva apostava na primeira opção.

– Sinto muito por trazê-la aqui. Minha intenção era boa – ele soprou, sem que os lobos o ouvissem. – Sabe que não podemos vencê-los, não sabe?

– Faça o que quiser. – Kaira não depositava nele mais nenhuma esperança. – Já esperava isso de você.

O anjo a encarou seriamente e, nas poucas vezes em que agia assim, ganhava brilho de herói, exorcizando o detestável rebelde que o possuía na maior parte do tempo.

– Está me insultando?

Entrementes, a criatura a distância pôs no arco outra flecha, cuja ponta fora especialmente forjada para trespassar entidades celestes.

– Não vou repetir – o monstro ameaçou, certo de que ele capitularia. – Empurre-a para cá.

– Ainda estamos juntos? – O exilado apertou a mão da ruiva. Ela concordou com a cabeça.

– Pode apostar.

Desde que havia despertado para sua essência divina, Kaira descobria novos impulsos a cada dia. Um deles aconteceu ali mesmo e dizia respeito à natureza dos anjos. Os celestiais não têm alma, como os seres humanos, e para eles não há vida após a morte. Se o espírito angélico for destruído, a energia da aura regressa ao contínuo do cosmo, como uma força flutuante e impessoal. Talvez por isso sejam tão persistentes, lutando até o último suspiro por sua existência. Para os celestes, a fé não é essencial – eles não precisam acreditar: eles sabem, fazem, executam, eles são anjos, mensageiros de Deus. E foi assim que Yahweh os criou, não para saborear as incertezas terrenas, mas para servir ao Criador, sem vacilos ou falhas.

A criatura retesou o arco e, ao ter os celestes na mira, não havia chance de erro. Kaira só teve tempo de fechar os olhos, mas ao fazer isso seu espírito respondeu. O fogo na testa do arqueiro se elevou num clarão, como se um gigante o assoprasse. A detonação não o feriu, mas o disparo saiu torto, atrapalhado, errando o alvo por muito. A flecha zuniu, desceu, atravessou a garganta de um lobo, penetrando-o mortalmente.

A floresta se iluminou, ofuscando as bestas que os rodeavam. Denyel aproveitou o ensejo para, com o pé, chutar ao alto sua arma. Agarrou-a com as mãos e, num golpe já conhecido, cortou a dianteira em semicírculo, derrubando três animais. A ofensiva desfez a formação, abrindo caminho para que fugissem.

– Por aqui – disse ele. Os dois correram pela floresta, mas rapidamente já estavam sendo acossados. Os animais rosnavam, perseguindo-os como cachorros que defendem o terreno. Eram velozes, conheciam a mata, e havia pouca esperança de resistirem sem luta.

– Conhece a saída deste lugar?

– Só existe uma saída, aquela por onde entramos. Precisamos chegar ao templo. Talvez se Andira...

A explicação foi interrompida por uma intensa chuva de flechas, que se precipitou vinda do ar. Trepados nas árvores, surgiram dezenas de arqueiros, notáveis de longe pelas mechas de fogo, que agora acendiam como archotes pendurados nos troncos. Um uivo convocou a alcateia à caçada, e a pouco mais de vinte jardas eles escutaram pegadas – era a matilha que se aproximava.

Com o perigo espreitando no céu e na terra, Kaira e Denyel apertaram o passo, até se depararem com uma escadaria de pedra que subia ao topo de uma montanha, cuja crista se escondia entre a névoa. Era o primeiro indício que encontravam das construções ancestrais e sem hesitar galgaram os degraus, só para avistar mais lobos à frente. Dois deles atacaram o exilado, mas ele se defendeu perfurando-os com sua lâmina. Outro pulou sobre a moça, que para proteger o rosto se virou de costas, num reflexo ainda tipicamente humano.

A mordida rasgou a mochila, espalhando na escada todos os seus pertences – carteira, documentos, radinho de ouvido e o adorado ursinho de pelúcia. No meio da confusão, rolou também a pirâmide negra, que naquele recanto etéreo vibrava com especial majestade.

Repentinamente, os ataques cessaram. As flechas pararam de cair, os rosnados silenciaram, os uivos sumiram. A fera estacou sobre ela, babando, cheirando-lhe a pele, mas paralisando o assalto. A ruiva podia sentir o odor dos pelos escuros, as patas prendendo-a contra a pedra. Um dos arqueiros desceu de um galho e apanhou o objeto, examinando-o contra o brilho da lua. Kaira e Denyel aguardaram, certos de que alguma coisa aconteceria.

– Venham comigo – intimou o cabeça de fogo, e apesar do armistício seu tom não era benévolo. O lobo recuou, e toda a matilha deu passagem aos prisioneiros.

Os anjos obedeceram, não para desistir da batalha, mas porque estavam curiosos – lutar era e sempre fora a última alternativa.

– Parece que Andril acaba de salvar nossa vida – comentou Denyel. – Quem diria.

– Será que vão nos poupar por conta dessa relíquia?

– Não vejo outro motivo. – Eles avançaram selva adentro, escoltados pelas entidades guerreiras. – Qual é o poder da pirâmide, afinal?

– Também não sei. Levih disse que era um receptáculo.

– Um receptáculo de quê?

– Tenho a impressão que vamos descobrir esta noite.

Os arqueiros conduziram Kaira e Denyel até um paiol de vinte metros de altura, no meio da floresta tropical. Enquanto caminhavam, apreciaram melhor, agora sem a adrenalina do combate, a beleza daquela paragem fantástica. Havia ali uma harmonia especial, "como era o planeta nos dias anteriores ao dilúvio", segundo as palavras do exilado. As árvores eram muito maiores, fora dos padrões comuns, o que não parecia resultado de nenhum efeito místico. De fato, muitas daquelas plantas eram pré-históricas, ali preservadas por milênios. Samambaias gigantes, cogumelos do tamanho de cabeças humanas e arbustos com folhas enormes, de coloração viva, nasciam em toda parte. As raízes, em certos lugares, formavam altas paredes de madeira fresca, como baias imensas de densa espessura. Os galhos e caules, muitos deles, estavam cobertos por cortinas de musgo, ervas e teias de aranha, e por ali corriam animais dos mais variados – um bom número deles, Kaira soube depois, era dotado de inteligência e auxiliava os espíritos superiores na tarefa de vigiar e proteger o local.

A noite no vértice era igualmente incrível, cheia de vida, com vagalumes piscando, pássaros cantando e o ruído tranquilizante dos riachos e quedas-d'água. Na confiança de que sobreviveriam à captura, Denyel aceitou entregar sua espada, Kaira deixou que recolhessem seus objetos pessoais – incluindo o celular e a pistola – e assim foram trancados na bastilha, uma espécie de torre cônica que só tinha um cômodo e formava uma cela, com três metros quadrados e teto elevado, de onde se podia enxergar a lua através de uma grade, à altura de uma chaminé. As paredes internas haviam sido erigidas a partir de um único bloco de pedra e estavam talhadas com hieróglifos cujo sentido o querubim sabia decifrar.

O ferimento no braço de Kaira era superficial. A flecha arranhara a pele, formando uma escoriação ao redor do risco vermelho. Gotículas minúsculas de sangue surgiram após o ataque, mas não chegaram a verter mais do que dois ou três pingos. Ainda assim, o machucado ardia, e ela não se lembrava de já ter provado esse tipo de dor. Supôs que a seta estava envenenada, mas, ao comentar com Denyel, ele contou o que sabia.

– Dano espiritual – explicou. – Dentro do vértice, todos os ferimentos afetam igualmente o corpo e o espírito, assim não podemos regenerá-los. Você vai se recuperar no mesmo ritmo de uma mulher mortal.

– Ainda bem que foi de raspão. – Ela amarrou o bíceps com uma tira de pano. – Mas o que há neste lugar que nos faz tão vulneráveis?

– Como eu já disse, estamos em uma área de interseção planar. Mesmo as armas mundanas poderiam nos aniquilar aqui. Um golpe no coração significa a morte final para nós.

– Foi por isso que invoquei o clarão tão facilmente? Não senti dificuldade aparente.

– A nossa... – ele escolheu a palavra – *discussão* lhe deu o estímulo que precisava, mas no fundo a sua impressão está certa. Os vértices não são iguais aos santuários, como o meu porão ou a caverna de gelo. Aqui a película *não existe*, simplesmente. Era o que permitia aos mortais interagir com essas criaturas etéreas.

– Entendo. – Kaira reparou nas paredes de rocha. – Por que acha que nos trouxeram para esta masmorra? Não foram excessivamente agressivos? Nada fizemos contra eles.

– De certa forma, fizemos – ele sorriu, dissimulado. – Esta não é uma masmorra, mas uma biblioteca. Certamente querem nos fazer lembrar o motivo pelo qual fomos atacados.

– Uma biblioteca sem livros?

Denyel pediu que ela aquecesse as mãos, para usá-las como tochas, uma divindade básica que a ruiva já produzia sem muito esforço. As chamas iluminaram os hieróglifos, que não pareciam exatamente egípcios – estavam mais próximos dos caracteres pré-colombianos, com ângulos curvos, retratando rostos, cobras, dentes e monstros, e todos juntos davam unidade à palavra. As laterais do calabouço estavam repletas desses pictogramas, e Kaira reconheceu que aquele era um recurso muito mais duradouro do que gravar mensagens em pergaminho ou papel.

– Quer ouvir uma história? – instigou Denyel.

– Quero saber por que viemos para cá, no fim das contas.

– Quando a raça humana começou a se desenvolver como civilização, surgiram os heróis. Homens e mulheres fortes e sábios que, por suas façanhas, eram tidos como modelos inabaláveis. A adoração a muitos desses ídolos não só continuava após sua morte, mas crescia. Agraciado pela força inquestionável da fé de seus seguidores, o espírito desses campeões ganhava poder. – Ele se sentou no chão. – Retidas no plano etéreo justamente por essa ligação, tais divindades passaram a ser chamadas de *deuses* e se tornaram objeto de veneração. Quanto mais eram adoradas, mais poderosas ficavam. Naturalmente isso não agradou os arcanjos, que se consideravam entidades supremas. Irritados, eles juntaram suas tropas e iniciaram uma série de incursões militares cuja missão era varrer do mundo espiritual esses espíritos divinizados. E assim tiveram início as Guerras Etéreas.

– A julgar por tudo que me contou até hoje, vejo que nem sempre somos os mocinhos.

– Definitivamente não. Mas Miguel não sabia quão fortes eram os espíritos etéreos, e a campanha fracassou. Em quase todas as batalhas, fomos derrotados, saindo escorraçados das regiões onde lutamos: Europa, África, América e Extremo Oriente. Colecionamos pouquíssimas vitórias, e o Oriente Médio foi a área mais promissora.

– Esse é o motivo da nossa prisão?

– Você perguntou a razão de nos agredirem. Estive nesta floresta há vinte mil anos e compartilhei desse fracasso. Muitos celestiais foram mortos, capturados, outros executados. Eu escapei, graças a um acordo.

– Foi a partir daí que se tornou um exilado?

– Não... Naquela época eu era um soldado exemplar. Negociei a nossa rendição e salvei incontáveis combatentes detidos. – Ele riu, constrangido. – Sempre levei jeito para a coisa.

– Por isso não o mataram? Isenção diplomática?

– Essa é uma analogia humana para explicar uma situação bem mais complexa. Não funciona assim, mas você pode entender dessa forma.

– Seu acordo não incluía trazer outros anjos para cá – ela presumiu.

– Minha promessa era não revelar a ninguém a localização deste vértice. Quando os arqueiros e os lobos a viram, provavelmente julgaram que eu havia quebrado o pacto.

– Acha que pode convencê-los do contrário?

– Se conseguirmos falar com Andira, sim.

– Quem é ela?

– A deusa mais antiga do povo yamí. É quem comanda este panteão, ou pelo menos comandava na época em que estive detido. Eu contava com os poderes dela para nos ajudar a resolver o seu pequeno problema. Andira tem habilidades comparáveis às dos hashmalins, não iguais, mas que funcionam no mesmo sentido. Creio que ela poderia remover o espírito da menina Rachel.

– Finalmente uma resposta direta – Kaira suspirou. – Por que não disse antes?

– Como lhe falei – ele abriu os braços, num gesto que resumia o lugar onde estavam –, era segredo.

– Não pensei que fosse tão devoto a suas promessas.

– Você me julga errado, garota. Fiz algumas escolhas questionáveis, admito, e não me orgulho disso. Mas entre o céu e a terra somos todos imperfeitos. Arcanjos, anjos, deuses, humanos, demônios... Não há quem possa me condenar.

– Frases feitas. Quantas vezes já foram usadas por bandidos, carrascos e assassinos?

Denyel respirou fundo, analisando sinceramente a questão.

– Verdade – reconheceu. – Mas o que você faz quando suas mãos já estão manchadas de sangue?

– Sempre existe uma porta aberta para a redenção. Eu penso assim, pelo menos.

– Não para mim, Faísca. – Ele se levantou ao escutar um estalo. – Não para mim.

A porta do paiol – um pesado bloco de pedra retangular – se abriu, correndo para o lado ao ser movida por um mecanismo externo. Outro arqueiro com cabelos de fogo apareceu no umbral e os convocou a sair.

– Vocês devem me acompanhar agora – anunciou, com a mesma voz crepitante.

– Aonde vamos? – questionou Kaira.

– Ao templo.

36
O TEMPLO YAMÍ

Kaira não tinha ideia da extensão e da magnitude do vértice, até porque nunca havia estado em um, ou pelo menos não se lembrava. Quando o arqueiro mencionou a existência de um templo, ela idealizou uma oca indígena, ou no máximo uma caverna organizada para adorar divindades. Mas o que viria a seguir era, como Denyel havia previsto, "uma experiência um tanto excêntrica".

À luz ofuscante do sol nascente, Kaira reparou que no centro do vértice havia um gigantesco complexo fortificado, formado por um castelo, uma cidadela e várias torres, todos construídos sobre um conjunto de três montanhas, cobertas de árvores e entrecortadas por cachoeiras altíssimas, que desenhavam véus brancos na paisagem escarpada. A aparência dessas construções, ao contrário do que muitos imaginariam a princípio, nada tinha de semelhante aos grandes castelos da Europa. Eram feitas de um mineral cinzento e seus traços compunham uma incrível mistura das arquiteturas pré-colombiana e indiana, como seriam mais tarde conhecidas. O edifício principal lembrava as pirâmides astecas, mas em vez de quadrado era cônico, portanto muito mais alto e delgado.

Uma escadaria – a mesma que eles haviam encontrado à noite – traçava o caminho até a última plataforma, e sobre ela descansava o templo, também de laterais coniformes e dentadas. Se analisasse de perto, o visitante notaria que nenhuma parede sequer era lisa – cada pedra fora trabalhada com linhas em alto e baixo-relevo, formando uma multiplicidade de figuras simples e complexas, que representavam desde astros e flores a deuses e animais. Muralhas e escadas auxiliares delimitavam a fortaleza, com mais torres e bastiões que surgiam da mata, em meio às árvores e nas encostas mais íngremes.

Nuvens baixas dividiam espaço, no céu, com os espigões ancestrais, e Kaira ficou a pensar como as entidades etéreas ocultavam as montanhas, já que aquela cidade existia também no plano físico. Como nunca fora localizada por aviões, ou mesmo por pioneiros que exploraram a floresta? Conforme lhe disseram mais tarde, uma cobertura mística mascarava o terreno, dando aos baluartes a imagem de morros rochosos aos que os enxergassem de fora. Esse formidável manto invisível tinha, ainda, a propriedade de desviar qualquer objeto, terrestre ou aéreo, fazendo-o encontrar outro sítio. Fora essa cobertura que impedira os celestes de, mais cedo, ingressar no bolsão, obrigando-os a andar em círculos pela clareira, até achar o ponto de acesso. O mesmo efeito mantivera o recanto livre da ação humana e angélica por anos, e era assim que seus ocupantes gostariam que permanecesse.

Os dois anjos venceram a escada, e felizmente eram mais resistentes à fadiga do que os homens normais, porque a ascensão demorou vários minutos. O calor era amenizado pelas gotículas de água que subiam das cachoeiras, envolvendo a cidadela numa névoa refrescante.

Sobre o terraço superior ficava o impressionante templo de Andira, com seus trinta metros da base ao cume. Uma passagem equilátera conduzia ao salão, uma câmara de dez metros de diâmetro, com pilastras coladas às paredes e uma pira circular no centro, feita de cobre, que queimava lenha aromática. A fumaça escapava por uma abertura no topo, ornada por um anel de ouro maciço, com pontas triangulares que representavam a figura do sol.

Kaira e Denyel foram deixados livres, mas não viram por ali nenhum altar, elemento essencial a qualquer casa de adoração. Mas nem precisava. Os deuses da selva eram uma realidade presente e se comunicavam diretamente com seus súditos nos tempos anteriores ao dilúvio. Foi assim que os dois celestiais contemplaram, maravilhados, o semblante de Andira, a senhora do vértice, divindade dos sonhos e da noite, cultuada pela antiga civilização yamí.

A julgar pelos monstros que defendiam a floresta, a arconte esperava encontrar outra criatura esquisita, mas Andira era uma mulher em todos os traços, com longos cabelos negros cortados em franja, pele morena e olhos castanhos tão claros que imitavam o brilho do âmbar. O corpo era jovem, esbelto, os seios fartos e firmes, ocultos por uma tira de couro, e sobre os quadris vestia uma saia de tecido, que descia à altura dos joelhos. Um bracelete dourado chamava atenção como a única joia que possuía. O rosto estava pintado com tinta vermelha, desenhando listras retilíneas na testa e sobre as pálpebras.

Kaira sentiu um poder admirável quando a deusa se aproximou. Apesar de os espíritos etéreos não terem aura, possuem uma energia semelhante, tão intensa quanto, que lhes possibilita realizar proezas fantásticas. Andira era obviamente muito mais forte do que ela e Denyel, e poderia esmagá-los se assim desejasse.

A vista âmbar recaiu sobre o exilado, e, quando a ruiva ia se pronunciar, perdeu a fala ante a situação inesperada. Em vez de condená-los, Andira abraçou o celeste com delicadeza indiscreta, e em seguida o beijou. Kaira ficou lívida, paralisada, absorta naquela cena que não sabia se era cômica, surreal ou bizarra.

— Eu avisei que você não deveria retornar, nunca mais — falou a entidade, afastando seus lábios do anjo. A voz era suave, sensual, e a arconte entendeu que havia alguma coisa entre eles.

— Não tive escolha.

Andira reparou em Kaira pela primeira vez.

— Vocês escaparam por um triz. Não fosse o artefato que trouxeram, já estariam mortos agora. Nem *eu* poderia poupá-los.

— Um momento — a ruiva interrompeu, num misto de perplexidade e irritação. — O que está acontecendo aqui?

– O que há com ela? – estranhou Andira, dirigindo a pergunta a Denyel. Mas a própria Kaira respondeu.

– Vocês são anjos, deuses. Estamos no meio de uma guerra.

A deusa virou-se para ela e, com tranquilidade, devolveu o argumento.

– Fala como se fôssemos uma espécie distinta. Eu mesma já fui humana, nasci como humana, vivi como humana. E morri como humana.

– Mas isso foi há milhares de anos.

– Milhares, centenas, dezenas de anos... No fim, somos todos iguais, feitos da mesma matéria cósmica. Veja o exemplo de seus líderes. O arcanjo Miguel tentou destruir a humanidade por ciúme de Deus, e Gabriel abandonou o irmão para defender uma criança.

Denyel procurou amenizar a discussão, mudando abruptamente de assunto.

– Kaira não é uma celeste normal.

– Eu sei – Andira já havia percebido. – Há um espírito preso em seu avatar.

– Foi por isso que viemos – disparou Kaira, deixando clara sua real intenção.

– Acha que pode nos ajudar? – o querubim pediu gentilmente.

– Talvez. Mas, antes, vocês precisam me esclarecer várias coisas. – Ela caminhou para o fundo da câmara e os convocou a segui-la.

Definitivamente, a excentricidade daquele recanto estava além das previsões. De repente – e mais uma vez – pareceu à arconte que o mundo tinha virado de pernas para o ar. Mas Andira estava certa, ela pensou. Finalmente compreendia por que os arcanjos sentiam tanto ódio da humanidade – eram iguais em muitos aspectos, então por que Yahweh dera aos humanos a terra, a alma e o livre-arbítrio, pedindo aos anjos que se curvassem?

Voltou suas atenções a Denyel e o encarou como se perguntasse como, onde e por que firmara aquela relação com a senhora da noite. O exilado pareceu entender e declarou num cochicho:

– Sempre levei jeito para a coisa.

Os três deixaram o salão por uma passagem nos fundos, triangular, que dava acesso à plataforma sobre a seção posterior do templo, diretamente oposta à escadaria principal. Dali avistaram o horizonte sob um novo ângulo, com a floresta imitando um oceano de folhas e galhos. Numa meia-coluna repousava o artefato negro, a pirâmide em miniatura que eles haviam trazido do santuário de Andril.

– Imagino que vocês saibam a importância deste objeto – Andira segurou o fragmento, que ao menor toque parecia vibrar. – Preciso que me digam onde e como o acharam.

Kaira decidiu contar a verdade, afinal não tinha nada a temer. Estava curiosa sobre a natureza mística da peça desde a fuga da caverna de gelo, e quem sabe a índia pudesse esclarecer sua origem.

– Nós o encontramos no refúgio de nosso inimigo, Andril, um ishim do gelo, arconte do príncipe Miguel. É contra ele que temos lutado todo esse tempo. – Os olhos verdes fitaram a selva. – Não temos a menor ideia para que serve, mas o ofanim que nos acompanhava disse que se tratava de um receptáculo. Por isso o guardamos conosco, enquanto não descobríamos sua verdadeira utilidade.

– Não é um receptáculo, é uma chave – afirmou a deusa, mostrando a estranha runa inscrita na base. – Vê esta marca? É o brasão de uma das mais célebres colônias atlantes, Athea, e a pirâmide funciona como uma porta de acesso.

– Eu devia ter reparado – lamentou Denyel. – Embora nunca tenha estado em Atlântida, o formato da runa é característico. Mas, pelo que me lembro, Athea não era propriamente uma colônia, e sim um posto avançado.

– Era um pouco mais do que isso, Denyel – explicou Andira. – Era um ponto de veneração, uma estância construída para reverenciar as criaturas celestes. Diferentemente de muitas nações antediluvianas, que odiavam e desafiavam os anjos por suas catástrofes, os atlânticos adoravam Yahweh e as entidades aladas. E nem essa obediência os poupou do dilúvio que arrasou o planeta.

– Uma ironia, de fato – acedeu o exilado, lembrando que muitos anjos simpáticos aos atlantes se uniram a Lúcifer na primeira revolução contra o arcanjo Miguel. – Tento imaginar o que Andril pretendia com este artefato.

– Para que celestes e terrenos confraternizassem em igualdade, os sábios de Atlântida transformaram Athea em um vértice, exatamente como este lugar onde estamos. Muitos alados trabalharam em conjunto com os mortais, utilizando a cidadela como rota de transporte para ir e voltar de outras dimensões.

– Não estou acompanhando – confessou Kaira. – Disse que os anjos e os homens trabalharam juntos. Como? Os sábios os ajudavam a abrir portas e vórtices?

– Isso nunca foi necessário. A colônia foi fundada no decorrer de longas investigações místicas. Os regentes perseguiram padrões de energia até localizar um dos afluentes do rio Oceanus, uma das mais conhecidas vias de ligação entre os reinos cósmicos e o mundo dos homens.

A ruiva se recordou dos ensinamentos de Denyel, e a alegoria ao cosmo feita com *ketchup* e mostarda sobre a bandeja de *fast-food*. O Oceanus, assim como o Styx, conectava o plano etéreo às inúmeras dimensões paralelas, mas isso ainda não explicava o interesse de Andril.

– Um vértice dotado de passagens místicas – refletiu o exilado. – Não vejo local melhor para a adoração aos celestes. Deve ser uma região carregada de grande poder criador.

– Os atlantes descobriram dois afluentes durante o curso de seu império – continuou a deusa. – Um deles, Athea, ficava nas profundezas do Atlântico, e outro, Egnias, sob os desertos da África. Miguel enviou agentes para encontrar essas passagens nos dias que se seguiram ao dilúvio, mas o cataclismo deslocou as colônias, de modo que continuam perdidas até hoje.

– Se é que não foram totalmente arrasadas – opinou Denyel.

– Esta é a prova de que Athea ainda existe – Andira ergueu o artefato – A dúvida é *como* esta chave chegou às mãos de seu inimigo e o que ele desejava com ela.

Sem suas lembranças, Kaira era leiga em muitos assuntos, mas sempre fora rápida em questões lógicas; era um traço marcante da casta –

os ishins são os arquitetos do universo, artistas empenhados, hábeis em calcular tamanhos, distâncias e executar equações matemáticas. Ela se recordou novamente das lições de Denyel, e num instante as aspirações de Andril lhe pareceram bem claras.

– O Terceiro Céu – murmurou a ruiva, encarando o parceiro. – Você disse que o Éden Celestial é inexpugnável a qualquer anjo de Deus.

– A única porta de entrada, o Elísio, foi lacrada há milênios – reforçou Denyel. – A dimensão só é acessível aos humanos, no instante da morte.

– Até agora. – Kaira tornou a se virar para Andira. – Pelo que Denyel me disse, o Oceanus atravessa Asgard, toma múltiplos canais e termina no Terceiro Céu.

– É um plano macabro, mas brilhante – reconheceu o querubim. – Se Andril chegar ao afluente, poderá invadir o terceiro nível, mover as tropas de Miguel e sitiar os exércitos de Gabriel nas camadas inferiores. Seria o fim da guerra para você, Faísca, e eu teria que dar adeus à minha anistia.

– Isso não vai acontecer – ela garantiu. – Mas, se essa é a intenção do Anjo Branco, o que ele estaria esperando?

A deusa voltou à conversa, e agora parecia solidária aos rebeldes.

– Suponho que ele ainda não tenha descoberto as coordenadas que a estância tomou após a inundação. As ondas gigantes, aliadas ao deslocamento de terra, podem ter movido a cidade a quilômetros de distância.

– Possivelmente essa é a razão de Yaga tê-la mantido viva por anos – teorizou Denyel, tocando o ombro da ruiva. – Talvez a alma de Rachel seja a chave para todas as nossas perguntas.

– Sim, por isso viemos – reforçou Kaira, e se aproximou de Andira. – Não temos muito a oferecer, mas, se pudesse nos ajudar, seríamos muito gratos.

A índia olhou para as muralhas e fortificações, onde lobos e arqueiros montavam guarda, eternamente em alerta. Fez uma pausa enquanto raciocinava, apertou o bracelete de ouro, depois respondeu.

– Foi o arcanjo Miguel que planejou as Guerras Etéreas, e voltará a nos atacar se vencer este conflito. Não somos aliados de Gabriel e juramos nunca apoiar qualquer ser alado. Mas tanto pior se o Príncipe dos Anjos sair vitorioso. – E propôs uma solução: – Posso ajudá-los, mas Athea deve ser destruída. O rio Oceanus precisa ser lacrado, para que o Éden Celestial continue intocado.

– Por que não despedaçamos o artefato aqui mesmo? – Denyel às vezes propunha soluções excessivamente simplistas, reflexo de sua natureza guerreira.

– Não resolveria o problema. A estância pode ser penetrada sem a chave, com a ciência dos poderes corretos. Para esta empreitada ter sucesso, toda a colônia deve ser obliterada, e o afluente, sepultado.

Kaira teve outro lampejo mental, daqueles que surgiam de vez em quando.

– Concordo. Encontrar e extinguir a pirâmide deve ter sido o objetivo da minha primeira missão. – Ela se sentia apta a prosseguir com a tarefa. – Agora, a demanda torna-se ainda mais crucial. Por onde acha que devemos começar?

– Precisamos dar um passo adiante e descobrir a localização do posto avançado – disse a deusa, esclarecendo que sem isso nada poderia fazer. – Consegue se lembrar de alguma coisa anterior ao ataque psíquico?

– Não, mas sei de alguém que poderá nos ajudar.

– Quem? – Denyel já previa a resposta.

– Rachel.

De todas as resoluções possíveis para a incursão de Kaira e Denyel ao vértice dos yamís, o acaso lhes reservou a melhor. A ideia inicial do querubim era solicitar o auxílio de Andira para remover o espírito de Rachel, libertando assim tanto a arconte quanto a própria menina. Ele já esperava pagar um preço muito alto, afinal a deusa não os ajudaria de graça – e de fato não ajudou. A verdade, contudo, era que seus objetivos estavam ligados, unidos pela vontade de frustrar os planos do arcanjo Miguel. Kaira não achou palavras para classificar esse acordo fortuito – não sabia se era coincidência, instinto ou simplesmente *destino*, se é que esse tipo de coisa realmente existia.

Mas nem tudo era simples. Andira era a senhora da noite, sabia manipular os espíritos, mas o processo de remover a alma de um avatar era bastante arriscado, não para a deusa, e sim para quem se submetesse a ele. Seu controle sobre o manto noturno era admirável. Ela havia sido a "primeira mulher" dos povos yamís, e desde o início a figura feminina esteve associada à sombra e à lua, por sua estreita ligação com as marés e com o ciclo menstrual.

Quando o sol desceu, uma nova raça de entidades, de corpo humano, asas coloridas e patas iguais às dos pássaros, removeu a pira do centro do templo e a substituiu por uma grande mesa de pedra, trabalhada com motivos locais, sobre a qual a índia pediu que Kaira se deitasse. O anel dourado que decorava a abertura no teto, reparou a ishim, havia se transformado – por mecânica ou por mágica, ela não sabia – em uma auréola prateada, para louvar o satélite terrestre. As estrelas brilhavam tanto que o firmamento lembrava um mural, com as constelações desenhando imagens nítidas de heróis, animais mitológicos e objetos antigos.

Andira aguardou o escurecimento do céu e, no instante em que a lua subiu, pôs a mão sobre a testa da ruiva, pronta a iniciar a cerimônia. Preocupada mais com o espírito de Rachel do que com sua própria integridade, a moça perguntou, antes de adormecer:

– O que acontecerá com a alma da menina se o ritual funcionar?

– O ritual *vai* funcionar, e o espírito será liberto. Até onde está disposta a ir?

– Como assim?

– Remover uma alma é tão perigoso quanto prendê-la. O hospedeiro pode não resistir. As sensações dos dois espíritos frequentemente se combinam, causando traumas irreversíveis. Por isso, preciso saber quais são seus limites. Não posso decidir por você.

Kaira observou Denyel, encostado numa das pilastras que sustentavam o salão. Se tivesse mais tempo para raciocinar, talvez recuasse. Mas situações desesperadas exigem respostas rápidas, e na urgência ela só conseguiu pensar em sua vida mortal, que era pura ilusão, uma coleção de mentiras e confusões implantadas por um monstro de trevas. Da existência celeste guardava poucas satisfações valiosas. Havia a amizade por Urakin e Levih, mas ela nem sabia se eles ainda estavam vivos. E havia Denyel.

– Estou disposta a tudo. Vá até onde for necessário. Viver ou morrer, já não me importo.

– Muito bem.

A índia cerrou os olhos e começou a entoar cânticos murmurantes, lentamente invocando seus legendários poderes feéricos. Em instantes Kaira estava inconsciente, desmaiada, principiando a viagem aos recantos mais obscuros da mente.

– Ela não tem mais nada a perder – comentou a deusa, quando a ruiva desfaleceu.

– Eu sei – retrucou Denyel. – Agora ela faz parte do clube.

37
NO MUNDO DOS SONHOS

A MENTE DE KAIRA ENEGRECEU, PARA ENTÃO RESSURGIR NO QUE ELA JULGOU ser um "deserto", uma vastidão espiritual infinita, uma paisagem cintilante e desfocada, muito diferente do poço onde costumava avistar a menina. Não havia coisa alguma à sua volta, nada além de cerração, um nevoeiro de vapores etéreos, compostos talvez de pura energia.

Moveu-se à direita, girou os calcanhares, caminhou em qualquer direção. A luz era muito intensa, parte azul, parte dourada. Estava perdida, possivelmente presa numa dimensão entre a terra dos vivos e o reino dos mortos.

Andou por eras incalculáveis, um tempo indefinível, como regularmente acontece nos sonhos – horas, dias, anos, séculos, milênios, era impossível saber. Não achou nenhuma pista, não viu um só sinal.

Denyel estranhou a quietude da moça. Jurava que ela teria um sono agitado, ou ao menos reagiria de alguma forma. Consultou Andira, concentrada na base da mesa.

– Consegue vê-la?
– Sim. A regressão ainda não começou. Talvez nem comece.

– Por quê?

– A consciência está vagando, procurando uma trilha que a leve ao mundo dos sonhos. Se ela não encontrar o caminho, poderá se perder para sempre.

– Do que ela precisa?

– De um marco, uma linha guia. Algo que tenha para ela um significado profundo, que seja ao mesmo tempo material e etéreo, com o qual possa se orientar.

– Não pode ajudá-la?

– Não – ela declarou. – Gostaria.

Kaira não sabia para onde seguir. Controlava suas ações, mas apenas parcialmente. Foi levada de um canto a outro, como uma boia desorientada no mar. Fez um esforço tremendo, regulou-se em seu eixo. Parou.

Enxergou uma construção, uma torre, um obelisco. Sua forma era a de uma pirâmide aguda – alta, fina, sem marcas ou dentes. Tentou se aproximar, mas a correnteza a afastava. Reuniu mais empenho, imaginou seus dedos tocando o monólito.

Encostou a mão na baliza. Foi engolida para dentro de um tubo. Ficou tonta. Apagou.

Flash.

Kaira despertou de um sono profundo, daqueles que só as crianças, sem problemas ou preocupações, costumam gozar. Mas *onde* estava? Ainda no templo de Andira, sobre a pedra gelada da cultura anciã? Ou noutras paragens, mundanas, astrais ou celestes?

Decidiu abrir os olhos – as pálpebras pesavam – e descobriu-se deitada numa cama pequena, pintada de branco, coberta por um lençol bordado com os personagens da Disney – havia o camundongo Mickey, o Pato Donald, o Pateta, a Clarabela e a Minnie, com seu vestido de bolinhas. A janela estava lacrada por persianas de madeira, e pontilhavam o teto adesivos fosforescentes de estrelas e planetas. Vestia um casacão de adulto sobre a camisola infantil, e agarrava forte um ursinho de pelúcia.

Sentou-se no leito e compreendeu categoricamente a utilidade dos poderes da deusa. Kaira estava presa dentro de um sonho, um sonho real, em que sentia frio, medo, dor e solidão – sem, no entanto, poder alterar os acontecimentos. Era uma observadora passiva e presenciava (ou *revivia*) uma sequência de memórias passadas – não suas, mas da pequena Rachel, enfiada num pesadelo que seguramente não teria final feliz.

A imagem de um quarto de menina se formou quando a garota de cabelos castanhos pisou o assoalho de tábuas. Havia no aposento um armário, um baú, escrivaninha, computador pessoal, e da parede pendia uma cortiça com fotografias familiares, cujos detalhes se faziam indistinguíveis no breu. Era noite, e um facho de luz penetrava pela soleira em tons *dégradés*.

Caminhou até a maçaneta e a girou, empurrando a porta num ranger de dobradiças. Sempre com o bichinho ao seu lado, escutou a melodia cujas notas ela bem conhecia.

You're just too good to be true.
Can't take my eyes off you.
You'd be like heaven to touch.
I wanna hold you so much.

Hugo Arsen pressionou a tecla *play* do aparelho de CD. Voltou à mesa de trabalho, agora transferida para a sala de estar. A música era o único recurso que o acalmava – era a canção favorita de Eva, a jovem de cabelos louros na figura do porta-retrato. A imagem mostrava os três juntos, deitados na grama, numa tarde ensolarada de domingo – ele, a filha Rachel e a esposa, falecida de câncer havia pouco menos de dois anos.

Sobre a escrivaninha, espalhavam-se pilhas de mapas náuticos, instrumentos de caligrafia, compassos, lupas, blocos de anotações e cadernos para rascunho. Atrás, coladas à parede com fita-crepe, folhas de papel com listras quadriculadas exibiam desenhos de paisagens marinhas, mostrando duas montanhas gêmeas entre as ondas abissais e uma enorme fenda que as dividia. Eram figuras toscas, mas detalhadas, feitas por alguém sem nenhum dom artístico, mas de profundo conhecimento geológico.

At long last love has arrived
and I thank God I'm alive.
You're just too good to be true.
Can't take my eyes off you.

O quarto de Rachel abria-se para a sala, outrora o cômodo mais arrumado da casa, mas agora revirado e de pernas para o ar, com documentos no chão, móveis fora do lugar e restos de comida na poltrona. Uma das janelas tinha o vidro quebrado, e todas estavam fechadas por cortinas escuras. Uma porta fazia a ligação com a rua, um corredor levava à cozinha e uma escada interna subia para os dormitórios no segundo andar.

Sobre o tampão da mesa, debruçava-se um homem de cabelos grisalhos, apesar da pouca idade, olheiras profundas e expressão obsessiva. Traçava riscos vermelhos nas cartas náuticas, marcando números e coordenadas, verificando-os, trocando-os, rasurando-os. Com a mão esquerda afagava uma peça negra, em forma piramidal, que às vezes escondia no bolso do roupão. Incontáveis copinhos de isopor denunciavam seu vício em cafeína e tabaco, com cinzas jogadas no chão e nas laterais da bancada.

— Volte para a cama, Rachel — disse Hugo, quando a viu de pé àquela hora da noite. — Papai tem muito trabalho a fazer.

– Mamãe já chegou de viagem? – perguntou a garota. Fora a maneira que ele encontrara para explicar a ausência de Eva a uma menina que na época não tinha nem 7 anos. Hugo sabia que cedo ou tarde teria de contar a verdade, mas lhe faltava coragem, então vinha adiando o anúncio, de forma que a criança já começava a desconfiar, à medida que os meses se sucediam. – Escutei alguém no quintal.

– Ela telefonou – o pai mentiu. – Deve voltar para o Natal.

"Para o Natal", escutou Kaira. Sentiu uma dor aguçada, do tipo que não experimentava desde Santa Helena. A transferência espiritual era uma habilidade macabra – as memórias se embaralhavam e se reformavam não só como lembranças, mas como sentimentos, ideias e sensações. A mente bloqueava certas emoções e construía uma história plausível, mas era incapaz de negar as angústias mais fortes. A *Rachel* que ela acreditara ser por dois anos tinha uma mãe, a quem nunca via, por quem sempre esperava para o Natal, um Natal que não chegava. Hugo a ensinara a conviver com a distância, embora ela jamais a tenha realmente aceitado.

Pardon the way that I stare.
There's nothing else to compare.
The sight of you leaves me weak.
There are no words left to speak

Rachel voltou-se na direção do quarto, quando ouviu uma pancada na porta da sala. Uma segunda batida quase fez o trinco cair, e ao antever a invasão o pai dobrou um dos mapas e o entregou à pequena, que, sem saber onde guardá-lo, o enfiou nas costas do ursinho, em um compartimento vazio, uma bolsa de pelúcia antes destinada ao mecanismo que fazia o boneco falar. Fechou o zíper minúsculo, transformando o brinquedo num esconderijo perfeito.

Ainda com a pirâmide entre os dedos, o desesperado Hugo aparentemente sabia do que se tratava, ou pelo menos *pensava* saber. Estava doido, paranoico desde que voltara do mar, e isso não fazia muito tempo. Arregalou os olhos, buscou na gaveta um revólver cromado – uma pistola Taurus de cano curto, calibre 38 – e meteu três balas no tambor, enquanto gritava à filha com voz de fanático:

– Vá embora, Rachel! – Mirou a porta. – Fuja pela cozinha.

Mas a garota, desconcertada como qualquer criança ficaria, preferiu não se mover. Ficou paralisada, na companhia do pai, e tudo que conseguiu fazer foi buscar refúgio no armário da sala, usado para guardar panos, tábua de passar roupa e material de limpeza. Rodou a chave e se recolheu no canto mais obscuro, ao lado do aspirador, abraçando o bichinho tão apertado que, se fosse vivo, já o teria sufocado.

Estalou a terceira pancada, que num baque seco despedaçou as trancas metálicas. Pelas frestas, Rachel avistou o invasor, que decididamente não era um bandido comum. O rosto exibia palidez glacial, e os cabelos brancos desciam à altura dos ombros. A roupa lembrava a túnica dos sacerdotes, mas era o olhar que o tornava medonho – aquele era Andril, o Anjo Branco, uma figura desalmada, desprovida de sentimentos saudáveis.

But if you feel like I feel,
please let me know that it's real.
You're just too good to be true.
Can't take my eyes off you.

– Meu Deus! – As pernas de Hugo tremeram.
– Ele está descansando – rebateu o anjo. – Mas eu dou o recado.

Encurralados, homens e animais podem ter reações adversas, da fuga suicida ao avanço impetuoso. Talvez por sua afeição pela filha, o geólogo preferiu investir, e disparou não só um tiro, mas três contra o peito de Andril.

Hugo era um adversário maníaco, e talvez por isso atirasse tão bem. Os projéteis acertaram o coração do Anjo Branco e supostamente teriam efeito letal, mas se revelaram inúteis contra os poderes angélicos. O impacto teve som de chumbinho contra vidro blindado. O celeste observou os furos na túnica, sem um traço de sangue sequer.

– Não tem idade para brincar com essas coisas – e, com um comando gestual, fez o revólver esfriar, a ponto de o homem ter de largá-lo. – Uma vez um macaco tentou me golpear com um pedaço de pau – ele se recordou. – Vocês não evoluíram nada com essas armas mundanas.

Hugo lançou um olhar para o corredor, cogitando escapar pela porta dos fundos, mas uma personagem feminina, de longos cabelos escuros, pele branca e terríveis olhos amarelados, surgiu do nada para impedi-lo – era Yaga, que se manifestara em sua aparência carnal.

I love you baby, and if it's quite alright,
I need you baby, to warm a lonely night,
I love you baby, trust in me when I say.

Cercado por dois monstros em forma de gente e tomado pelo pavor instintivo, o pai de Rachel não reagiu quando Andril afastou a mesa com um empurrão. O móvel capotou pela sala e parou invertido, destroçando estantes e bibelôs no caminho. Ainda tateando a pirâmide dentro do robe, o geólogo não teve defesa ao provar o toque paralisante de Yaga, que com suas habilidades psíquicas o obrigou a sentar. O Anjo Branco o encarou, inclinando-se para assustá-lo.

– O que tem no bolso? – estampou um sorriso perverso. – Posso adivinhar?

– Não vai tirar *ela* de mim – ele gaguejou. – É tudo que me resta.

Hugo tentou se levantar, mas antes que notasse estava colado à cadeira por uma fina película de gelo seco. Quando ergueu o corpo, a pele do cotovelo rasgou, ficou grudada no braço do assento. Ele soltou um grito de aflição, os olhos lacrimejaram, a respiração engasgou. Andril o empurrou de volta à posição sentada e penetrou os dedos no roupão, finalmente sacando a pirâmide.

– Veja só, Yaga. Viemos ao lugar certo. – O celeste ergueu o artefato como quem levanta uma taça. – Não esperava que nossos espiões fossem assim tão precisos.

– Há um regente no porão – ela avisou. – Está afundando em uma banheira, conservado sob dezenas de pedras de gelo.

— Em uma *banheira*? — Ele fez cara de aversão. — Triste fim para um atlante. Esses humanos são tão vulgares, não acha? É um ultraje, praticamente uma heresia. Mas é perfeito, de certa forma. — E voltou-se ao pai de Rachel. — Agora, meu velho, tudo que precisamos é saber onde encontrou este objeto. Você me diz e nós vamos embora. Ninguém sai machucado.

— Quem diabos são vocês? — foi o que Hugo conseguiu balbuciar.

— Errou o endereço. — Tentou novamente: — Onde obteve a pirâmide? Vamos lá, macaquinho! Conte para mim.

Oh pretty baby, don't bring me down, I pray.
Oh pretty baby, now that I found you, stay
And let me love you baby, let me love you.

Mas ele não disse nada. Como resposta, fechou os olhos, meneou a cabeça e sussurrou palavras desconexas, murmúrios que Andril não foi capaz de entender. Yaga, por outro lado, cuja casta torturava e punia as almas criminosas, conhecia bem o significado das frases.

— Está rezando.

— Odeio quando fazem isso. E sabe o que é o pior? Não adianta nada. — O Anjo Branco bufou, como se estivesse aborrecido pela demora. Mas não era isso. Ele se deliciava com cada segundo de crueldade. — Sabe de uma coisa? Estou perdendo a paciência. — Olhou para Yaga. — Você é boa nisso. Por onde começo? Rosto, olhos, genitais?

— Se quer arrancar uma confissão, deve dar esperança — ela garantiu. — Que tal as mãos?

— Bravo.

Andril abriu as palmas e materializou afiadas lascas de cristal, que mais pareciam cacos de vidro. Pegou uma delas e tocou a mão esquerda de Hugo, ainda grudada ao gelo da cadeira.

— Não — instruiu a hashmalim. — A mão *direita*.

— Mas é claro. Por que abreviar a diversão? — Aproximou a estilha da pele. — Por essas e outras gosto tanto de você.

O homem entendeu o que se passava e vomitou, sujando a camisa com a digestão do jantar. O Anjo Branco deu uma estocada na dobra entre o indicador e o dedo médio, fazendo pressão até o sangue escorrer. Depois, apertou mais ainda, penetrando o fio na carne, abrindo um corte profundo através do tendão. O pai de Rachel uivou, se contorceu, berrou tão alto que acordou cães e vizinhos.

You're just too good to be true.
Can't take my eyes off you.
You'd be like heaven to touch.
I wanna hold you so much.

A menina se agitou no armário, ante os ruidosos lamentos do pai. Queria ajudá-lo, correr para abraçá-lo, mas tinha medo – estava atemorizada e confusa. Dobrou os joelhos e soluçou, o que despertou a atenção de Yaga, que escancarou a porta do armário e a puxou para fora, tapando-lhe a boca para que não gritasse. Ao ver a criança, Andril se esbaldou.

– Eu avisei que orações só pioram as coisas. – Deitou os olhos cinzentos no homem. – Se não quer falar, podemos dar um jeito na menina.

Hugo tinha sangue e vômito descendo pelos quadris, e agora a visão se embaçava. O suor brotou gelado, indicando que ele estava a um passo do estado de choque. A filha era, certamente, o único elemento que ainda o prendia à realidade.

– *Não!* – A cena era insuportável. – Deixe-a ir.

– Onde achou a pirâmide? – insistiu o Anjo Branco. – É a última vez que pergunto.

As palavras saíram da boca em meio ao refluxo de suco gástrico e saliva.

– A montanha no mar... *Invasores de Enoque... Ele* matou todo mundo. – O sangue pingava do tendão perfurado. – Tracei um mapa.

– Um mapa? – Andril salivou. – Onde? Onde ele está?

– Rachel... *Rachel* – ele se esforçou para falar, mas a garganta estava inchada. – O mapa...

Em suas orações, Hugo Arsen havia pedido um milagre. E foi atendido.

No templo de Andira, Kaira estremeceu sobre a mesa de pedra. Do nariz correu um filete de sangue, e a deusa pediu que Denyel a segurasse.
– O que está acontecendo? – ele perguntou.
– Ela está prestes a reviver a experiência da morte.
– Por que está sangrando?
– Eu disse que era arriscado.

Uma brusca queda de energia fez as luzes falharem. O aparelho de CD desligou, a música parou e os anjos se calaram quando a porta veio abaixo numa cusparada de farpas. Quase asfixiada nos braços de Yaga, Rachel divisou a mulher ruiva que transpunha o limiar. Sua confiança impressionava, e ao vê-la chegando Andril engoliu as gracinhas, esqueceu a tortura, recuou para o meio da sala e tentou esconder a pirâmide, cruzando as mãos nas costas.

A recém-chegada não estava sozinha – um celeste de pele negra, olhos felinos e corpo atlético a escoltava. Usava roupas esportivas, para facilitar os movimentos em caso de luta, e trazia uma espada de ponta longa. O cabelo era curto, e, diferentemente de Denyel, esse era um querubim reto e sisudo. Seu nome era Zarion, mais conhecido como o leal guarda-costas de Kaira, Centelha Divina.

– Kaira? – O Anjo Branco a encarou, primeiro tentando intimidá-la, para disfarçar o nervosismo. – O que está fazendo? Qualquer agressão a mim será considerada uma violação do armistício.
– Vocês já o violaram. – Ela observou o pai de Rachel, pálido pela hemorragia, e a menina presa sob a tutela de Yaga. – Acha que não sei por que estão aqui?
– Isso não é da sua conta, Centelha, nem de seu Mestre do Fogo – manobrou Andril.

– Não é o que parece. – Ela entrou lentamente na casa. Zarion a protegia de trás. – Ismael encontrou informações sobre a sua missão junto dos espíritos da Torre das Almas. Acabamos com seus soldados e rastreamos as novas frentes desta batalha.

– *Ismael?* – rosnou Yaga. – Maldito seja aquele traidor.

Kaira a ignorou. Estacou a um metro do Anjo Branco. Os cabelos desciam até a cintura, os fios rubros brilhavam à luz do luar.

– Agora – a arconte falou bem devagar – entregue-me a pirâmide. E solte a menina.

Andril ficou pálido – mais ainda do que já era – ante a menção à chave de Athea. Então os rebeldes haviam descoberto seus segredos, e estavam dispostos a roubá-los!

– Está bem – ele concordou. – Uma coisa de cada vez. Aqui está o artefato.

Ele esticou a mão, oferecendo à ishim o fragmento. Sua excessiva tranquilidade denunciou a cilada, e à falsa capitulação se sucedeu o ataque. O Anjo Branco largou o objeto no chão e conjurou uma salva de cristais de gelo, que, quando disparados velozmente, rasgavam feito lâminas de aço.

Já prevendo o ardil, Kaira se ajoelhou, fechou os braços e respondeu com um fabuloso escudo de fogo, que, além de protegê-la, provocou uma explosão de vapor, lançando o inimigo de costas no teto. O calor enrugou o papel de parede, e o embate de energias atingiu Hugo Arsen, que morreu vitimado pela fumaça escaldante. A pele se desfez sobre a cadeira, os cabelos tostaram, o corpo escureceu como carne cozida.

Yaga recuou no momento certo, e nem ela nem Rachel se feriram. Zarion retrocedeu à varanda com um rolamento tático, e, quando a potência da detonação amainou, Andril jazia nas tábuas da sala, com parte da túnica escurecida, as costas lanhadas. A missão original de Kaira era enfim revelada – ela devia não apenas parar o Anjo Branco, mas também matá-lo, encerrando assim sua carreira homicida.

Mesmo com as prioridades claras na mente, ela hesitou. Era uma serva das forças naturais, não um carrasco, e a ideia de executar alguém sumariamente não a agradava. Ainda assim, fez o que lhe fora ordenado. Inflamou os braços para o golpe fatal – apenas para ser impedida por uma força psíquica.

Kaira nunca havia provado tão forte investida e não tinha noção de como rechaçá-la. Ao imaginar a origem do ataque, chegou à óbvia conclusão de que, na pressa de derrotar o rival, havia se esquecido de Yaga.

Através dos olhos de Rachel, a Kaira do mundo real, adormecida no templo, sentiu o peito saltitar. Uma dor lancinante a espetou – era a agonia da morte, a horripilante experiência de ter a alma arrancada do corpo. A vida a abandonava, e na realidade onírica os olhos da menina se fecharam.

O coração parou de bater.

No vértice, Kaira agitou-se em perigosos movimentos convulsivos, e agora o sangue escapava também pela boca. Denyel estava decidido a pôr fim à cerimônia – se a arconte morresse, tanto o espírito de Rachel quanto ela própria se perderiam para sempre. Não valia mais a pena arriscar.

– Traga-a de volta – exigiu o celeste.

– Não posso – avisou Andira. – Não posso mais.

Rachel foi erguida no ar pelas habilidades místicas de Yaga, enquanto sua alma era transferida para o avatar da arconte. Ao reviver a cena, Kaira teve certeza de que nunca mais a esqueceria – já tinha visto outras mortes, mas aquela foi especialmente traumática. Presenciou os suspiros finais da menina, e de uma hora para outra o rosto empalideceu, o brilho nos olhos sumiu. O corpo ficou mole, como uma marionete em desuso, e *tudo* que nela havia de repente *não estava mais lá*. A garota, há instantes animada e saudável, transformou-se num pedaço descartável de carne, um cadáver desbotado, absolutamente vulgar.

O êxtase que sucede à vida, a consciência além da matéria e o renascimento através do tecido foram adiados para a pequena Rachel. E nesse exato instante, no canto oposto da sala, Kaira desabava, atordoada e vencida.

Mas ela não era o único obstáculo.

Imersa no esforço mental, Yaga não teve chance de se desviar quando Zarion regressou da varanda e pulou sobre ela com a espada na mão, num movimento que por pouco não arrancou sua cabeça. A hashmalim sentiu a lâmina tocar-lhe o pescoço, e, quando estava prestes a ser decapitada, o querubim endureceu, envolto por uma coluna de gelo que petrificou suas ações.

Indiferente ao escarcéu, Andril retomou a postura e, como se nada tivesse acontecido, limpou as cinzas sobre a túnica. Caminhou até Zarion, agora preso no esquife cristalino, e dobrou o rosto num estalar de língua. Recuperou a pirâmide e se curvou para liquidar Kaira, mas Yaga o advertiu:

— Não faça isso. Os ishins do fogo são imprevisíveis mesmo quando estão desacordados.

— Ora — Andril redarguiu. Não tinha a intenção de deixá-la impune. — O que propõe?

— Ela sobreviveu à transfusão espiritual e por enquanto não corre mais riscos. Agora, o corpo material de Kaira retém a alma da menina. Com o pai morto, o espírito da criança é nossa última pista para achar tanto o suposto mapa como a localização do afluente.

O Anjo Branco não estava convencido. Contemplou os adversários derrotados, viu a ruiva paralisada, o guerreiro congelado e teve vontade de matá-los.

— Pode ser. Mas por que não arranca a alma de volta, agora mesmo? E eu a mato, antes que ela se recupere?

— Não é tão simples. O espírito pode escapar, e aí perderíamos as informações para sempre.

Andril calculou as possíveis vantagens de manter viva uma inimiga tão perigosa. Uma que, aliás, conhecia os segredos de sua missão. O que precisava, antes de tudo, era de garantias de que o plano não teria brechas.

– E o que tem em mente, Sombra da Morte? – Ele utilizou o título solene de Yaga. – Conte-me suas ambições.

– Ela estará desorientada ao acordar, com as memórias fragmentadas. Vamos fazê-la acreditar que é humana, mantê-la sob vigilância e recolher toda instrução que pudermos. As lembranças da menina virão à tona hora ou outra.

– Já cogitou que essa criança talvez não tenha qualquer conhecimento dos trabalhos do pai?

– Sim, mas não temos nada a perder. Podemos continuar a investigação, rastreando outras frentes nesse ínterim. Há uma universidade aqui perto, onde o tecido é frágil e os nós místicos são fortes. É o lugar perfeito para inseri-la.

O celestial parecia enfim persuadido. Segurou um dos rascunhos de Hugo, com o desenho das montanhas marinhas, e o guardou na cava da túnica. Na sala, o fogo começava a engolir as cortinas, num prenúncio do incêndio que se alastraria às casas vizinhas. Ao longe, os anjos escutaram uma sirene, e Andril decretou:

– Está bem, faça isso. Prepare um santuário e transfira para lá o regente que está no porão. Ele ainda pode ser muito útil. Vou me dedicar a estudá-lo, pessoalmente.

– E quanto a Zarion? – ela apontou para a coluna de cristal.

Andril anunciou a sentença:

– Esse eu vou dar de presente.

A lua tocava o horizonte quando Kaira acordou no templo yamí. Ofegava, tossia, ainda surda e desnorteada após visão tão dantesca. Denyel e Andira estavam a seu lado, e, uma vez na segurança dos contrafortes, ela relaxou, sacudindo a cabeça para recobrar a razão.

– Está salva – disse o exilado. – Conseguiu remover o espírito?

– Não – lamentou a deusa. – Ela e Rachel dividem a mesma consciência há anos, e os efeitos da transferência se tornaram permanentes. O elo entre as duas é agora muito forte.

– Sinto muito por ela – comentou Denyel. – Viver preso ao avatar é o pior castigo para um anjo.

– Não foi isso que eu disse. Existe outro meio de libertar a criança.

– Qual?

A índia inclinou o queixo, entristecida por dar a notícia.

– Kaira precisa morrer.

38
ENOQUE E ATLÂNTIDA

Kaira foi acomodada por Denyel em uma das torres do complexo fortificado, para que descansasse pelo resto da noite. A cerimônia de regressão era perigosa e provocara sangramento pela aceleração repentina do coração, com o músculo ameaçando explodir a qualquer momento. Uma vez concluído o ritual, porém, os ferimentos se tornavam menores, e a arconte estaria saudável contanto que repousasse adequadamente e sem interrupções.

Mesmo com todas as demonstrações de majestade presenciadas no vértice, a ishim ainda tinha uma ideia errada da cultura yamí, julgando-a primitiva. Essa percepção desapareceu logo que entrou no aposento a ela oferecido: um suntuoso quarto em forma de meia-lua, com uma enorme janela triangular que dava vista para a floresta. As cortinas eram de seda, e a cama de pedra tinha um colchão de penugem macia. Uma banheira que mais parecia uma piscina fora esculpida na rocha, abaixo da linha do piso.

O templo fora construído entre o primeiro e o segundo cataclismos, por volta de quarenta mil antes de Cristo, embora a cidadela, com suas torres e edifícios, só tivesse sido erguida depois. Esta era a Cidade dos Deuses dos povos yamís, um recanto reservado às entidades etéreas e só acessível a alguns sacerdotes humanos, cujos templos físicos ficavam em regiões mais ao sul. Os yamís eram, apesar da grandiosidade, um dos menos destacados impérios antediluvianos, diante dos soberbos reinos de Enoque e Atlântida, as duas grandes pátrias rivais que dominaram a terra nos dias anteriores à enchente. Enquanto os homens de Nod detestavam os anjos pelas catástrofes que promoviam, chegando a desafiá-los em confrontos de aço e magia, os atlantes os amavam, atitude que ajudou a preservar suas colônias por séculos, até a inundação que assolou o planeta, uma traição sem precedentes que sepultou para sempre todos os vestígios da Pérola do Mar, como era chamada na época. Enoque e Atlântida passaram a maior parte de sua longa existência se digladiando numa série de campanhas militares conhecidas como Guerras Mediterrâneas. A rivalidade persistiu por tantos milênios que os sábios atlânticos formaram um círculo de nove generais, os *regentes*, responsáveis por organizar as tropas e principalmente defender as fronteiras. As Guerras Mediterrâneas amenizaram algumas décadas antes do terceiro cataclismo, para se encerrar finalmente com a extinção das duas civilizações, por volta de 11.500 antes de Cristo.

A mochila de Kaira, rasgada durante o ataque dos lobos, fora devolvida, juntamente com a cobiçada pirâmide em miniatura. Incensos e velas ajudavam no relaxamento, mergulhando a câmara numa atmosfera de especial harmonia.

— Como se sente? – perguntou Denyel, antes que ela se deitasse.

— Já teve a sensação de acordar de um pesadelo e mesmo assim continuar com as imagens na cabeça?

— Na verdade, não – ele respondeu. – E, teoricamente, nem você.

Ela balançou a cabeça para espantar os maus pensamentos.

— Não tem importância. Tudo que importa agora é a nossa missão.

Denyel não queria contradizê-la, ainda mais com o relacionamento dos dois se tornando mais sóbrio. Mas era melhor abreviar o transtorno.

— Andira disse que o espírito de Rachel continua em você.

— Eu sei, mas isso não vai nos impedir de seguir adiante.

— Seguir para onde? – Ele sentou na cama. – A missão acabou!

– Ainda nem começou. – Kaira buscou o ursinho na bolsa. – Você disse que sabia navegar. Espero que consiga ler isto.

Do compartimento para pilhas, escondido na traseira do boneco, ela retirou um papel – dobrado, amassado, rasgado nas pontas, mas inteiro. Esticou-o sobre a cama e mostrou os traços e riscos, marcas e medições, números e símbolos, letras e pontos, que não sabia identificar.

– É uma carta náutica – decifrou Denyel. – Um mapa marítimo.

– Sabe percorrer esta rota? – Havia um caminho rabiscado em vermelho. – Pode trilhar as coordenadas com precisão?

– Garota, eu encontraria uma pérola perdida no oceano.

– É muito bom ouvir isso. Porque é exatamente o que vamos fazer.

Enquanto Kaira dormia, Denyel voltou à presença de Andira, no grande santuário da cultura yamí. A noite no vértice era mais bela que o dia, com o festejo de estrelas claramente visível sobre a imensidão florestal. As entidades aladas, que mais cedo haviam aparecido no templo, eram os guardiões de elite da deusa e costumavam ser os principais adversários dos anjos na batalha que ali transcorrera, milhares de anos antes. Eram figuras híbridas, com corpo humano e patas de ave, e planavam em círculos ao redor da lua, com suas exuberantes asas de penas coloridas. Empunhavam arpões de madeira, mas em combate cerrado faziam uso das garras – para rasgar, cortar e mutilar. Os arqueiros de cabelo de fogo vigiavam as torres, enquanto os lobos esquadrinhavam a selva, farejando inimigos e invasores.

Denyel e Andira se encontraram na plataforma principal, de frente para a escadaria que descia através da copa das árvores, terminando na floresta, vários metros abaixo. O exilado lhe contou sobre a descoberta do mapa, que os levaria direto ao posto avançado, oculto nas profundezas do Atlântico. A índia recebeu a notícia sem muita alegria e justificou a apatia com uma frase profética.

– Se partir nessa missão, você morrerá, Denyel.

Ele não se abalou.

– Isso seria uma bênção. – Cruzou os braços. – Vimos tentando isso faz algum tempo.

– Não me refiro à destruição do avatar. – Ela avistou a paisagem com os olhos de âmbar. – Sabe por que Atlântida e Enoque foram destruídas?

– Todos sabemos. Os arcanjos não julgavam os terrenos dignos da herança de Deus. Miguel nunca aceitou se curvar aos homens, como o Criador havia ordenado. Fim da história.

– Foi uma das causas, mas não a única. – Os longos cabelos negros esvoaçaram com um golpe de vento. – As civilizações antediluvianas tinham consciência do poder da alma imortal, a maior de todas as dádivas humanas, o presente divino que foi negado aos celestes. Agraciados com o livre-arbítrio, os povos antigos traçaram seu próprio destino, erigiram nações magníficas e avançaram no estudo da mágica. Nós, espíritos imortais, nos tornamos seus mentores, o que irritou os arcanjos. Assim, quando as Guerras Etéreas terminaram, Miguel decidiu retomar a política dos grandes massacres e exterminar cada mortal sobre a terra. Suas legiões sitiaram cidades e fortalezas terrestres, inúmeras vezes, mas foram repelidas. Diante da resistência, uma catástrofe universal era a única opção. E os primogênitos arquitetaram o dilúvio.

– Por que está me contando isso?

– O rio Oceanus foi criado por uma das primeiras divindades etéreas, e usado como via diplomática pelas entidades anciãs de várias partes do cosmo. Enquanto no rio Styx os barqueiros são responsáveis por manter o equilíbrio de seus canais, o Oceanus funciona de maneira diversa: suas águas anulam os poderes de anjos e deuses, de forma que as ilhas oceânicas foram declaradas território neutro. Supostamente, só os onipotentes arcanjos seriam capazes de atuar nessas áreas de cancelamento.

– Um lugar onde os alados e os espíritos não podem manifestar suas habilidades. – Ele fechou o zíper da jaqueta. – Bem conveniente.

– Athea fica dentro de um vértice, e a câmara que esconde o afluente certamente estará inundada pelas águas do Oceanus, tornando você e seus companheiros vulneráveis, impedidos de conjurar quaisquer capacidades místicas. – A índia virou-se para ele. – Lá, qualquer um de nós pode morrer.

– Está sugerindo que eu abandone a jornada – não era uma pergunta.

– Não estou sugerindo nada. Só precisava lhe dizer o que revelaram as minhas previsões. – E foi ainda mais direta: – Se for embora nessa viagem, você poderá ajudar seus amigos, mas não sobreviverá à missão.

– Mortais ou imortais, as mulheres são sempre indecifráveis – ele sorriu. – Primeiro, você me expulsa. Depois, insiste para que eu fique.

– Foi por isso que voltou?

Denyel ficou em silêncio. Depois admitiu, num suspiro:

– Não exatamente. Achei que pudesse vencer duas apostas com uma só cartada.

Andira correu a atenção à selva fechada, contemplando árvores e montanhas, riachos e cachoeiras, lagos e morros. Elevou o rosto para o céu, e terminou perdida sob o orvalho noturno.

– Os tempos eram outros. As Guerras Etéreas mal haviam terminado, e eu não podia acolher um inimigo na minha fortaleza – explicou a deusa. – Entre o desejo particular e minhas atribuições como divindade, optei pelo sacrifício. Não espero que você entenda, apenas que aceite. Não foi pessoal.

– *Tudo* é pessoal – ele rebateu, preciso.

– Não para nós, Denyel – ela retrucou, condescendente. – Anjos e deuses não nasceram para viver como homens. Temos um propósito. Não existimos para amar individualmente.

– Discordo, Andira.

– É por isso que continua no exílio. – Apesar da sinceridade, não havia dureza em suas palavras. – Estamos no mundo para inspirar as pessoas, para ensiná-las e servi-las. Sua passagem foi um teste. No fim, eu não fiz o que queria, mas o que deveria fazer. – Ela apertou as mãos de Denyel. – Eu me sacrifiquei pelo meu povo. Esse é o tipo de atitude que se espera de um deus.

– Nesse caso, ainda bem que não sou um deles – ele replicou, afagando o rosto pintado da índia. – Também sinto muito pelo que aconteceu. Mas, como você mesma disse, os tempos eram outros. E dessa vez *eu* é que não posso ficar. – E, diante da inesperada revelação, concluiu:

– Não espero que entenda.

– Você me surpreende, soldado.

– É a atitude que se espera de um querubim – ainda que ele não fosse um modelo de disciplina. – Estou aliviado em saber que este martírio vai acabar.

Denyel a puxou para perto e a abraçou vigorosamente. A pele morena tinha o perfume de flores, e ele se lembrou da primeira vez que a vira. Os seios firmes tocaram seu corpo.

– Posso fazer um último pedido?

Andira correu-lhe a mão pela nuca e o olhou com a expressão sedutora.

– Peça o que quiser.

No leste, o crepúsculo deu lugar à aurora. O sol nasceu sob as nuvens, em tons róseos e alaranjados.

– Envie-nos de volta – ele falou, e a beijou sobre a testa.

39
FOGO NEGRO

Quarto Céu, depois do dilúvio

Os dias que se seguiram à enchente foram tensos na maior parte das sete camadas celestes. Apesar da ferocidade da ação e do empenho com que fora executada, não tardou a ficar claro que o plano inicial de exterminar a raça humana havia enfim fracassado.

O desgosto dos primogênitos se refletiu no comportamento das legiões, que se tornaram cada vez mais sanguinárias. Os ishins foram desacreditados, relegados ao Primeiro Céu e ao comando direto do arcanjo Gabriel. A partir de então, a casta dos querubins assumiu a vanguarda, descendo à Haled em ofensivas contínuas, atacando os focos humanos em operações cirúrgicas, mais eficientes e precisas que as hecatombes pregressas.

Nos séculos vindouros, essas campanhas se tornaram frequentes, e aos poucos pareciam estar surtindo eventuais resultados. Miguel e Lúcifer estavam alinhados nesse ponto, mas Rafael continuava a ser um problema. Sua insistência em não retornar ao Palácio Celestial era vista como uma atitude de protesto, um indesejável exemplo a ser seguido por todos que não pactuassem com as resoluções do conselho.

Miguel não tinha dúvidas quanto à lealdade das tropas, mas estava preocupado com o que a Cura de Deus podia fazer, ao se isolar tão intensamente de seus outros irmãos. Lúcifer decidiu pôr termo à questão ele mesmo, convidando o patrono dos ofanins para um encontro singular. Certo de que ele jamais visitaria a Gehenna, sugeriu que se reunissem no castelo de um de seus generais, uma construção flutuante entre as nuvens angélicas, uma fortaleza de ângulos retos, seteiras quadradas e arquitetura funcional.

O trono de Lúcifer – uma réplica, na verdade – fora posicionado no auge do torreão, de onde se tinha uma visão ampla das brumas, do horizonte, dos exércitos alados que os circulavam. Rafael surgiu mais brilhante que o sol. Seus contornos eram visíveis como uma silhueta imprecisa; o rosto era cintilante, de detalhes embaçados, dourados e luminosos.

– Não esperava que viesse – admitiu a Estrela da Manhã, esparramado no assento metálico. – Sua presença é radiante, Quinto Arcanjo.

– Por que eu não viria? – O som era o de uma orquestra afinando seus violinos. – São meus irmãos. Distintos e amados.

– Amor é um sentimento um bocado complexo. – Os olhos azuis o penetravam. Ele era o mestre da manipulação, mas diante de Rafael agia feito criança, um caçula travesso, incapaz de ostentar seus dons em sua plenitude. – Não sei se um dia chegarei a compreendê-lo em todas as suas minúcias. Sempre achei que o único amor verdadeiro é aquele que sentimos por Deus.

– Talvez não esteja disposto a compreender – articulou o celeste. – Parece-me claro que se fechou a tais sentimentos.

– É esse o julgamento que faz a meu respeito? – Lúcifer levantou-se. A toga era alva, exalava um perfume suave. As penas brancas davam-lhe um ar opulento.

– Não é meu trabalho julgar – Rafael respondeu, vislumbrando os querubins que ao longe adejavam. – Estou apenas dizendo que, para muitos, alimentar certas angústias é mais fácil que expurgá-las. As mágoas nos tornam fortes, impiedosos, mas vulneráveis também.

– Hmmm – gemeu Lúcifer, afetado. – Uma pena que ainda cultivemos esse desacordo – e ele não se referia ao conceito de amor. – Preciso ser honesto com você, meu bravo e querido parente. Sua atitude nos tem sido... prejudicial. *Nociva* aos gigantes, à palavra de Deus.

– Isso o aborrece, Estrela da Manhã?

Lúcifer ficou sem reação. Não havia medo, cólera ou condenação nas frases do irmão.

– Não sei o que me aborrece. – Agora mais parecia uma confissão. – Acho que a sua ausência é o que mais me entristece. – As palavras saíram feridas. – Já basta a rejeição de meu pai. Preferiria ver você morto a ser desamparado. Não poderia suportar tudo aquilo de novo. – Era o egoísmo falando mais alto. – Não cai bem a alguém como eu.

– Sei disso, primicério – o Quinto Arcanjo retrucou, em pacata meditação. – A imortalidade é um fato terrível, que há tempos me desagrada. Sinto-me preso à esfera temporal, ao inevitável novelo do espaço.

Lúcifer contraiu as sobrancelhas. O que Rafael desejava, afinal? Nada do que ele fazia ou dizia parecia afetá-lo. Era como uma folha no rio, que em vez de se grudar às rochas apenas acompanhava o fluxo.

– Parece insinuar que não teme o vazio.

– Está correto. – As asas lustrosas se recolheram. – Sou indiferente ao receio, ao desejo e à dor. Tais condições me são efêmeras, ilusórias. Acho que finalmente estou preparado para ascender à próxima etapa.

– O que está dizendo? – A afabilidade era o ponto fraco de Lúcifer. – Julga-se mais altivo que nós?

– Oh, não. – As auréolas se expandiram. – Enxergo-me como uma criatura insignificante, uma fita medíocre na teia do cosmo. Contudo, acredito que toda existência tem um propósito.

– Suas crenças tornam a minha tarefa menos penosa, Cura de Deus. – A face ficou rígida, raiventa e amarga. – Talvez lhe agrade saber que resolvemos afastá-lo da graça. E foi *minha* a ideia de neutralizá-lo.

Rafael não se apavorou. Estava calmo demais, uma confiança que abalou a dureza de Lúcifer.

– Neutralizar-me? – Torceu a cabeça. – É bem provável que isso jamais aconteça. Entre os arcanjos, sou o único realmente imortal, mas confesso que estou curioso para apreciar seu intento.

Lúcifer exibia agora um sorriso. Nada o satisfazia mais do que fisgar um adversário numa manobra ardilosa. Rafael era uma pedra em seu caminho, e, por mais que o amasse, estava decidido a descartá-lo de vez. Olhou para a porta e chamou em voz alta:

– *Apollyon!*

Um de seus capangas adentrou a sacada. Era o general a quem chamavam de Anjo Destruidor, um lutador implacável, de porte alto e fortíssimo, rosto maléfico e asas brancas, mas ligeiramente escurecidas. Usava uma placa de ouro sobre o peito e seria inofensivo a Rafael, não fosse a espada que trazia consigo. Do cinto desembainhou a chapa de fogo, com as chamas negras crepitando no fio.

– Fogo Negro – murmurou o Quinto Arcanjo. – O sabre usado pelo falecido Bahemot.

– Sempre achei que me serviria. – Lúcifer era pura exaltação. – Eis a arma mais poderosa do universo, empregada por nossos inimigos históricos, antes mesmo da primeira centelha. Foi forjada por Tehom, especialmente construída para exterminar os arcanjos. – A expressão ficou mórbida. – Reconheça. Não calculava que eu fosse tão longe.

– Pelo contrário – retrucou o alado, e com isso se ajoelhou, oferecendo o pescoço ao sacrifício. – Não esperaria menos de você, Filho do Alvorecer. Em verdade, contava com a sua sapiência.

Lúcifer se deteve. Rafael estaria blefando? O que pretendia ao estimular a ação de seu próprio carrasco? Por que não o enfrentava, por que não resistia?

– Suas motivações são confusas, irmão. – Deu-se por vencido. Apollyon estava a postos, pronto a lançar o golpe tão logo seu chefe ordenasse. – Entendo agora por que é o patrono dos ofanins. Entrega-se à morte sem reagir.

– Confunde os conceitos, Estrela da Manhã. – Ele juntou as mãos, fechou os olhos. – Crê que a morte me derrubará, mas é exatamente o revés. Por isso, eu lhe suplico. Não hesite em cumprir sua função.

– Lamento que não nos vejamos de novo. – A garganta apertou. Estava consternado, mas o amor narcisista era mais forte, muito mais doce e sedutor. – Era inevitável. Cedo ou tarde um de nós cairia.

– De certa maneira, estaremos sempre juntos – a Cura de Deus avisou, aguardando o deslanchar do corte. – Eternamente.

Receoso em se curvar à clemência, agora, num momento tão crítico, Lúcifer fez um movimento com o dedo e Apollyon atacou, fincando a lâmina no coração do gigante.

O que se deu a seguir foi notório. O corpo de Rafael radiou, para depois desaparecer totalmente. Tudo não durou mais que poucos segundos.

O Arcanjo Sombrio examinou o chão à procura do corpo, do manto, da espada. Nada encontrou.

Só o *vazio*.

40
"DIRIJA RÁPIDO E MANTENHA-SE BÊBADO"

– É IRÔNICO, NÃO? – KAIRA OBSERVAVA OS MONÓLITOS DISPOSTOS EM círculo, em uma das inúmeras plataformas altas da fortaleza yamí. Suas formas eram as mais diversas, de homens e animais a plantas e monstros. – Deuses adorando totens.

– Não são totens – explicou Denyel. Já era dia, e eles haviam sido levados àquele altar ao ar livre para que se preparassem para a jornada de volta. – São estátuas, sem nenhum poder sobrenatural.

A ruiva observou novamente as esculturas, posicionadas como uma ciranda, na ponta de um precipício. A organização dos dolmens fazia lembrar os santuários druídicos, mas eram desprovidos de teto e apresentavam motivos absolutamente distintos.

– Para que foram esculpidas, então?

– Nem todas as imagens são feitas para ser adoradas, Faísca. Estas figuras são alegorias que representam os mistérios da vida e do universo. Alguns as usam como mapas para reflexão, guias para as questões cujas respostas cada um deve encontrar. – Ele apontou para uma das pedras mais altas. – A figura da cobra que engole a própria cauda sugere que o cosmo é um ciclo, e que o fim de uma etapa sempre traz o início de outra. Assim, nada termina realmente, apenas se transmuta.

– Está citando Lavoisier – ela se lembrou das aulas da faculdade.

– E o que é a ciência senão a observação da natureza? Os sacerdotes e deuses yamís apenas traduziam as manifestações naturais, não em teorias ou fórmulas, mas em metáforas.

– E você? Também acredita que o universo é um ciclo?

– Sou um anjo, garota. Não preciso acreditar em coisa alguma.

– Compreendo. – Ela vislumbrou as demais esculturas. – Mas não deixa de ser frustrante. Conhecer os segredos é o primeiro passo para desmistificá-los.

– Não conhecemos nada. – A voz engrossou em tonalidades sombrias. – Estamos apenas um degrau além dos mortais na escala de consciência. Alguns mistérios são e sempre serão indecifráveis. Especialmente para nós.

– Por que "especialmente"?

– Cada porta aberta leva a muitas outras, portanto, quanto mais aprendemos, mais afastados estamos da verdade. Por isso, minha filosofia é simples: dirija rápido, mantenha-se bêbado e nunca dispense uma boa briga.

Ela riu, diante do paradoxo que encerrava o anjo Denyel – era sábio para tantas coisas, e potencialmente fútil para outras.

– Você pode estar certo. Mas, no meu caso, que deixei uma vida comum e agora estou no topo de uma fortaleza milenar, o que sinto é uma estranha mistura de êxtase e desilusão. – A manhã avançava. – Depois de conhecer uma deusa com necessidades humanas, a lição que tiro deste lugar é: não venere nada nem ninguém.

– Ou venere tudo, afinal todas as coisas são reflexo da presença divina no mundo. – E, quando a ruiva o encarou com admiração e espanto, ele se apressou a esclarecer: – É o que Andira diria.

– E o que *você* diria? – Quanto mais ela o conhecia, mais alimentava a tarefa ingrata de afastá-lo da vulgaridade humana.

– Eu diria que preciso de uma bebida. Começo a divagar quando fico sóbrio por tanto tempo.

– E Andira?

– O que tem ela?

– O que vocês combinaram?

– Sobre o que exatamente?

– Você sabe do que estou falando. – Kaira estava aprendendo a lidar com ele.

Denyel olhou para baixo e se encostou em um dos monólitos, antes de prosseguir.

– Vou ter que brigar com você. Infelizmente nós temos outro problema, e eu não queria brigar com você. Mas não podemos voltar à caverna de gelo.

– Urakin e Levih ainda estão presos – ela protestou. – Temos a pirâmide e o mapa, e bastante tempo de sobra.

– Não temos tempo de sobra – ele foi rígido. – Entenda, não podemos deixar que Andril e seus anjos nos rastreiem. Eles não sabem onde estamos ou mesmo para onde vamos. Precisamos aproveitar a vantagem.

– Já estou em condições de enfrentar Andril – argumentou Kaira. – E Yaga não nos importunará tão cedo.

– Continuaria sendo arriscado – insistiu Denyel, solidário, mas irredutível. – Já se passaram vários dias desde que deixamos Santa Helena. Se eles ainda estiverem vivos, mais algumas semanas não farão diferença.

A ruiva sabia que ele tinha razão, ainda que não fosse fácil admitir. Athea deveria ser destruída, e tanto Urakin quanto Levih não a perdoariam caso ela deixasse de lado uma tarefa tão importante para resgatá-los. Se Miguel e suas legiões encontrassem um meio de invadir o Terceiro Céu, todo o exército rebelde seria aniquilado.

– Quanto tempo acha que levaremos para alcançar a colônia atlante?

– Depende das condições do mar e do tempo. Alguns dias, acredito, no comando de um bom veleiro. Felizmente tenho o barco perfeito para essa viagem.

– Vamos voltar ao porto? Isso também não seria arriscado?

– Se viajássemos por terra, com certeza. – Ele revelou a estratégia: – Andira abrirá uma ponte cósmica, usando a energia de um velho ritual chamado Palavra de Retorno. Com ele, o anfitrião pode transportar qualquer um de volta ao seu santuário particular. – E concluiu: – Quanto antes terminarmos isso, mais cedo poderemos regressar e salvar seus amigos.

– Está bem – ela cedeu, e o interpelou com outra pergunta: – Você vem comigo?

Diante do inesperado convite, Denyel vacilou, e quase reagiu com uma resposta passional, mas desviou-se a tempo.

– A anistia continua de pé?

– Não sei navegar. Sua participação nessa tarefa é crucial. Portanto, o acordo permanece.

– Posso considerar que assumirá a promessa de Levih? – Ele precisava ter certeza.

– Tem minha palavra.

O sol atingiu a culminância, com o calor do meio-dia assolando a floresta. Andira apareceu em meio aos vapores da cachoeira, caminhou sobre a ponte rochosa que separava a plataforma da cidadela e veio ter com eles na ciranda de pedras.

– O astro está na posição correta. Vou abrir a passagem cósmica.

Denyel olhou para o céu.

– Definitivamente, eu preciso de uma cerveja.

41
PALAVRA DE RETORNO

Os pertences de Kaira e Denyel foram entregues ainda durante a noite, incluindo a mochila rasgada pelos lobos, agora magicamente restaurada, sem cortes ou marcas de costura. Nela, a ruiva encontrou todos os objetos que havia trazido – celular, radinho de ouvido e os antigos documentos de Rachel, que ela decidiu manter consigo para qualquer eventualidade. A exceção foi o ursinho de pelúcia, que preferiu deixar para trás, alegando que esse era o único item que não lhe pertencia de fato. Denyel ficou com a guarda do mapa, Kaira pôs no bolso a pirâmide negra, e assim estavam prontos para prosseguir viagem.

– Agora você tem que me abraçar – disse ele, no centro da plataforma de pedra. A seus pés, o círculo de rocha exibia a imagem do planeta Terra em baixo-relevo, com as nações e continentes tais quais eram antes do dilúvio.

– É verdade – confirmou Andira, reparando que Kaira ainda guardava certa desconfiança em relação ao celeste. – O santuário do porão está ligado a ele. Precisam estar juntos para você ser transportada.

A ruiva aceitou as imposições a contragosto. Sentia atração por Denyel, era inegável, mas não desejava avançar essa relação a um ponto além da amizade – em breve ele seria seu subalterno e, para piorar, tinha hábitos questionáveis, aos quais ela preferia não se associar.

Na ponte de rocha, distante uns dez metros, a deusa recitava palavras místicas. Repetiu as estrofes muitas vezes, uma melodia triste, que parecia acompanhar o véu da cachoeira. Em poucos minutos, a brisa que os cercava passou a soprar mais e mais forte, criando enfim um redemoinho, que engoliu o altar.

– Costuma ficar enjoada? – perguntou Denyel. – Digo, ao viajar?

– Não me lembro. – Ela julgou a questão irrelevante.

– Então, prepare-se. – O torvelinho assumiu velocidade de furacão, mas, ao contrário do que pensavam, nenhum dos dois foi afetado. Permaneceram inabalados no olho do pequeno ciclone, observando folhas, poeira e gotículas de água revolverem ao redor. – Vai sentir um desconforto.

– O que devo fazer?

– Chegue mais perto – Denyel a agarrou. – E tome fôlego.

Com um estrondo que copiava a sucessão de três raios, os dois sumiram instantaneamente, impulsionados através do túnel planar, para ressurgir com uma explosão luminosa, desabando sobre a mesa de madeira que mobiliava o porão. Caíram desengonçados, estilhaçando tábuas e artefatos sobre a bancada.

Doloridos, mas ilesos, eles se escoraram na parede, com a cabeça girando e os dedos dormentes. Ficaram cegos num primeiro momento, para recuperar a visão instantes depois. O apartamento permanecia intacto, com a televisão desconectada ante a poltrona, a geladeira fechada, as portas de acesso ao banheiro e à garagem cerradas e as prateleiras repletas de pistolas e rifles. Denyel se recobrou e imediatamente conferiu seu estoque de armas, metódico como era com seus bens materiais. Algumas peças do arsenal não estavam mais lá.

– O que houve? – Kaira conhecia aquela expressão.

– Alguém esteve aqui. Minha Thompson foi roubada.

– Não sei por que se apega tanto a essas bugigangas.

– Tinha valor sentimental. – Ele abriu o armário para checar a munição. – Mas a questão não é essa. O refúgio está protegido contra a intervenção humana.

– Então quem...

Escutaram a tranca da porta rodando e, em seguida, passos que desciam a escada, indiferentes à presença deles. O exilado materializou a espada e escondeu-se nas sombras, buscando o melhor ângulo para revidar um ataque. A arconte puxou a Beretta, ainda incerta sobre se conseguiria ou não invocar seus poderes.

Silêncio.

E a revelação.

Um anjo – as vibrações não deixavam dúvidas – de pele negra, roupas esportivas e portando uma velha submetralhadora Thompson, recolhida do arsenal de Denyel, apareceu no depósito. Tinha cabelos curtos, corpo atlético, e se espantou ao ver os dois celestiais na surdina, prontos a atacá-lo.

Com o sobressalto característico de um adversário rendido, o invasor deu um passo atrás e deitou a arma no chão. Ergueu os braços sobre a cabeça, para enfim capitular.

– Quem é você? – Kaira desceu o cão da pistola.

– Minha senhora – ele se ajoelhou. – Não se recorda de mim?

Da escada, emergiram outras duas entidades celestes. Denyel relaxou a guarda ao reconhecê-los, e a ruiva os encarou, absolutamente incrédula.

– Levih? Urakin? O que estão fazendo aqui?

PARTE IV

ATHEA

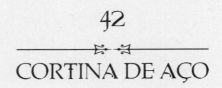

CORTINA DE AÇO

Montanhas de Santa Helena, dez dias antes

Kaira, Levih e Urakin entraram na catedral de gelo, que, com suas rosáceas, colunas e pilares construídos misticamente, encerrava a última câmara da caverna oculta nas montanhas de Santa Helena.

Urakin agachou-se para farejar o chão, enquanto seus dois amigos avançavam em direção ao altar, decorado por uma estátua de cristal que imitava a pose de um homem magro, de feições delicadas e vestido com uma longa túnica de corte incomum.

Usando sua percepção aguçada, o Punho de Deus rastreou pegadas no manto de neve. Encostou o nariz no piso e percebeu os rastros de Yaga, a impetuosa hashmalim que os atacara na república. A trilha terminava em uma das capelas laterais – havia muitas delas, todas envoltas por vapores gelados, passagens que certamente conduziam a aposentos secretos.

Levantou-se para avisar os companheiros, distantes uns quarenta metros à frente, quando escutou um ruído de cristal estalando. Olhou para a tribuna e viu que Kaira estava retida num esquife de gelo, uma artimanha usada por um anjo que mais tarde ele soube ser Andril, o mesmo que agora se transformava em carne para agredi-los covardemente.

Urakin não planejou estratégias – assumiu postura de ataque, partindo para a batalha com os punhos fechados, correndo através do templo como um búfalo que persegue a manada. Reparou em Levih petrificado de medo, incapaz de reagir sob estresse, e entendeu que era o único apto a salvar o grupo daquela emboscada.

Já na preparação para a corrida, sentiu o perigo vindo do teto, mas preferiu não recuar. Acelerou por mais alguns metros, e uma estalactite se espatifou a seus pés. No instante seguinte, parecia que toda a caverna soltava pontas de gelo, grossos fragmentos que caíam sobre ele feito uma chuva de agulhas mortais. Conseguiu se desviar de uma, de outra, até que um pedaço o atingiu pelas costas, antes que ele alcançasse a escadaria que subia ao oratório.

Tropeçou na neve, com a hemorragia avançada, e finalmente outro objeto lhe acertou a cabeça. Os músculos perderam a força. Ele não conseguiu se mexer, mas ainda podia ouvir, precisamente como muitos se sentem em estado de coma.

Graças à sua constituição de guerreiro, o Punho de Deus esteve consciente, embora entorpecido, durante o combate que se sucedeu nos minutos vindouros. Escutou a derrocada de Yaga, quando Kaira a fulminou, e depois o ataque de Andril, frustrado pela súbita chegada de Denyel.

Os dois escaparam e o Anjo Branco ficou ali, desnorteado por algum tempo, para ser amparado por aliados que Urakin não soube reconhecer. Uma dessas figuras o arrastou pelos túneis abaixo, largando-o em uma câmara em que o frio era tão intenso que enfim o venceu.

Urakin recobrou a consciência. Estava congelando – ou melhor, estava *congelado*. Os tendões não respondiam, provocando uma desconfortável sensação de dormência, do calcanhar à ponta dos dedos.

Ao passo que a respiração se agitava, o sangue voltou a correr. Descobriu-se esticado, de costas na parede, com os braços presos para trás.

Seus grilhões eram oblíquas estalactites de gelo, que lhe engoliam os punhos e os colavam à lateral da caverna.

Não havia fontes de luz, mas com suas habilidades predatórias ele enxergava silhuetas no breu. Identificou o companheiro Levih, também pendurado em igual posição. Tentou acordá-lo, sibilando seu nome, mas os ofanins são pouco vigorosos, e talvez ainda demorasse algumas horas para que ele despertasse. Felizmente não estava ferido, e a pancada no ouvido só deixara um leve hematoma. Já Urakin não tivera a mesma sorte – tinha cortes pelo corpo e uma perfuração no peito, que muito lentamente começava a sarar.

Olhou ao redor. Estava em uma gruta pequena, com nichos imperceptíveis na escuridão. Deduziu que aquela fosse uma das galerias da caverna de Andril, que se ramificava por incontáveis túneis sob as montanhas de Santa Helena. Paralisou ao escutar um murmúrio.

– Urakin? – Era Levih, com a voz rouca e mortiça.

– Sim – respondeu, a fumaça branca escapando da boca. – Estou perto. Posso vê-lo.

– Onde estamos? Não enxergo nada.

– Não sei. Parece uma cela.

– Está machucado?

– Não, estou *ferido*. – Ele era preciso como um androide. – E você?

– Dói-me a cabeça.

– Tem sorte de ainda ter uma cabeça que lhe doa. – Os querubins são pouco chegados a lamentos. – Vai ficar bom.

– O que aconteceu? Onde está Kaira?

– Escapou – contou Urakin. – Escutei a batalha. Ela resistiu aos poderes de Yaga, atacando-a bravamente depois. O tal Anjo Branco tentou enfrentá-la, mas Denyel a resgatou. Não sei para onde foram, mas talvez tenham voltado ao porão.

– Denyel apareceu?

– Ele não ia deixar a anistia escapar. Derrubou Andril e levou Kaira com ele.

– Denyel o matou?

– Não, só o feriu. – E acrescentou: – Infelizmente.

– Quanto tempo acha que ficamos desacordados?

– Eu teria me recuperado em algumas horas, mas é possível que o inimigo nos tenha posto em hibernação. Portanto, é impossível saber.

– Verdade – Levih suspirou. – Percebeu que há algo de errado com o tecido? Embora finíssimo, ele parece impenetrável.

– Sim. É uma técnica ilustre. – Urakin havia sido prisioneiro de guerra, então se lembrou. – Os hashmalins usam essa divindade em seus calabouços no mundo físico. Chamam-na de Cortina de Aço, e é utilizada para lacrar a película contra a movimentação extraplanar.

– Quer dizer que não podemos nos desmaterializar?

– Não aqui, caso contrário qualquer prisioneiro fugiria dissipando seu avatar. Funciona também no sentido contrário, impedindo que a caverna seja invadida através do astral. Não é uma habilidade incomum. Os feiticeiros humanos também costumavam produzi-la por mágica, salvaguardando seus refúgios contra anjos, demônios e espíritos.

O ofanim franziu os olhos, tentando captar movimentos no escuro. Suas roupas estavam inteiras, com o paletó apenas surrado – diferentemente de Urakin, que tinha a camisa rasgada e as calças sujas de sangue.

– Então não temos como fugir?

– Podemos, mas pelo mundo material.

– Entendo. – Levih estava pensativo. – Também está preso?

– Exatamente como você.

– Já tentou partir o gelo?

Urakin discordou com a cabeça.

– Duvido que tenham nos prendido com grilhões que podemos quebrar.

– Não custa tentar.

– Está bem – acatou o guerreiro e, mesmo convencido da inutilidade do ato, concentrou toda a potência que lhe restava para incrementar o vigor.

Com as feridas anestesiadas pelo frio, o Punho de Deus envergou a coluna, puxando os braços para frente, empregando força descomunal.

Rodou o corpo, torceu o quadril, estreitou o peito. Ficou vermelho de tanto esforço, e nada.

Parou para inspirar e de repente escutou o ranger de uma farpa, que logo foi seguida de outra, outras e muitas outras. A estalactite direita se partiu como vidro, despedaçando-se em pequeninos fragmentos gelados. O segundo grilhão arrebentou, e num instante Urakin estava livre, prostrado no solo de neve. Esperou alguns segundos e se levantou, ainda com os cortes latejando.

– Conseguiu! – comemorou Levih. – Pode caminhar?

– Fácil demais – o querubim resmungou, movendo as juntas para reverter o formigamento. – Vou libertá-lo.

Caminhou até a alcova do amigo e com dois socos destruiu os blocos que o prendiam. O gelo havia amolecido, já não era tão rígido quanto antes.

– É melhor irmos embora – disse o ofanim. As pancadas de Urakin haviam feito a gruta tremer. – Se houver guardiões por aqui, é provável que tenham nos escutado.

O Punho de Deus torceu o nariz.

– Não é do meu feitio fugir.

– Não seja imprudente. Está ferido, e Kaira pode estar precisando de nós. – Levih fez a palma brilhar, ajustando o raio para não chamar atenção. Diante deles, vários túneis conduziam a direções as mais variadas. – Para onde?

– Não farejo nada. Se existe uma passagem que leva à superfície, a saída está a quilômetros.

– Então, acho que a decisão é minha – observou o ofanim, que na ausência da arconte era o líder do grupo. Escolheu a esmo uma opção. – Vamos por ali.

Urakin tomou a dianteira, sempre alerta às surpresas que espreitam numa fortaleza inimiga. Mas, antes de dar o primeiro passo, por pouco não tropeçou em um corpo estirado. Pelas vibrações, era o avatar de um anjo. Estava desacordado, coberto por uma epiderme de gelo. A pele, antes negra, ficara acinzentada, com os lábios escuros pela hipotermia.

– Conhece? – perguntou Levih.
– Não pessoalmente. Mas sei quem é.
– Amigo? Inimigo?
– Se eu estiver certo, estamos prestes a completar nossa missão – o guerreiro anunciou. – A segunda parte do quebra-cabeça se fecha.
– Então é mesmo ele? – O Amigo dos Homens se ajoelhou. – O guarda-costas de Kaira?
– Zarion – completou Urakin. – Não poderíamos ter melhor fortuna.

Urakin apoiou o avatar de Zarion sobre o ombro, erguendo-o com a maestria reservada aos soldados, acostumados a carregar companheiros feridos. Embora rígido, o corpo do guardião ajustou-se a suas costas. Caminharam por vinte metros, não mais que isso, e escutaram um gemido.
– Não por aí – tremeu Zarion. Estava vivo, afinal. – Esta galeria leva à câmara de Andril. O túnel da esquerda... Tomem o túnel da esquerda.
– Poupe esforços, Zarion – confortou Levih. – Descanse.
– Há uma saída – ofegou. Sua voz era fraca. – Pela esquerda. O túnel da esquerda.
Os celestiais seguiram seu conselho, mesmo sem ter certeza se ele tinha condições de discernir – era um tiro no escuro, de qualquer forma. Regressaram à cela e de lá para a passagem indicada.

O túnel declinava, e já nos primeiros cem metros não se viam mais flocos de neve, ou mesmo resíduos de gelo. Uma corrente de ar morno trazia o aroma do campo, mas ainda não se enxergavam fontes de luz. Naquele trecho, a passagem havia se transformado numa galeria de rocha, de três metros de altura por quatro de largura, com reentrâncias típicas de uma gruta tradicional. Caminharam mais alguns passos, e Zarion pediu que fosse posto no chão, para que pudesse descansar por um minuto. Ser carregado por Urakin fora até ali necessário, mas o tórax dobrado e a cabeça inclinada dificultavam a respiração.

– Urakin... – ele reconheceu o companheiro de casta e dessa vez conversou com mais clareza. – O que faz aqui? Quem é o seu amigo?

– Meu nome é Levih – apresentou-se. – Fomos capturados por Andril. Viemos com Kaira.

– Kaira? – Zarion aguçou os olhos negros. – A arconte está com vocês?

– Não exatamente. Acontece que...

– Espere – cortou Urakin. – Antes nos diga o que o trouxe a esta montanha.

O guarda tossiu, espalmou a mão sobre o peito, como se uma dor lhe afetasse os pulmões. Era um lutador e se curava rápido, mas as divindades do Anjo Branco deixavam sequelas. As roupas que trajava eram leves e estavam rasgadas, sugerindo que estivera em combate.

– Fomos derrotados por Andril e Yaga, agentes inimigos que certamente vocês já conhecem – suspirou. – Procurávamos pistas sobre o plano do arcanjo Miguel de invadir o Terceiro Céu.

– *Como?* – Levih se assustou. Nem ele nem Urakin sabiam nada sobre os segredos da pirâmide atlântica, nem estavam a par da procura pelo rio Oceanus.

– Sim. Suponho que tenham vindo nos resgatar. Então Kaira está viva? Essa é uma grande notícia.

– Ainda não nos respondeu sobre o Éden Celestial – disse o Punho de Deus.

– Melhor não conversarmos aqui – argumentou o guardião. – Vamos encontrar um lugar seguro. Esta passagem evita os aposentos acima.

– Como sabe?

– Assim como vocês, fui induzido ao torpor, mas mesmo paralisado pude usar os meus sentidos para escutar as comunicações nas câmaras superiores. Este é um caminho longo, mas confiável, até onde pude entender. – E emendou: – Vocês atacaram Andril?

– Um querubim exilado nos ajudou – disse Levih. – Ele feriu o Anjo Branco no coração.

– Perfeito. – O comentário era praticamente uma celebração. – Isso explica por que despertaram tão cedo da letargia. Andril devia estar com a potência de sua aura reduzida ao congelá-los, o que infelizmente não aconteceu comigo.

Explicava também por que o grilhão de gelo fora tão facilmente quebrado. Pelo mesmo motivo, os celestes não haviam sentido a presença de Zarion – em hibernação, sua aura estava fraquíssima, quase sem vibrações.

– Consegue caminhar? – Levih reparou que ele se sentia melhor.

– Com ajuda, mas consigo. – Levantou-se e apoiou os braços ao redor da nuca de Urakin. – É bem melhor do que ser carregado.

– Vamos andando. Depois você nos conta o que sabe.

– Contanto que me levem à minha líder. Preciso me apresentar diante dela.

– Sim – concordou o Amigo dos Homens. – Você vem conosco, mas eu não acho que Kaira vá reconhecê-lo.

– Absurdo. Sou seu servo mais dedicado.

– Ela teve a memória apagada.

A notícia pegou Zarion de supetão. Ele tomou um susto e engoliu as palavras.

– Nesse caso, foi bom terem me achado. Pois *eu* lembro de tudo.

ECTOPLASMA

Depois de descer por quase trezentos metros, a galeria se aplainava, seguindo por mais um quilômetro em linha reta, com curvas ocasionais, mas sem bifurcações que confundissem a jornada. A umidade crescia, e o gelo foi aos poucos se transformando em lama fresca. Filetes de água brotavam da pedra, desenhando poças cristalinas, umas pequenas, outras maiores. Estalagmites que mais pareciam raízes atrasavam o avanço, algumas se conectando ao teto, delineando estranhas colunas de rocha entortada. A brisa quente ficara mais forte, sugerindo que estavam próximos do vão de acesso ao mundo exterior.

Pela distância percorrida, Urakin calculou que já deviam estar longe das montanhas e ainda mais afastados da caverna de gelo. Provavelmente agora vagavam sob a área urbana de Santa Helena, e ele não se surpreenderia se topasse com um cano de esgoto ou um buraco aberto pelas máquinas da pedreira.

Logo adiante, a galeria se alargava numa gruta – uma antecâmara obscura, espécie de clareira subterrânea, que nem o brilho de Levih iluminava inteiramente. Zarion propôs que fizessem uma pausa para beber água, afinal havia o suficiente para todos. Cansado, ferido e incapaz de caminhar sozinho, ele se ajoelhou diante de uma poça e fechou as mãos em forma de concha, levando o líquido à boca.

– Acho que estamos perto da saída – opinou Levih.

– Parece que sim – concordou o guardião. Sentou-se para tomar fôlego e reparou em Urakin. – Não vai beber nada?

– Agora não – respondeu o guerreiro, sem olhar para trás. Resolveu andar mais alguns metros, enquanto os outros repousavam.

– Não dê importância a ele – desculpou-se o Amigo dos Homens, acostumado à dureza do parceiro.

– Também sou um querubim, Levih. Conheço os modos de minha própria ordem – avisou. – Não vejo a hora de me recuperar. Sinto-me inútil.

Observando o estado lastimável de Zarion, Levih relaxou a seu lado e decidiu esperar ali o tempo que fosse. Não enxergava mais Urakin, que se embrenhara profundamente na negritude. Seus passos desapareceram ante a ritmada sinfonia de gotas, pingos constantes que criavam crateras e traçavam sulcos no teto.

Levih apoiou-se na rocha. Tocou a superfície do túnel. Uma gosma incolor, que ninguém havia notado antes, cobria grande parte da galeria, escorrendo pelas paredes, descendo como manteiga nas laterais da panela. Trouxe o dedo ao rosto e averiguou sua densidade, juntando e afastando o polegar e o indicador, simulando um movimento de pinça.

– O que houve? – perguntou o guardião.

– Sabe o que é isso? – E declarou em seguida: – Ectoplasma.

– Ectoplasma? – espantou-se Zarion. – Significa...

– Materialização forçada.

Urakin saiu do túnel e entrou na antecâmara, sempre usando a percepção apurada para investigar rastros, esconderijos e passagens secretas. Tateou cada reentrância e não achou nada de excepcional, até encostar na parede oposta, onde encontrou uma porta de madeira lacrada. As tábuas eram grossas, de carvalho maciço, com chapas de ferro oxidado pregadas na horizontal. Não tinha maçaneta, e a soleira estava coberta de limo, como se não fosse aberta havia anos, séculos talvez. Parou para olhar melhor quando escutou um berreiro.

– Urakin! – Era Levih que gritava. O Punho de Deus supôs que o parceiro estivesse em perigo, mas aconteceu precisamente o contrário. Girou nos calcanhares para avistar o horror que o espreitava.

Entre ele e Levih flutuava uma criatura que, até ali, estivera camuflada entre as raízes do teto. A besta tinha a forma de uma gigantesca esfera de carne – ou seriam órgãos, ou quem sabe mais parecesse um câncer, o guerreiro não sabia dizer. Media três metros de diâmetro e levitava a centímetros do solo, sustentada misticamente por seus poderes psíquicos. Vertia ectoplasma, dando à carcaça uma aparência horrenda. Quatro tentáculos saltavam do corpo, e de suas extremidades nasciam bocarras cheias de dentes, feitas para triturar e comer.

Urakin nunca vira uma entidade daquelas. Sua essência não se aproximava das vibrações demoníacas, nem da aura dos anjos. *O que* ela era, todavia, não fazia diferença. Não havia tempo para pensar – o monstro mergulhou para o ataque, e mesmo ferido o querubim fez o mesmo.

A fera tomou a vantagem da surpresa e moveu os tentáculos na direção do lutador. Ele se desviou do primeiro, e a pancada encontrou a parede, abrindo um buraco na estrutura de pedra. A segunda boca, essa sim, acertou-lhe o ombro, rasgando a roupa e penetrando os dentes na carne, tão fundo que teria arrancado um pedaço, não fosse a imediata resposta – um soco de baixo para cima, atingindo o que deveria ser a garganta do monstro.

A criatura o largou, e Urakin aproveitou para contra-atacar. Com o punho esquerdo, ele a esmurrou tão forte quanto podia. Mas o monstro não tinha ossos – a pele escorregava –, de maneira que o golpe não surtiu efeito letal. Ele persistiu com outro soco, e mais outros, todos certeiros, que no entanto não abalaram a besta, apenas a deixaram mais excitada.

– Urakin! Urakin! – exclamou Levih, quando ouviu os sons da batalha. Intensificou o brilho das palmas e enxergou o amigo engalfinhado com a fera assassina.

– O que é *isso*? – Zarion estava abismado. – Que espécie de monstro é esse?

– Um *devorador* – respondeu o Amigo dos Homens. – Um espírito corrompido que caminha pelo mundo astral, caçando almas perdidas e se alimentando da energia dos vivos.

O guardião tentou se levantar, mas cambaleou, ainda trôpego pela hibernação. Mesmo que quisesse, não aparentava ter condições de ajudar Urakin.

– Essas entidades não têm a capacidade de cruzar o tecido. O que pode tê-la trazido ao plano físico?

– Não sei, mas este não é um avatar, é uma invocação espiritual. O devorador não se materializou, foi *conjurado*.

– Yaga – Zarion raciocinou. – Foi ela, tenho certeza.

– Sim. Os hasmalins são expertos em controlar a membrana. Ela pode muito bem tê-lo tragado dos reinos espirituais. E agora, o que vamos fazer?

Zarion mal conseguia caminhar. Urakin estava ferido.

Levih se aprumou.

No momento em que Urakin desferiu dois inúteis socos no tronco do devorador, o monstro reagiu lançando um tentáculo de carne para engolir sua cabeça, mas o querubim se protegeu erguendo o braço esquerdo. Os dentes – varas apodrecidas de cálcio – se enroscaram, então, sobre seu punho, esmagando os ossos da mão e o travando num grilhão pulsante de veias, sangue e pus.

A entidade agiu rápido e com um puxão arrastou o guerreiro na direção do segundo tentáculo, onde outra bocarra o aguardava, faminta, salivando ectoplasma. O celeste resistiu e agarrou a primeira estalagmite que viu no caminho, prendendo-se a ela. Por alguns segundos houve uma dolorosa disputa de força, e, como nenhuma das partes cedeu, o resultado foi óbvio – a mandíbula da fera decepou o pulso do anjo, estraçalhando a mão e a parte inferior do antebraço.

Urakin soltou um grito de dor, algo semelhante a um brado de guerra. O sangue jorrou pelo cotoco, deixando à mostra a ponta quebrada do osso.

Saciado, o monstro recuou, mastigou seu petisco, engoliu a carne ainda viva e soltou um silvo bizarro, mistura de risada estridente e rugido felino. Depois, retornou à caçada.

Levih escutou o grito do amigo. Queria ajudá-lo, mas repudiava qualquer ato violento, mesmo contra a criatura mais vil. Atacara Yaga na universidade e desde então não se perdoara por isso. Zarion sugeriu:

– Vamos embora.

– Não podemos – ele falou. – Urakin morrerá.

– Será que não vê? – Zarion era prático como qualquer querubim. – Ele morrerá de qualquer forma, e se ficarmos aqui morreremos também. Estamos feridos, cansados. Vamos honrar o seu sacrifício. Precisamos nos concentrar na missão, essa é a nossa prioridade agora.

– Não posso deixá-lo – insistiu o Amigo dos Homens. – Devoradores são espíritos de ódio, fantasmas que se tornaram poderosos pelo rancor e pela amargura. Talvez eu possa acalmá-lo.

– Não tente isso, Levih – advertiu. – Será destroçado.

– Não posso evitar.

Mesmo arquejando, quase desfalecendo, sangrando como um porco no matadouro, Urakin não se desesperou. Na verdade, nunca se sentira tão bem. O prazer associado à batalha é uma característica da casta guerreira – para os querubins, não há maior glória do que morrer em combate.

O devorador se armou para uma nova sequência de ataques. Urakin juntou os joelhos e restabeleceu a guarda. O movimento a seguir foi quase instantâneo. Uma das bocas avançou, tentando morder-lhe as costelas. Ele fechou os cotovelos para bloquear a manobra, mas a defesa não foi necessária. Uma barreira fosforescente, espécie de muro quase invisível, impediu a arrancada da fera, interpondo-se entre ela e o guerreiro mutilado. Tinha a consistência diáfana, espectral, coruscando em estalidos de energia.

Impedido de abocanhar Urakin, o monstro girou em seu eixo e lá estava Levih, encarando a entidade, sem qualquer película que o protegesse. As palmas luziram em radiações transparentes, com flocos dourados rodando no ar, dançando feito gotículas nas paredes da gruta. A junção das divindades de luz e de empatia criara um padrão hipnótico, um encantamento que paralisou os ataques da besta, fez seus tentáculos se retraírem, deixou-a entorpecida. Era uma cena asquerosa, mas havia algo de triste também – os devoradores já haviam sido humanos, eram antigos espíritos de pessoas que morreram em angústia, tornando-se fantasmas, depois espectros, para enfim se converter nessas monstruosidades planares.

Ao longe, Zarion apenas observava, na relativa segurança da passagem rochosa, um túnel muito estreito para o devorador penetrar.

Levih se aproximou lentamente da fera, com a tranquilidade de quem doma um leão. Em condições normais, ele discursaria, conversaria com o monstro, tentaria persuadi-lo, convencê-lo a esquecer a batalha, mas o devorador era como um animal selvagem – não atendia a comandos vocais, apenas reagia a estímulos.

O Amigo dos Homens tocou a pele cancerosa, e ao fazer isso a criatura amansou. O que para ele representava uma vitória foi visto como oportunidade tática por Zarion, que não resistiu ao impulso da casta e, mesmo cambaleante, investiu. Buscou no chão uma pedra e com ela fez pontaria, mas a estratégia teve efeito contrário, reavivando os sentidos da entidade.

O devorador acordou da hipnose e adiantou-se na direção de Levih, rosnando, ainda mais furioso. O ofanim se agachou, escapou das presas mortíferas, mas terminou empurrado pela lateral do tentáculo. Foi arrojado para o fundo da gruta e, ao se chocar contra as pedras, escutou alguma coisa rachando. Pensou que fosse a espinha, mas não – a parede norte havia desabado, amortecendo a pancada, expondo antiquíssimos tijolos de argila. Olhou para cima. Viu a luz. Luz do dia. Era a saída!

O desmoronamento revelara um poço – vazio, sem água, que dava passagem a um bosque de eucaliptos, quinze metros acima.

O brilho do sol penetrou na caverna, e os anjos viram a criatura se encolher, tal qual uma fruta apodrecida. Acuado, o devorador recuou e, como era grande demais para escapar pelos túneis, se comprimiu ali mesmo, feito uma aranha que se refugia na toca.

Urakin reuniu toda força para arrebentar a estalagmite mais próxima, improvisando um tacape. Tomado pela ira, ele saltou, golpeando a besta dezenas de vezes. Depois, inverteu a ponta da clava, usando-a como lança para trespassar o monstrengo.

Como não encontrou o coração, dilacerou tudo que pôde. No fim, a caverna era uma praça de guerra, com pedaços de carne, paredes destruídas e um abominável festim de sangue, espiritual e angélico.

Urakin largou o porrete e deitou-se no chão, com os braços abertos, respirando apressadamente. Levih correu para socorrê-lo.

– Sua mão! – Rasgou a manga da camisa e com ela apertou um garrote.

– Estou bem – ele murmurou, só que não estava. Os anjos podem curar seus ferimentos, mas mutilações levam dias para se regenerar.

Zarion juntou-se aos dois.

– E você, Levih? Está ferido?

– Só um corte na testa – apontou para o hematoma. – Devia ter me deixado lidar com o devorador. Estava praticamente o libertando.

– Libertando? Aquele monstro?

– Você não entenderia. – O ofanim desistiu de explicar e indicou a escotilha, além da parede demolida. – Descobri a saída.

– Que tipo de besta era aquela? – indagou Urakin. Era quase uma regra para os querubins aprenderem tudo a respeito de seus oponentes, de maneira a enfrentá-los melhor no futuro.

– Um caçador de espíritos.

– Parece que a luz do sol o torna mais fraco – refletiu Zarion.

– Não é a luz, mas o tecido. Qualquer entidade invocada em sua forma espiritual é sensível às oscilações da membrana e só consegue agir onde a película é muito fina. A parede quebrada abriu uma passagem para o mundo lá fora, engrossou o tecido e a fera se retraiu.

– Como ela conseguiu se materializar? – questionou Urakin.

– Estávamos nos perguntando a mesma coisa. – Levih olhou para os restos da criatura. – Ela já devia estar flutuando pelos subterrâneos, esquadrinhando o plano astral. Yaga provavelmente usou seus poderes para tragá-la para o mundo físico, de maneira a empregá-la como sentinela para vigiar esta entrada secreta.

– Será que ela queria defender as câmaras acima ou os aposentos abaixo? – Urakin mostrou a porta lacrada, que havia descoberto mais cedo. – Que tipo de segredos ainda podem estar ocultos nas passagens inferiores?

– Não importa agora – disse Levih. – O que temos de fazer é tirar vocês dois daqui e reencontrar a arconte. Juntando Zarion e Kaira, encerraremos a nossa missão.

– Está certo – admitiu o Punho de Deus. – Mas ainda acho que tudo isso pode ter uma ligação.

– Claro que tem – instigou Zarion. – Vou lhes contar.

44
CORAÇÃO DE GELO

Os três anjos abandonaram a exploração dos níveis inferiores da caverna, prometendo voltar tão logo estivessem saudáveis. Zarion já se sentia melhor e foi o primeiro a escalar o buraco, ajudando os demais a subir. Urakin teve maior dificuldade, pois só contava com um braço de apoio, mas conseguiu se agarrar às raízes que nasciam na pedra, formando rachaduras tão grandes que simulavam degraus. Olhou para cima e reconheceu o lugar. O poço dava para um bosque de eucaliptos, banhado pelos raios do meio-dia. As árvores cresciam dispostas em linha, e sobre elas um bem-te-vi cantava sem parar. Tufos de erva daninha cambalhotavam ao vento, agitando as folhas secas do outono.

– Estamos na universidade – disse Urakin.

– Interessante. – Levih coçou a cabeça, imaginando até onde se estendiam os túneis sob a região de Santa Helena. – Aqui podemos nos esconder e descansar. Mas precisamos encontrar alguma coisa para comer.

– O que é aquilo? – Zarion avistou um modesto banquete, à sombra de uma árvore de casca escura. Em um prato de cerâmica havia um cacho de uvas, dois pedaços de pão, quatro maçãs, uma porção de amêndoas, um potinho de aveia, avelãs e grande quantidade de amoras. Uma jarra de prata estava cheia de leite, outra transbordava de vinho.

– Tem o bastante para todos – comemorou Urakin, mancando em direção à comida.

– É uma oferenda, provavelmente feita pelas alunas – explicou Levih. – Devemos respeitar os espíritos para os quais este alimento foi entregue.

– Para o inferno com eles! – retrucou o Punho de Deus, dando uma golada no leite. – Se há algum espírito digno desta comida, que venha pegar.

Zarion concordou.

– É verdade. Se existe alguém que merece esta oferenda, somos nós. – Provou a maçã.

– Está bem – assentiu Levih. – Mas e depois? Não podemos pegar a rodovia neste estado deplorável.

– Não se preocupem. Conheço uma trilha.

– Conhece? – o guerreiro desconfiou.

– Descansem. E se preparem para uma longa caminhada.

Urakin ainda resistia a seguir as orientações de Zarion, embora não houvesse dúvidas de sua integridade. Suas vibrações eram idênticas à aura dos celestiais, as atitudes eram típicas de um querubim e a aparência batia com a do antigo guardião da arconte. Além disso, a lealdade do novo companheiro seria reforçada aquela noite, com as revelações que faria sobre o passado de Kaira e o plano de Andril.

Os três anjos atravessaram o bosque, entortaram as grades que cercavam o campus e tomaram o caminho através de um matagal, já distantes da propriedade acadêmica. Zarion aparentemente queria fazer surpresa, porque não disse nada por várias horas, até que os outros entenderam para onde estavam rumando.

O sol havia baixado quando, do topo de uma colina, eles avistaram o condomínio em ruínas, o mesmo em que Kaira pensava ter morado, onde redescobrira seus poderes, dias atrás. O lugar continuava intocado, com as paredes das casas chamuscadas, os telhados em frangalhos e o capim alto engolindo os jardins. O que restava era sucata, latas de lixo, postes quebrados e ranhuras na via central. Observada de cima, a vizinhança era peculiar aos olhos celestes, com dezenas de fantasmas perambulando nas ruas, iguais àqueles vistos por Levih no portão de entrada, quando ali estivera pela primeira vez.

Raros são os mortais que têm a capacidade de espiar além do tecido, mas todos os anjos enxergam o plano astral, e às vezes essas visões os incomodam, como era o caso do Amigo dos Homens, que deixou escapar uma lágrima ao perceber os aflitos.

– Vocês procuravam uma área deserta. – Zarion apontou para o bairro devastado. – Garanto que não há lugar mais inóspito em toda esta região.

– Já estivemos aqui – segredou Levih.

– Posso imaginar. – O celeste indicou a casa onde Kaira achava ter morado. – Foi ali que tudo começou.

Quando a noite chegou, o grupo tomou como abrigo uma casa no fim da rua, a única que escapara ilesa ao incêndio. Os canos de esgoto haviam estourado, e o gramado era agora um charco, com poças fedorentas e nuvens de mosquito. O interior, porém, permanecia habitável, apesar das fissuras no teto e de uma goteira incessante no banheiro de serviço. O chão fora coberto por um tapete mofado, mas seco, e a lareira vazia ainda guardava suas ferramentas de metal – pinça, pá e espeto. Não havia móveis e o sistema elétrico entrara em colapso, o que não era problema para os querubins, acostumados a enxergar no escuro.

Levih trouxe tábuas para acender o fogo – restos de caixas de laranja, recolhidos no quintal. Pegou uma embalagem de fósforos encontrada no armário da copa e se preparou para riscar um palito, quando Urakin avisou:

– Sabe que taticamente isso é uma idiotice?

– Idiotice? Por quê? Vai ficar frio de madrugada.

– A fumaça seria vista a quilômetros. Na melhor das hipóteses, atrairíamos curiosos; na pior, Andril e seus anjos.

– Acha que ele já se recuperou? – A pergunta era também para Zarion, e foi ele quem respondeu:

– Vocês o feriram? Como?

– Uma espadada no coração – descreveu Urakin. – Pelo menos foi o que pude escutar.

– Ah, sim. – O anjo de pele negra encostou a porta da rua, para ter certeza de que ninguém os ouvia. Era uma noite calma, sem grilos ou cigarras cantando. – Essa é a primeira coisa que precisam saber. O avatar de Andril é indestrutível. Em síntese, ele é invencível.

– Isso é possível? – Levih estava confuso.

– Com a manipulação das substâncias paraelementais, ele desenvolveu uma divindade própria, secreta, chamada de Coração de Gelo. Com ela, seu coração é transformado em uma peça única de cristal. Nossas armas não poderiam matá-lo, no máximo feri-lo.

– Por isso Denyel não conseguiu assassiná-lo – disse o ofanim, e aproveitou para prolongar o assunto: – Como sabe tanto a respeito de Andril?

– Longa história – Zarion começou. – Há cerca de dois anos, recebemos informações de que Miguel tinha enviado agentes à terra para encontrar uma passagem para o Terceiro Céu.

– Isso não é absolutamente aceitável – Urakin estranhou. – As portas do Elísio foram fechadas há milênios, ninguém sabe como ou por quem.

– Ora, o Elísio é apenas o portão de entrada, mas existem outros caminhos – ele explicou. – Sempre existiram.

– Quem era sua fonte?

– Esse era o problema, ninguém sabia quem era a fonte. Talvez Kaira soubesse, mas nunca me revelou.

– Ordenaram uma expedição baseada em boatos?

– Deixou de ser boato quando achamos as evidências. – Os olhos escuros se refletiram no vidro da janela. – O primeiro agente que interceptamos foi Henoch, um hashmalim que colecionava almas supostamente iluminadas em sua torre. Com elas, ele esperava abrir um túnel dimensional para o terceiro nível.

– Como, exatamente? – interpelou-o Levih.

– Não sei. Não conheço a variedade dos poderes da ordem.

– Quem, além de você e Kaira, participava dessa operação? – sabatinou-o o Punho de Deus.

– Éramos quatro no início. Além de mim e da arconte, trabalhávamos com uma serafim, Mariah, e com um hashmalim, Ismael.

– Um hashmalim? Nas fileiras de Gabriel?

– Ouvi falar dele – interveio o Amigo dos Homens. – É um dos poucos membros da casta que desertaram para a facção rebelde.

– O que aconteceu com eles depois? – prosseguiu Urakin.

– Ambos se separaram de nós após a missão da Torre das Almas. Não imagino onde possam estar neste momento. O que sei é que matamos Henoch, e nossa investigação nos levou ao próximo agente.

– Andril – deduziu Levih.

– Uma das almas presas na torre nos revelou o ponto de encontro dos arcontes de Miguel no plano físico, um refúgio disfarçado de clube no distrito de Camden Town, uma área ao centro-norte de Londres.

– Que endereço mais incomum.

– Na verdade é bem usual. Os elohins se aproveitam da presença de seres humanos para se fixar em regiões onde o tecido é espesso. Assim, suas vibrações são mais difíceis de ser captadas.

– Espertos.

– Nem tanto. Nós os achamos, invadimos o local e capturamos seu protetor. Realizamos a sondagem da mente e desvendamos todo o plano do inimigo.

– Essa eu quero ouvir – rezingou Urakin.

– Andril estava atrás de um artefato, uma pirâmide em miniatura que, segundo acreditava, era a chave para Athea, uma colônia atlante que teria resistido ao dilúvio. Essa cidadela estaria hoje escondida em algum lugar do Atlântico e guardaria um dos afluentes do rio Oceanus, com seus canais de acesso às dimensões paralelas. Pelo que conseguimos investigar, um dos funcionários da organização de pesquisa Icon havia retornado de alto-mar com o cobiçado objeto. Descobrimos que a instituição tinha perdido contato com o barco após seus cientistas terem sido atacados.

– Atacados por quem? – indagou Levih.

– O relatório interno fala de piratas, mas sabemos que não foi isso.

– Qual é sua hipótese?

– Athea está desaparecida desde o terceiro cataclismo, foi deslocada pelas águas da inundação. Os mortais devem ter encontrado a colônia acidentalmente. – Zarion sentou-se de pernas cruzadas. – Não tenho dúvidas de que acordaram o vigilante que defendia a cidade e acabaram mortos. O geólogo-chefe escapou com a chave, foi o único sobrevivente.

– Aceito a hipótese sobre Athea. – Urakin afagou o cavanhaque castanho. – Mas não acredito que ainda possa haver qualquer atlante vivo, depois de quase quinze mil anos.

– Sim, o reino de Atlântida foi destruído, mas seria lógico admitir que muitas colônias resistiram, afinal eles protegiam suas fortalezas com mágica – lembrou Zarion. – Da mesma forma devem ter preservado seus habitantes.

Levih retomou a questão principal:

– E o geólogo?

– Os relatórios da Icon continham todos os seus dados, inclusive o endereço particular. – Ele apontou para a residência do outro lado da rua. – Voamos para cá através do mundo espiritual e escutamos suas preces ressoando no tecido. Materializamos nosso avatar, invadimos a casa e adivinhem quem encontramos.

– Chegaram a tempo?

– A tempo de evitar o pior. Andril me aprisionou em uma coluna de gelo e atacou Kaira, que revidou com um escudo de fogo. A explosão matou o geólogo, deixando o Anjo Branco incapacitado. Yaga usou suas perícias como estratégia de ataque, removendo a alma da filha do morto, Rachel, e a prendendo no avatar da arconte.

– Parecia óbvio, no fim das contas. – Levih esfregou as palmas para se aquecer. – A confusão psíquica de Kaira não tinha a ver com manipulação mental. Existe um espírito preso em seu corpo físico.

– Exato – concordou Zarion, inclinando levemente a cabeça.

– E por que Andril a manteve viva? – Urakin não deixava um só detalhe escapar. – Por que sustentou a farsa de implantá-la como aluna na faculdade?

– Embora ele tivesse conseguido a pirâmide, o homem estava morto, e a menina, ou a alma dela, era sua única chance de encontrar as coordenadas de Athea.

– O que aconteceu com o navio da Icon?

– Não era bem um navio, era um barco cargueiro – contou. – A Icon era uma instituição privada de pesquisa marinha, tinha acesso a equipamentos caríssimos, mas praticamente tudo que possuía estava na embarcação, incluindo o grupo de cientistas. Quando a tripulação foi morta, a organização se desfez. De alguma forma, o geólogo conseguiu voltar para casa usando uma lancha auxiliar. O inimigo já havia achado o barco menor e, com ele, os relatórios que depois encontramos. E aqui estamos nós.

– Meu Deus, e pensar que Kaira está com a chave. – O ofanim se lembrou da peça que tinha visto na catedral. – Andril deve ter partido atrás dela, por isso a caverna de gelo estava vazia.

– Talvez – avaliou Zarion.

– Quem sabe para onde aquele desgraçado a levou? – resmungou Urakin. Andava de um lado para o outro. O sangue coagulara, mas o punho ainda não tinha sarado.

– Desgraçado? – O guardião não sabia sobre Denyel. – Quem?

– O exilado que nos ajudou – esclareceu Levih.

– Ajudou coisa nenhuma – retrucou o Punho de Deus. – Foi tudo em benefício próprio. Aquele imprestável...

– Pelo menos Denyel está com ela, Urakin. Pior se estivesse sozinha.

– Esse Denyel tem um refúgio? – Zarion quis saber. – A maioria dos exilados tem.

– Sim, próximo ao porto, na descida da serra. Mas duvido que ainda estejam por lá.

– Ainda assim, é o melhor lugar para começarmos. – Olhou para Levih, que na ocasião era o líder. – Se me permite sugerir, é claro.

Urakin concordou, um tanto desconfortável, mas reconhecendo a sensatez da proposta. O Amigo dos Homens não viu outra opção.

– Partimos amanhã, então. Urakin precisa descansar.

– Já falei para não se preocupar comigo.

– É claro que me preocupo. Mas, se deseja tanto ser útil, pode assumir o primeiro turno de guarda. Todos nós temos que dormir ao menos algumas horas. – Levih percebeu que ainda tinha a caixa de fósforos na mão. Lançou-a na lareira apagada e esticou-se sobre o tapete. – Boa noite.

O Punho de Deus caminhou até a porta e ali ficou, atento aos arredores. Zarion cochichou, sem que Levih escutasse:

– Por mim já teríamos partido. Quem precisa descansar? – E acrescentou: – Espero que encontremos Kaira de uma vez. Não me agrada ser liderado por um ofanim. É no mínimo... contraproducente.

Urakin não respondeu.

45
TOMMY GUN

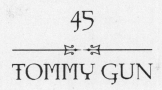

Levih acordou no meio da noite, com os lamentos dos fantasmas que vagavam nas praças. Perdeu o sono, viu Zarion esticado sobre o tapete e andou em silêncio para fora da casa, sorrateiro para não despertá-lo. Urakin continuava sentado na escadinha de madeira que descia ao jardim, segurando o cotovelo com um pedaço de lona. O Amigo dos Homens agachou-se a seu lado, sentindo o estômago embrulhar – não por algo que tivesse ingerido, mas pela situação dos mortos que os rodeavam. Os ofanins são sensíveis às feridas emocionais de terceiros, é como se as sentissem eles próprios, uma característica útil para entender a dor dos aflitos, mas um tanto desagradável também.

– Um horror o que aconteceu neste lugar – comentou. – Precisamos voltar aqui quando a missão acabar, reunir outros ofanins, recrutar os espíritos-guias.

– Seus artifícios são curiosos, Levih. – Urakin seguia manchado de sangue. – Deseja lutar por um bem maior, mas não está disposto a enfrentar as consequências.

– Estou disposto a qualquer coisa.

– Não está. Compreendo que é a natureza de sua casta, mas já vimos isso antes, milhares de vezes, milhões, eu diria. O desespero se transforma em angústia, a dor se converte em ódio. Os fantasmas virarão sombras, as sombras se tornarão espectros, devoradores, quem sabe até demônios. Nesses casos, só existe uma saída.

— Também age segundo os impulsos de sua ordem, Urakin — ele argumentou. — Assassinato *nunca* é uma opção.

— Garanto que é. Essas almas estão cheias de rancor e logo estarão muito distantes da redenção. Por que esperar? Existe uma estratégia infalível para libertá-las, e você sabe qual é.

— Não precisa me dizer isso. — O ofanim se mexeu na escada, desconfortável. — Eu *sei* como funciona.

— Sabe, mas age como se não soubesse. Aceite, Levih. Andril deve morrer, ou estes homens e mulheres nunca serão vingados. Não há outro meio de socorrer tantos espíritos. Assim, a nossa tarefa não se torna apenas um ato de guerra, mas uma missão humanitária.

— *Vingança?* — Ele desviou o olhar. — Não, obrigado. Foi essa espiral que nos trouxe a este ponto, a centelha que principiou o conflito civil, a semente que vem pervertendo os aliados.

— Considere-a como *justiça* então, se assim preferir — sugeriu Urakin. — Estamos trabalhando não por interesses pessoais, mas para defender uma causa. Somos soldados, guerreiros, e você também é um peão nessa batalha, ainda que não admita. Quer algo mais justo que exterminar um assassino cruel para desforrar vítimas inocentes?

— Muito fácil julgá-lo. Talvez o próprio Andril precise ser instruído.

— Você relativiza demais — encerrou o Punho de Deus. — Pense no que eu disse. Pondere o que é melhor para esses pobres coitados. Tenho certeza de que tomará a decisão acertada.

Voltou para dentro.

Era o turno de Levih.

— Os malditos destruíram minha espada — reclamou Zarion, tomando como arma o espeto de ferro pendurado na armação da lareira. Sacudiu a ponta e deu golpes no ar, para certificar-se de que o instrumento era eficiente em combate. O sol já tinha nascido, mas o frio da noite persistia. Uma forte cerração descera sobre o condomínio fantasma, dando um ar tenebroso às casas abandonadas.

Urakin havia saído para procurar roupas novas – velhas, na verdade, mas que servissem nos anjos. Depois de evacuado às pressas, o bairro fora saqueado, mas muitos objetos ficaram, incluindo certas quinquilharias, desprezadas até pelos ladrões. Não podiam andar pela cidade daquele jeito. Pareciam mendigos, cobertos de trapos, imundos de sangue e sujos de lama.

Levih olhou através da janela. Observou as construções enegrecidas. O Punho de Deus entrou na casa de repente, carregando uma trouxa de roupas. Jogou tudo sobre o tapete.

– Já? – Sua eficiência era surpreendente. – Como as encontrou tão rápido?

– Pelo cheiro, naturalmente. Suor, fuligem, poeira, mofo... Inconfundível.

Urakin recolhera as vestimentas nas casas, no clube, algumas na mata, abandonadas na fuga. Nenhuma delas estava limpa – todas fediam, mas pelo menos estavam inteiras. Trajou uma camiseta branca de gola larga e um casaco esportivo. Para calçar, roubou coturnos esquecidos em uma guarita. Rasgou um pano e envolveu o braço cortado, evitando uma nova hemorragia. Levih escolheu um paletó de veludo azul-marinho, jeans e camisa de botão. Zarion se contentou com uma calça de tactel e uma jaqueta de fibra sintética.

Deixaram a vizinhança e marcharam por vários minutos através da neblina, até alcançar a estrada que descia a montanha – uma rodovia de duas pistas, espremida entre um paredão e o precipício. A capital era vista ao longe, com seus prédios e usinas cobertos por uma espessa névoa de poluição.

Os ônibus costumavam fazer paradas regulares, mas Levih não esperou o coletivo. À aproximação do primeiro carro, levantou o dedo, e o motorista estacionou, derrapando no acostamento. Esticou a cabeça para fora e perguntou, com um sorriso farto nos lábios:

– Vão para onde? – Era um sujeito maduro, com pouco mais de 50 anos, pele morena, barba grisalha e óculos de lentes grossas. Seu automóvel, um furgão creme com a pintura arranhada, tinha espaço suficiente para todos.

– Para o porto. Pode nos levar? Atrapalha?

– Lógico que não atrapalha. – Desceu e abriu a porta traseira, convidando os celestes a entrar. Levih sentou-se no banco da frente. – Em que rua do porto vão ficar?

– A duas quadras da marina. Temos um amigo que mora lá.

– Fabuloso, fabuloso – elogiou o homem, fascinado com a presença do anjo. – Eu também tinha um colega que trabalhava naquelas bandas, na fábrica de autopeças, sabe? – Olhou para trás. – Se estiverem com calor, podem abrir a janela. Este tempo maluco... Fica quente, fica frio. A gente nunca sabe o que vai vestir.

Zarion estranhou a delicadeza. Dar carona a desconhecidos, ainda mais a dois grandalhões carrancudos, não era uma atitude muito segura. Olhou para Urakin e sussurrou:

– Que sorte a nossa. Logo o primeiro carro.

– Não é sorte. São as vantagens de ser liderado por um ofanim.

Por todo o percurso na estrada e mais adiante, já entrando na área urbana, o motorista desatou a falar. Discorreu sobre a família, a juventude, a falta de dinheiro, o trabalho e a religião. Reclamou da ex-mulher, queixou-se do chefe e só fez pausas ocasionais para escutar os preciosos conselhos de Levih. Quando finalmente estacionou, em frente ao prédio de Denyel, tinha lágrimas nos olhos. A despedida levou extensos cinco minutos, com abraços e promessas de reencontro, durante os quais Urakin e Zarion aguardaram em pé, ao lado da porta de aço que dava acesso ao porão.

Sustentadas quase exclusivamente pelas atividades da marina, muitas lojas da cidade não abriam nos dias de semana. As ruas internas estavam desertas, com redemoinhos de areia dançando no meio-fio. O forte cheiro de maresia era uma característica local e, sem o nevoeiro de Santa Helena, o calor aumentou. Levih bateu quatro vezes no metal – era um dos poucos que conheciam o protocolo dos exilados, conhecimento esse que lhe permitiu, anteriormente, encontrar Denyel e solicitar sua ajuda.

– Será que eles estão mesmo aí dentro? – questionou Zarion. – Não percebo nenhuma aura além da nossa.

– Foi Denyel quem construiu este santuário, e ele é um exilado – disse Levih. – O refúgio foi especialmente preparado para encobrir qualquer vibração.

Esperaram mais alguns minutos, e, depois de insistentes batidas, Urakin sugeriu:

– Se não atenderam até agora, é porque já se foram. Vamos entrar mesmo assim?

– Agora que já viemos, acho que deveríamos investigar, pelo menos – falou Levih. – Consegue arrombar a fechadura?

– Sem problema – e, com um toque de ombro, fez o trinco ceder.

Urakin seguiu na frente – mesmo maneta, ele preferia tomar a iniciativa, ignorando as desvantagens do antebraço amputado. A escada descia, apertada entre duas paredes de concreto.

No santuário de Denyel, reinava a completa desordem. Sobre a mesa de madeira, descansavam latas de produtos em conserva, trazidas no dia seguinte à cirurgia de Kaira. A geladeira ainda funcionava, entupida de cervejas *long neck*. O fio da televisão fora desconectado, e o cano de gás, fechado. Por todos os lados, as armas de fogo continuavam expostas, com um único espaço vazio, antes destinado à Beretta.

– Meu palpite é que eles nem estiveram aqui – opinou Urakin, abrindo uma lata de salsicha. – As pegadas são as mesmas do dia em que saímos. Não há marcas mais recentes que isso.

Levih arrastou uma cadeira e se juntou ao amigo. Acendeu a lâmpada do teto, fitou o chão e tentou imaginar uma saída – qualquer uma. Estavam novamente perdidos, e agora sem muita esperança. Como ex-soldado, Denyel não deixara nem deixaria rastros, então como o achariam?

Zarion correu os olhos pelas prateleiras e deteve-se em uma das peças da estante – uma submetralhadora Thompson modelo M1928A1, fabricada nos anos 40. A série ficou famosa pela antecessora, a M1921, o acessório preferido dos gângsteres dos Estados Unidos na década de 20. Usava cartuchos calibre 45 ACP e era alimentada por pente ou tambor, esse último podendo reter até cem balas. A 1928, apelidada de Tommy Gun, foi o armamento oficial dos soldados norte-americanos na Segunda Guerra Mundial, por seu pioneirismo e sua confiabilidade, ao lado do rifle Springfield e da pistola Colt 1911. A versão de Denyel era carregada por um pente de trinta disparos, tinha a coronha e o cabo de madeira.

– Pretende realmente usar esta coisa? – perguntou Urakin, ao ver Zarion remover a arma da prateleira.

– Também não gosto, mas é um tanto mais eficiente do que um espeto de lareira. – Ele inseriu as cápsulas. – Por que não revistamos os outros cômodos também?

Levih simpatizou com a ideia.

– Não custa tentar. Quem sabe não descobrimos uma pista? Vamos começar pela garagem.

– Muito bem. – Zarion engatilhou e assumiu a vanguarda. – Estou pronto.

A porta da garagem estava lacrada com fechaduras tão rígidas que, para abri-la, Urakin teria de quebrá-la, entortando as chapas de ferro. Relutante em destruir uma propriedade que não era sua, Levih preferiu dar a volta na rua, soltar o cadeado e entrar na pequena oficina pela passagem externa.

A Hayabusa de Denyel havia sumido. Uma bancada rústica guardava ferramentas de construção, chaves de veículos, autopeças, latas de óleo, tubos de graxa e entulho. Um rádio-relógio marcava a hora certa, reproduzindo baixinho o *Concerto para piano nº 1* de Tchaikovsky.

– Por que Denyel deixaria o rádio ligado? – ponderou Levih, aproximando o ouvido do alto-falante.

– Talvez apenas tenha esquecido – interveio Zarion.

– Os exilados têm métodos peculiares de defender seus refúgios.

– Isso não me diz coisa alguma – concordou Urakin, vasculhando uma lata de parafusos. Revirou gavetas, enfiou a mão em caixas de papelão, observou manchas na parede e farejou os dejetos no piso. Próximo à saída, Zarion incorporara a postura de guardião, com a atenção na porta e o dedo no gatilho.

Mas, antes que a música acabasse, a transmissão entrou em estática. O ponteiro correu sozinho pelas estações, como se um fantasma o controlasse. Quando finalmente voltou ao normal, a canção havia mudado.

At long last love has arrived
And I thank God I'm alive.
You're just too good to be true.
Can't take my eyes off you.

– Pelos céus – sibilou Levih. – De onde conheço esta música?
– Não tem nada aqui – garantiu Urakin. – Nenhuma evidência.

As paredes rangeram. Era como se um raio tivesse caído, sacudindo as vigas do prédio. Depois, completo silêncio.

Sem perspectivas concretas, os anjos regressaram ao porão. Zarion desceu primeiro, para não ser visto com a Thompson à luz do dia.

Levih considerou todas as alternativas e perdeu as esperanças de reencontrar seus amigos. Baixou a cabeça, entristecido, até que escutou o engate de uma arma de fogo – alguém tinha invadido o refúgio, sem que eles notassem!

Apurou a visão e enxergou duas silhuetas no escuro. Uma delas apontava uma pistola; a outra empunhava uma espada.

– Quem é você? – perguntou uma voz feminina.
– Minha senhora – Zarion largou a arma e se ajoelhou. – Não se recorda de mim?

Levih ergueu os braços, disposto a se render, quando reconheceu os invasores. A mulher os encarou, espantada:

– Levih? Urakin? O que estão fazendo aqui?

46
TRÊS DESEJOS

—O QUE *VOCÊS* ESTÃO FAZENDO AQUI? — SORRIU LEVIH, MAS NA VERDAde ele não estava interessado em saber. Abraçou Kaira, acariciou-lhe o rosto, com os olhos azuis cheios d'água. – Achei que os tivesse perdido. Pensei que Andril...

– Calma, Levih. – A ruiva recolheu a pistola. – Está tudo bem.

– Quem é o fuzileiro? – Denyel apontou para Zarion. A própria Kaira respondeu.

– Imagino que seja o meu antigo guarda-costas. – Ela o reconheceu como um dos personagens da regressão. – Estou admirada por ainda estar vivo.

– Consegue se lembrar? – O ofanim estava eufórico. – Já se recorda de suas experiências anteriores a Santa Helena?

– Na verdade não. Eu tive um sonho, se é que posso chamá-lo assim. – Ela não entrou em detalhes. Virou-se para o anjo de pele negra. – Pode se levantar agora.

O guardião obedeceu, mas Kaira ainda não se sentia à vontade liderando alguém tão submisso. Levih e Urakin a respeitavam, mas Zarion agia como se ela fosse uma deusa, uma posição com a qual não estava muito acostumada.

Denyel acendeu a lâmpada do teto. Ela reparou nos ferimentos de Urakin.

– O que aconteceu com a sua mão?

– Muita coisa aconteceu – ele foi sucinto, como sempre.

– Conosco também. – Ela se inclinou para Denyel. – Ainda temos comida?

– Alguma – disse o exilado, buscando uma *long neck* na geladeira. – Cerveja preta. Às vezes cai bem.

– Ótimo. Vamos almoçar.

Kaira reparou, pela gravidade da mutilação, que Urakin precisava se alimentar. O ferimento cicatrizaria dentro de um ou dois dias, mas o membro decepado não voltaria antes da próxima materialização. Ele jamais admitiria que se atrasassem por sua causa, então ela teve a ideia de organizar o almoço, que era conveniente, a propósito. Ela mesma não havia se recuperado plenamente das sequelas causadas pelo transe psíquico, uma vez que, dentro do vértice, todos os danos eram espirituais, não mundanos.

Sobre a mesa, Denyel espalhou as últimas latas de conserva e algumas garrafas de cerveja, ainda geladas. As calorias seriam preciosas para Kaira, mas, depois da intoxicação na lanchonete, ela enjoava só de sentir o cheiro de comida refinada, então almoçou ovos cozidos e bebeu água.

O mais espantoso, ela refletiu, era o fato de estarem todos ali, reunidos, prontos a se lançarem na etapa final da missão. Sorte ou destino? Era difícil dizer. Urakin numa das cabeceiras, com seus dois metros de altura; Denyel na outra, bebendo sem parar; Levih na sua frente, saboreando um prato de arroz; e Zarion acomodado a seu lado.

A refeição avançou pela tarde, com as duas equipes – ou *coros* – descrevendo suas aventuras, relatando as batalhas e as novas descobertas. Denyel revelou que caminho haviam seguido após fugirem da caverna, detalhou a luta contra os raptores, a regressão de Kaira, o aparecimento do mapa e o transporte místico que os trouxera de volta. Zarion explicou a invulnerabilidade de Andril e confirmou basicamente o que já sabiam sobre Athea e o rio Oceanus. Mas acrescentou detalhes sobre a Icon e a fuga do cientista para o continente, a partir das pistas que obtivera no clube urbano de Londres. Urakin e Levih narraram como haviam escapado do cativeiro, o confronto com o devorador e finalmente a descida ao porto.

– Têm certeza de que não foram seguidos? – Denyel destampou sua quarta cerveja. O vapor refrescante escapou pelo gargalo.

– Absoluta – garantiu Urakin. Os dois não se toleravam, e cada palavra entre eles tinha sabor de desafio. – Se alguém estivesse em nosso encalço, eu saberia.

– Então os despistamos – refletiu Kaira, mas ainda tinha suas dúvidas.

– Possivelmente. Não havia vigias na caverna de gelo – informou Levih.

– E o monstro que atacou Urakin?

– O devorador vagava por um túnel a quilômetros da câmara de Andril. Penso que foi invocado por Yaga, mas para proteger a entrada, não a saída. Tudo leva a crer que a montanha estava vazia no momento em que escapamos. Eles nos congelaram e partiram atrás de vocês.

– Mas como teriam nos encontrado?

Denyel coçou a barba rala, que crescia após semanas sem ver uma lâmina.

– O confronto com os raptores deve ter lhes chamado atenção. Nossa descrição pode ter chegado até eles, e a partir do pedágio rastrearam nosso trajeto. Urakin e Levih não tinham mais utilidade e foram postos em hibernação. Tudo que interessava ao Anjo Branco era a alma da menina e a pirâmide atlântica, e nós estávamos com as duas coisas.

– Mas não conseguiram nos interceptar.

– Pode ser muito pior que isso, Faísca – declarou o exilado, sombrio. – Talvez eles tenham nos deixado entrar no vértice não só para descobrir sua localização como para nos atacar na saída. Todos os anjos que lutaram as Guerras Etéreas conhecem a extensão dos poderes da deusa, e Andril deve ter presumido que deixaríamos o templo com as informações de Rachel. Mas ele não previu a Palavra de Retorno, que nos transportou para cá.

– Que diferença faz, então? A mim parece que estamos com a vantagem – criticou Zarion. A Thompson repousava em seu colo. – O tom pessimista é só para nos assustar?

– Está assustado, fuzileiro? – Denyel o abateu com um de seus apelidos jocosos.

Kaira organizou as ideias.

– O importante é que ganhamos tempo. Mas, quando Andril descobrir que não saímos do vértice por suas entradas regulares, ele virá para cá.

– Por isso precisamos correr – sugeriu o guardião. – Vocês disseram que encontraram uma carta náutica.

– Sim, está comigo – confirmou Denyel.

– Acho que *Kaira* deve guardar o mapa – propôs Zarion. Como guarda-costas da arconte, era natural que ele exaltasse sua liderança, ainda mais agora, que a havia reencontrado. – Espero que não se oponha. Ela é nossa líder, e esse objeto é precioso demais para ficar com você.

– Concordo – apoiou Urakin.

– Muito bem.

O exilado sacou da jaqueta uma folha de papel, dobrada várias vezes. A um só tempo debochado e triunfante, pousou o objeto na mesa. Zarion o arrastou com o dedo médio, para em seguida abri-lo como uma criança que desembrulha um bombom. O baque foi tão assombroso que ele imediatamente o largou, com a expressão alarmada.

A superfície do mapa estava queimada. Uma enorme mancha cinzenta inutilizara as coordenadas, desbotando os traços e apagando riscos e legendas.

– O que aconteceu? – Levih esticou a carta. – Foi destruída na viagem planar?

– Eu a queimei. – A confissão de Denyel deixou a todos perplexos.

– O *quê*? – Zarion fez uma careta indignada.

— Por que queimou a carta, Denyel? — O ofanim insistia em não prejulgá-lo.

— Não parece evidente? — Kaira o fitava, séria. — Agora *ele* é o mapa.

Urakin tinha o rosto enrubescido de raiva. Não suportava mais aquele falastrão. Só precisava de uma ordem para atacar.

— Um vigarista, até o fim. — Voltou-se para a arconte. — Se quiser, acabamos com este inútil de uma vez por todas.

— Quem vai acabar comigo, você? — Denyel soltou uma gargalhada e contra-atacou no ponto mais fraco. — Quer que sua líder saiba por que não gosta de mim? Não tem nada a ver com o exílio, não é? Não tem nada a ver com o meu passado.

A conversa cessou quando Urakin levantou da cadeira e se posicionou para saltar sobre ele. Congelou o ataque ao escutar um grito:

— Parem! Os dois! — ordenou Kaira. — Incendeio este depósito se continuarem com a discussão. São soldados. Briguem depois de completarem a missão. Antes, trabalharão como parceiros.

— Ele me desafiou — argumentou Urakin. — Mancharei minha honra se não enfrentá-lo.

— Manchará sua honra se me desobedecer — ela disse a primeira coisa que lhe veio à cabeça. Não conhecia o código dos querubins, mas deu certo. Os lutadores se acalmaram. Retornou a atenção a Denyel. — O que você quer?

— Renegociar as condições de minha anistia.

— Mas nós já aceitamos reintegrá-lo. — Levih não entendia. — O que mais pode querer?

— Primeiro, quero esse brutamontes longe de mim. Não que eu não possa vencê-lo, mas estou farto de suas ameaças. Não sou obrigado a ouvir seus insultos.

— Ele não vai agredi-lo — Kaira prometeu, encarando o Punho de Deus. — Asseguro isso, independente de qualquer acordo.

— Agora a parte boa. Quando eu me tornar um de vocês, quero livre acesso aos vórtices, às passagens cósmicas do céu para a terra. Liberdade de descer à Haled quando eu bem desejar.

– Não podemos lhe dar essa garantia – lembrou Levih. – Mais uma vez, não somos nós que decidimos.

– Eu sei. Mas quero a palavra de que tentarão.

– E o que mais, Denyel? – A ruiva estava cansada. Aquilo não era uma renegociação, era um jogo.

– Minha terceira condição direi ao chegar a Athea.

– Não podemos concordar com algo que não sabemos. – A oratória do ofanim faria inveja a qualquer diplomata, mas lhe faltava malícia.

– Que seja – aceitou Kaira, mais para findar o assunto. Eles não tinham muito a oferecer. Tudo que Denyel queria, no fim das contas, era assumir a liderança do grupo, mesmo que indiretamente, e ela sabia disso. Talvez por necessidade de ser aceito, talvez por medo de ser rejeitado, talvez por uma simples fantasia de poder. De qualquer forma, já havia conseguido algo próximo a isso. Sem o mapa, só ele conhecia as direções, e o coro não teria alternativa a não ser obedecê-lo, sem chances de questionar.

– Você é uma vergonha para a nossa casta, Denyel. – Impedido de avançar, Urakin cuspiu no chão.

– Já me disse isso, camarada. – O exilado abriu uma das gavetas sob a estante de armas. Apanhou uma chave. – Zarparemos ao pôr do sol.

47
O MÁGICO DE OZ

Nova York, 3 de setembro de 1939

Na Cidade das Esmeraldas, na Terra de Oz, Dorothy Gale bateu os calcanhares três vezes. Enquanto a Bruxa do Norte movia a varinha sobre sua cabeça, a menina segurou o cãozinho Totó e repetiu as palavras mágicas. Na tela surgiram círculos piscantes, simulando as rotações de um furacão. As imagens em tecnicólor desapareceram, para assim reverter às tonalidades sépia, com a casa dos tios caindo, girando, desmoronando nas laterais do tornado.

Quando acordou, Dorothy estava de volta ao Kansas, com a tia Em apertando uma compressa de água contra sua testa. O tio Henry viu um homem se aproximar pela janela – era o professor Marvel, o exótico viajante que ela encontrara na estrada horas antes. Os empregados Hunk, Zeke e Hickory se ajoelharam ao pé da cama.

– Não foi um sonho. Era um lugar – explicou a garota. – E vocês estavam lá – ela apontou para os criados, mexeu o dedo na direção do professor. – Mas não poderiam estar lá, poderiam?

Tia Em tentou acalmá-la.

– Temos muitos sonhos bobos quando...

– Não, tia Em. Era muito real, um lugar de verdade – insistiu Dorothy. – Havia algumas coisas que não eram tão boas, mas a maior parte delas era linda. Mesmo assim eu repetia: "Quero voltar para casa". E eles me mandaram para casa. – Todos sorriram. – Ninguém acredita em mim?

– Claro que acreditamos, Dorothy – disse o tio Henry.

O cãozinho subiu na cama. Ela o abraçou.

– De qualquer modo, Totó, estamos em casa. Este é o meu quarto, e vocês estão aqui. E nunca mais irei embora, porque amo a todos. – Fitou a tia com os olhos brilhando. – Oh, tia Em. Não há lugar algum como o lar.

Quando as luzes do Capitol Theatre se acenderam, Denyel escutou choros abafados. Mulheres puxavam lenços da bolsa, amparadas por homens de terno e gravata. Com a casa cheia, o Capitol, conhecido desde 1924 como Loew's Capitol, era uma sala de cinema com espaço para quatro mil pessoas, construída no centro de Manhattan, decorada com poltronas de couro e chão atapetado. O exilado refugiou-se num canto, esperou que todos saíssem e então caminhou sozinho até a calçada, tomando o beco que descia à Times Square.

O relógio de pulso marcava 21 horas – era uma clara e fresca noite de verão na Cidade que Nunca Dorme. Escutou uma sirene de polícia, sentiu o cheiro dos gases do metrô. Dobrou a esquina, pegou a 8ª Avenida, contornou a Rua 43, para finalmente ingressar em um restaurante com cara de bar, um estabelecimento soturno que ele costumava frequentar desde antes da Grande Depressão. Um músico tristonho dedilhava notas no piano de cauda, desempregados afogavam as mágoas em garrafas de gim, prostitutas ofereciam serviços a preços irrisórios.

Denyel pediu uma dose de *bourbon*, o uísque de milho genuinamente americano. Ficou sentado no balcão, escutando o noticiário que tocava baixinho em um rádio atrás da pilastra. Deixara a Europa em dezembro de 1918, na esperança de se livrar das terríveis lembranças do Somme.

Tomara um barco que o transportara da Índia à Austrália, do Japão à União Soviética, da Antártida à América. Os anjos da morte estavam de licença por ora, mas poderiam ser reintegrados a qualquer instante, novamente solicitados a matar tão logo os malakins desejassem.

Estabelecido em Nova York desde a década de 20, Denyel procurou não fazer amigos, afinal não sabia de que lado ficaria caso uma guerra estourasse. Mas não esperava uma nova batalha tão cedo nem imaginava que as autoridades humanas tivessem fôlego para lutar, depois da carnificina que vitimara quinze milhões de pessoas. Por todo esse tempo, desde a rendição germânica, houvera conflitos no Velho Continente, mas nada que afetasse o curso do mundo, nada saboroso o bastante para atiçar seus arcontes.

Uma nova transmissão chegou pelo rádio, anunciando um boletim extraordinário. O garçom rodou o botão de madeira, aumentou o volume. O pianista se afastou do teclado, algumas pessoas se encostaram na bancada.

"De Londres, a CBS tem uma notícia urgente", o tom do locutor era grave. "As palavras que escutarão são parte do comunicado que o primeiro-ministro Neville Chamberlain divulgou ao povo do Reino Unido na manhã deste domingo." O som se pontilhou de chuviscos. Entrou a voz do premiê, um sujeito com forte sotaque britânico. "Estou falando a vocês do gabinete oficial na Rua Downing, número 10." Tensão. "Esta manhã, o embaixador britânico em Berlim entregou uma nota ao governo alemão dizendo que, se até as onze horas eles não anunciassem a retirada de suas tropas da Polônia, seria estabelecido estado de guerra entre nós. Devo dizer a vocês agora que nenhuma resposta foi recebida e, consequentemente, este país está em guerra com a Alemanha." A pausa não deve ter durado mais do que poucos segundos, mas acabou se tornando uma vírgula histórica, uma lacuna tumular e mortífera. "Vocês podem imaginar quão amargo é este golpe para mim, já que todos os meus longos esforços pela paz falharam..."

O discurso continuou, mas Denyel não precisava mais ouvir. Engoliu a bebida, deixou três moedas no caixa, vestiu a jaqueta e voltou para a rua.

Olhou para a lua no topo do Empire State Building e compreendeu a ironia dos fatos. A "guerra para findar todas as guerras", como os europeus chamavam o confronto de 1914-1918, não findara coisa alguma. Era, sim, o princípio, a fagulha para outro derramamento de sangue, a chama que originaria todas as guerras do século XX, o estalo que nos próximos anos levaria o mundo à batalha final.

Recordou os argumentos de Mickail. As mudanças eram "inéditas, irreversíveis". Logo, eles seriam reconvocados.

– Aqui vamos nós – murmurou, encarando os letreiros da Broadway.

48
AS VIAS ATLÂNTICAS

Denyel subiu na mureta de pedra que separava o mar da pracinha dos quiosques. À sombra das amendoeiras, mulheres costuravam redes de pesca, enquanto na baía as traineiras saíam para a caça vespertina. Com uma das mãos, bloqueou os raios de sol. Um vento forte soprava ao sul, desenhando cavas na água azulada. Avistou a marina, com seus ancoradouros e iates de luxo, todos vazios naquela tarde de terça-feira.

Urakin caminhava a seu lado, aborrecido e insatisfeito, mas respeitando a vontade da líder. Kaira os havia despachado na frente, para que preparassem o barco e aprendessem a trabalhar em equipe. Enquanto isso, ela, Zarion e Levih recolheriam toda a comida que restava no depósito – era sempre bom ter alimentos à mão, para o caso de serem feridos no mar.

– Lá está ele – Denyel apontou para um veleiro de mastro único, um modelo antigo de sessenta pés, bem conservado, apesar da idade. – Aposto que consigo puxá-lo a dezesseis nós.

O barco tinha um nome pintado no casco – *Eclipso* –, que a princípio não disse nada a Urakin. Fabricado nos anos 60, o motor funcionava a diesel. Com as velas hasteadas, e supondo que fosse conduzido por um marinheiro sagaz, tinha autonomia para muitos quilômetros, podendo dar a volta ao mundo se necessário.

– É um veleiro – reprovou Urakin. – Uma lancha não seria mais rápida?

– Gosto de você. – Os comentários de Denyel eram sempre inesperados. – Sabe por quê? Porque é burro.

– Quero ver dizer isso quando a missão acabar.

– Considere como um elogio – e, da maneira que falava, parecia mesmo. – Sua mentalidade é simplista. Não tem inteligência nem apetite para arquitetar uma conspiração. – Tirou a chave do bolso e andou rumo ao cais. – *Tem* que ser um veleiro. Athea fica no meio do Atlântico, e não há portos ou ilhas habitáveis num raio de várias milhas. Uma lancha não teria combustível para nos transportar até lá.

A rua à beira-mar era pavimentada por bloquinhos de pedra portuguesa e corria ao lado de uma cerca viva, com algumas dunas e coqueiros além. Já eram cinco da tarde e o sol começava a descer.

– Sua decisão de queimar o mapa foi criminosa. – O guerreiro precisava desabafar. – Tenho certeza que Gabriel considerará *todos* os seus atos antes de validar a anistia.

– Use a cabeça, Urakin. – Denyel rodou nos calcanhares. Atrás deles, um píer central conduzia aos demais atracadouros, construídos em forma de T. – O que você faz quando deseja guardar um segredo?

O guerreiro pensou por um minuto. Alisou a sobrancelha, coçou a careca e, na falta de solução melhor, respondeu o mais óbvio:

– Não conto a ninguém.

– *É isso* – o exilado anuiu com a cabeça. – Quanto menos indícios, melhor. Provas físicas, nem pensar. Uma coisa que aprendi com aquele nosso amigo é que, em missões secretas, devemos sempre apagar todos os rastros. – Enquanto falavam, uma gaivota voava em rasante. – Pelo menos minha associação com ele serviu para alguma coisa. E você acha que *eu* sou o malfeitor.

Urakin refletiu. Parte da raiva que sentia pelo exilado desvaneceu, mas isso ainda não o redimia, absolutamente. Denyel tinha marcas obscuras em seu passado, imperdoáveis até na concepção dele mesmo.

– Só espero que tenha boa memória.

– É o que nos diferencia. – O que parecia uma injúria brotou feito lamento. – E esteja certo, Gabriel não se daria ao trabalho de me julgar.

Zarion andava sobre o píer com a arma escondida numa toalha. Kaira vinha atrás dele e na mochila trazia seus objetos mundanos, os mesmos que ainda a ligavam à existência mortal. Levih subiu a bordo e encontrou Denyel na cabine, ajustando o painel – um conjunto de alavancas, ponteiros e botões antiquados, mas funcionais. A roda do leme era um timão envernizado de madeira, grande e redondo, igual ao controle dos grandes navios. Girou a chave em ponto morto, levantando fumaça e cheiro de óleo – um veleiro sempre deixa o porto com o mastro recolhido, para hastear velas a distância segura.

A área interna do *Eclipso* tinha sofá, armários, banheiro e uma pequena cozinha, com um finito, porém satisfatório tanque de água potável. Guardaram a comida na geladeira, e nos depósitos isolantes descobriram velhas garrafas de vinho e champanhe. Um quarto de casal ocupava a seção posterior do casco, com uma cama dupla, lavatório particular e um alçapão que se abria para o céu, numa posição clara para observar as estrelas. As dependências estavam organizadas e limpas, incluindo a sala de máquinas, sugerindo que Denyel as visitava com frequência, ainda que não navegasse regularmente.

– Antigo, mas luxuoso – comentou Kaira. – Onde conseguiu este barco?

– Presente de um amigo – ele respondeu, checando a bússola analógica. – Um dos que sabiam apreciar as coisas boas da vida.

Zarion ajustava a mira da Thompson quando Denyel testou a barra de velocidade. O guardião se desequilibrou e quase deixou a metralhadora cair.

– Cuidado com essa arma, amigo.

– Não se preocupe, sei manejá-la. – Ele não gostou de ter sido repreendido. – Não vou ferir ninguém.

– Na verdade estou preocupado com que não a estrague – replicou Denyel, com aquela sinceridade irritante. – Essa beleza já me foi útil no passado, e creio que ainda será no futuro.

Da proa, Urakin soltou os cabos, recolheu a âncora e o veleiro zarpou, ainda tremendo com as rotações do motor. Kaira verificou a trava da pistola e sentiu as vibrações da pirâmide, que carregava no bolso da calça desde a saída do templo yamí.

– Quando chegaremos a alto-mar?

– Ao cair da noite – calculou Denyel. – Ou talvez antes.

– Tenho de me livrar disto. – Ela tirou a mochila das costas, abriu o zíper e deixou o conteúdo cair no sofá. Na bolsa havia a carteira com os documentos falsos, o telefone celular e o radinho de ouvido.

Zarion se ofereceu para ajudar.

– Posso destruí-los, minha líder. Depois jogo os pedaços no oceano, quando estivermos distantes, onde jamais serão encontrados. Nunca mais os verá.

– Faça isso. Já devia ter me desfeito dessas coisas há muito tempo. – Entregou-lhe a mochila. – Agora, vou me deitar. Só mais algumas horas e estarei como nova.

– Durma bem – desejou Denyel, com a atenção colada nas ondas. – Amanhã o dia começa cedo.

O sol se pôs. A noite chegou.

E amanheceu.

Kaira nem viu a noite passar, o que era estranho, pois não estava assim tão cansada. Quando o sol refletiu na janela de acrílico, ela despertou plenamente curada, embora ainda tonta pelo balanço do mar. Perdera a noção das horas, mas se aliviou ao lembrar que, a partir de então, não precisaria mais repousar. Prometeu a si mesma que não pregaria os olhos enquanto não aportassem em Athea, para enfim completar a missão.

Algumas de suas ordens, ela notou, não surtiram muito efeito. Denyel e Urakin discutiam na popa, com o guerreiro aos berros, o que não chegava a ser novidade. Com a visão embaçada, ela reparou na marcação do relógio de parede – só duas horas haviam transcorrido.

– O que está acontecendo? – Kaira saiu da cabine, igualmente zangada. – Não faz muito tempo desde que deixamos o porto. Para onde está nos levando?

– É o que também quero saber. – Urakin babava de raiva. – Está usando mais um de seus truques. Quem sabe para onde este barco está indo?

– As notícias são excelentes, na verdade. – O exilado não perdeu a pose. – Nunca estive tão certo de nosso caminho. Eu disse que encontraria uma pérola perdida no oceano.

– Mas como explica essa disparidade, então? – Levih chegou para suavizar a conversa. – Há minutos o sol estava se pondo.

– Muito simples. – Denyel voltou à cabine. – Como acham que os atlantes dominaram o mundo?

– Vias atlânticas? – arriscou o ofanim. – São mesmo reais?

– Confesso que também me surpreendi. Não esperava por isso e sinceramente nem sei se são as mesmas rotas de antigamente. Mas não vejo outra hipótese para essa aberração.

– Aberração? É maravilhoso. – Levih olhou para Kaira. – As vias atlânticas eram as estradas flutuantes do império ancestral. Eram pistas navegáveis, planejadas para transporte e comércio.

– Tudo que os atlantes faziam era incrementado com mágica, assim como a pirâmide que trazemos conosco – acrescentou o exilado. – Os engenhos místicos eram só uma de suas vastas especialidades.

– Pistas navegáveis? – retorquiu a arconte. – Não há nada propriamente construído aqui. Nenhuma boia, ilha ou marco.

– Ah, as aparências são sempre um problema. Estamos sobre uma linha invisível, e, enquanto a trilharmos, todas as nossas distâncias serão reduzidas. Trata-se de um atalho no contínuo do tempo, através do qual determinado percurso é dobrado, como uma folha de papel, ficando assim muito menor.

Kaira observou que o único indício de que se moviam era a trajetória do sol, que mudava de posição a cada instante. Mesmo assim, não era possível acompanhar sua órbita, por mais que o mirassem fixamente.

– Então, na prática, estamos correndo a centenas de quilômetros por hora?

– Não somos nós que estamos correndo. – Denyel vasculhou a despensa à procura de mais bebida. – Esta é uma área de distorção temporal. Fica mais fácil se você imaginar que viajamos dentro de uma sanfona, cujo fole pode se contrair, tornando dois pontos mais próximos. Certa vez, ouvi dizer que os babilônicos tentaram reproduzir esse feitiço em terra, mas, sem as fórmulas corretas, o resultado foi pífio.

– Isso acelera o nosso trajeto, imagino. – A ruiva se concentrou nos resultados concretos. – Em quanto tempo chegaremos a Athea?

– Pode levar semanas, dias ou horas, não sei. Ninguém saberia, de fato. Todo o meu conhecimento de feitiçaria se resume a algumas seitas modernas. A magia antediluviana é um campo desconhecido para a maioria de nós.

– Se é desconhecido, não podemos confiar nele – falou Kaira, e lançou uma ordem para Urakin: – Descanse, soldado. Precisaremos de sua força ao desembarcar.

Ele obedeceu. Zarion permanecia impávido, equilibrado na proa.

Era impossível não se encantar – a magia atlântica agia de maneira formidável. Só Denyel não estava impressionado.

– E a gente reclama que os dias são curtos.

– Você é um tanto exigente – cutucou a celeste.

– Se pensar friamente, o que temos diante de nós não passa de pirotecnia barata.

– O quê?

– Esqueça. Fique no comando por um minuto. Basta manter fixo o timão. – Ele pegou uma garrafa de vinho. – Vou procurar um saca-rolhas para abrir esta coisa.

49
DEMÔNIO CELESTE

Segundo Céu, num passado recente

Os Sete Céus são uma dimensão secionada, que, como o próprio nome diz, está dividida em sete camadas ou "esferas". Antes da guerra civil, o Primeiro Céu era o lar dos ishins – com seus reservatórios de chuva e orvalho, celeiros de neve e granizo, câmaras de tempestade e os quatro reinos elementais –, até ser ocupado pelas tropas rebeldes do arcanjo Gabriel.

Logo acima, o Segundo Céu compreende a Gehenna, uma região de escuridão e torturas, que no passado foi usada por Lúcifer como zona de punição para as almas injustas. Com a expulsão das hostes maléficas, o inferno passou a atrair os espíritos perversos e a Gehenna assumiu a função de purgatório, um tribunal onde as consciências humanas são julgadas. Muitas passam por um período de expiação, durante o qual sua retidão é testada. Uma vez absolvidas, são enviadas às colônias do Terceiro Céu, mas se forem condenadas terminam atiradas ao domínio do Diabo, no abismo.

Antes da primeira rebelião, Lúcifer era o senhor da Gehenna. Ele moldou o Segundo Céu à sua imagem definitiva – um lugar soturno e umbroso, uma esfera de dor e sofrimento, uma prisão não apenas para as almas corrompidas, mas também para os anjos desobedientes, e mais tarde para muitos demônios e deuses.

É na Gehenna que está localizado o Cárcere do Medo, o maior cativeiro do paraíso, destinado a reter os criminosos mais perigosos. Quem atualmente controla a bastilha é o anjo Astaroth, um hashmalim astuto, famoso por ter sido um dos braços direitos de Lúcifer, mas que, mesmo leal a seu amo, decidiu não se unir a ele na grande batalha contra as legiões de Miguel. Por ter rechaçado seu mestre, o Príncipe dos Anjos o consagrou como uma figura de total confiança e lhe entregou o comando do cárcere, que governa com punhos de ferro. Por sua antiga associação com a Estrela da Manhã, Astaroth detém o título de Demônio Celeste. Essa não é uma alcunha jocosa, mas um codinome severo, que inspira respeito a todos que dele se aproximam.

A Gehenna é uma dimensão nebulosa, composta de desertos, rochas e charcos, um ambiente rigoroso e hostil, povoado por espíritos de animais carniceiros, tais como crocodilos, hienas, abutres e toda sorte de mosquitos, aranhas, moscas e vermes. Uma das ironias do Segundo Céu é que nele não há firmamento. A camada é nada menos do que uma gigantesca caverna, com o teto tão alto que é impossível enxergá-lo entre as nuvens. As estalagmites formam altas colinas de pedra, montanhas na verdade, com vigas que as ligam às estalactites acima. As galerias são imensas e espaçosas, algumas com mais de duzentos quilômetros de profundidade. Toda a luz provém de fontes indiretas, principalmente dos gases do pântano, que evaporam formando pontos verdes de radiação, esferas tóxicas e mortais ao contato.

O Cárcere do Medo foi construído no interior de uma dessas monstruosas estalagmites celestes. É decorado com ossos humanos e fixado por coberturas de pele que, uma vez ressecadas, se transformam em placas de couro, adequadas para impressionar os novos detentos. A prisão recorda uma torre, um bastião de quatrocentos metros de altura sobre uma ilha cercada de pântanos e lodaçais. Astaroth passava a eternidade a sobrevoar o pináculo, vigiando a fortaleza de cima, observando o baluarte sem vacilar.

O mais célebre de seus prisioneiros era o antigo líder dos sentinelas, uma entidade misteriosa cujo nome os alados tinham receio de pronunciar, referindo-se a ele apenas como Primeiro Anjo. Todo dia – sem falta – uma dupla de oficiais atravessava os corredores e adentrava sua cela para cumprir a tarefa de torturá-lo, conforme era o desejo do arcanjo Miguel. Numa determinada ocasião, os escolhidos foram o perceptivo Dariel, que assumiu o cargo de vigia, e seu parceiro, Hakem, que tomou o papel de carrasco. Eram ambos condecorados querubins, grandes guerreiros que haviam sido deslocados para a Gehenna com o objetivo de cumprir alguns anos de serviço junto dos execrados, de maneira a conhecê-los melhor. Usavam armadura completa de bronze, elmo ogival e carregavam a espada na cinta. Dariel trazia na mão uma alabarda, enquanto Hakem segurava um espeto de ferro com a ponta abrasada, instrumento usado para molestar os bandidos.

Hakem abriu a porta e observou a cela pequena, de paredes de rocha crua, sem móveis, janelas ou alcovas. O Primeiro Anjo estava sentado no chão, de pernas cruzadas e com as mãos escondidas. Era forte e rude, com uma barba longa e marrom, pelos no corpo e as costas ligeiramente curvadas. Estava preso por grilhões de metal que lhe apertavam os pulsos, agora ocultos atrás da cintura.

O carrasco entrou na sala, seguido por Dariel, que o escoltava com a arma em riste. Levantou o espeto.

– Suas mãos, meu senhor – pediu. A maneira demasiadamente educada como os carcereiros o tratavam indicava um renome especial, infrequente aos demais foras da lei. – Por favor.

A tortura diária seguia um padrão. Começava com perfurações nos dedos, depois descia aos joelhos, passava ao peito e às costelas para enfim terminar no pescoço. O prisioneiro suportava os flagelos sem reclamar, mas naquele dia afrontou seu algoz.

– Soldado, tenho uma coisa para lhe mostrar.

– Senhor? – Hakem recuou. Dariel apertou a alabarda.

O criminoso exibiu as mãos com as palmas voltadas para cima – estavam livres, sem as algemas que as atavam. Hakem sentiu um frio na espinha. Largou o espeto. Buscou o cabo da espada, mas, antes mesmo de tocá-lo, o Primeiro Anjo já o havia perfurado. Com os dedos, puxou o coração para fora. O vigia tombou, endurecido, numa poça de sangue.

O segundo oficial, Dariel, não aguardou o fim do duelo. Ergueu a haste e aplicou um golpe perfeito, mas o movimento foi travado no meio. Um segundo depois, ele voltou a atacar, para ser novamente interrompido. Em seguida, a mesma manobra, sempre parando e regressando ao início. Embora nem ele próprio soubesse, estava preso numa bolha temporal, uma divindade secreta dos malakins, técnica que cria uma área de distorção onde as ações se repetem continuamente, impossibilitando a vítima de completar o manejo.

O prisioneiro passou por Dariel sem dar-lhe mais nenhuma importância. Avançou lentamente pelo corredor, uma passagem comprida com celas dos dois lados, que se estendia para cima através de vários andares. Algumas dessas câmaras estavam lacradas por placas de aço, outras permaneciam fechadas por grades de ossos, e finalmente o portão de saída era construído com um conjunto maciço de crânios. O anjo não tinha a chave, então se teleportou para fora, cruzando as fibras de cálcio e reaparecendo na fachada da torre. Uma estrada de lama misturada com sangue contornava o manguezal, ladeada por estacas de madeira sobre as quais estavam empaladas dezenas da almas, criaturas em decomposição que, incapazes de morrer, apenas gemiam e pediam socorro.

Astaroth, o Demônio Celeste, pressentiu o alvoroço e aterrissou diante do prisioneiro. Recolheu as asas cinzentas e abaixou o capuz do manto negro, deixando aparente sua coroa de prata, joia dada a ele por Lúcifer como uma medalha pelos serviços honrosos. O rosto era imberbe, careca, os dentes estavam apodrecidos e a pele apresentava tons esverdeados. Os olhos eram pretos e sinistros.

– Está me atrasando, Astaroth – articulou o fugitivo.

O Demônio Celeste era uma entidade sagaz, mas estava visivelmente impressionado. Jamais alguém havia escapado do Cárcere do Medo.

– Como? – A voz era diabólica. – Como conseguiu desfazer as amarras?

– Um mágico nunca revela seus truques.

– Está acontecendo de novo, hein? – A expressão era de nojo. – Está falando como um ser humano.

– Uma inversão de papéis. – O anjo caminhou na direção do carcereiro, que andou de costas para se afastar. – De repente me cansei deste lugar.

– Retorne já para sua cela. – O tom era agora de ameaça. – Vê esta coroa? – apontou para a tiara de prata. – Ela me dá a autoridade de exterminar qualquer um que tente se evadir da Gehenna.

– Não sabia. – O Primeiro Anjo tinha o peito nu, vestia-se apenas com uma tanga de couro. – E o que está esperando?

– Está me desafiando? – O sangue subiu.

– De forma alguma. Não o considero um desafio – ele falou espontaneamente. – Portanto, refaço o pedido. Desapareça da minha vista.

Astaroth nunca fora alvo de tamanha humilhação – não podia ignorar o duelo. Expandiu as asas e se preparou para o assalto. Diferentemente de Dariel e Hakem, porém, ele era um hashmalim, não um anjo guerreiro, e suas técnicas de combate eram muito diferentes das estratégias dos lutadores.

Com as mãos ele abriu a túnica, expondo grande parte do tronco esquelético. Grudada ao abdome se contorcia uma centena de espíritos humanos, seres translúcidos, em perpétuo estado de dor. Com um só pensamento, destacou três dessas almas e as lançou sobre o fugitivo. As criaturas voaram como lufadas de vento, e para se defender o Primeiro Anjo apenas estendeu sua palma. Nisso, brotou perto dela um ponto radiante, um vórtice em forma de túnel que prontamente sugou as consciências atormentadas.

Não houve contra-ataque, e Astaroth aproveitou para investir na sequência. Dessa vez, usou seus poderes de controle das sombras para arremessar contra o adversário um sólido orbe de escuridão, uma tática exclusiva da casta que, quando bem empregada, destrói o inimigo sem alternativas de escape. A bola negra partiu, desintegrando as plantas do brejo, abrindo uma trilha no chão, mas, quando estava prestes a tocar o prisioneiro, ele conjurou um escudo de plasma, uma barreira formada pela junção dos quatro elementos da natureza.

O muro convexo se apresentou como uma força ao mesmo tempo sólida, líquida e gasosa, uma calota resistente que dissipou a esfera de Astaroth. Foi então que o líder dos sentinelas decidiu retrucar – esticou o braço e o adversário foi misticamente atraído até ele. A garganta se encaixou em seus punhos, e os dedos se fecharam contra a traqueia, até deixar o carcereiro sem respiração.

– Telecinesia? – gemeu Astaroth. – Como? – A capacidade de mover objetos a distância era uma divindade raríssima. – Como é possível?

– Digamos que eu aprendo rápido – ele explicou. – Até parece que não me conhece. – Fez uma cara de decepção. – Depois de todos estes anos.

– Não vai conseguir. – O hashmalim tinha a face púrpura, os olhos esbugalhados. – Vão encontrá-lo. E da próxima vez será morto.

– Acho que não entendeu. – O fugitivo suspendeu-o no ar sob a mira de um soco. – Vocês são títeres, meros peões no tabuleiro do cosmo. – E repetiu: – Meros peões.

Mas, em vez de estrangulá-lo, o Primeiro Anjo o acertou com um murro, um golpe engrandecido pela energia da aura, um choque que projetou Astaroth para o centro do alagado. O carcereiro aterrissou de frente, com o nariz amassado e os olhos sangrando, completamente desnorteado, tonto, indefeso.

O prisioneiro poderia tê-lo liquidado, mas não o fez. Não tinha prazer em matar, pelo menos não Astaroth. Todo seu ódio estava direcionado a uma única entidade, que havia destruído seus filhos, castrado seus sonhos, aniquilado sua família.

Desprendeu as asas cor de areia, alçou voo, desapareceu do Cárcere do Medo, abandonou a Gehenna.

Não pretendia voltar tão cedo.

50
O SEXO DOS ANJOS

Kaira se juntou a Levih no convés. O ofanim estava sentado perto do mastro, entre os cabos de aço que retesavam as velas. Abaixo deles ficava a cabine interna, com seus banheiros e quartos, e mais atrás a ponte de comando, onde Denyel controlava o timão. Era impossível saber em que parte do mundo estavam, talvez em nenhum lugar e em todos eles ao mesmo tempo. Rente ao casco, a água formava uma parede de espumas, borrifando gotículas salgadas no ar.

– É inconcebível – ela divagou. – O que estou vivendo. Tudo isso que está acontecendo.

Levih era um amigo para qualquer hora, alguém com quem todos se abriam, na certeza de que nunca seriam julgados. Era discreto, mas não necessariamente ingênuo, e sua única intenção era ajudar.

– Você ainda não aceitou o que é.

– Desde que viajamos juntos, tenho seguido os conselhos de Denyel e procurado não pensar muito no assunto. Acho que foi a maneira que encontrei de não enlouquecer.

O anjo tinha no rosto a expressão paterna. Deixara os sapatos na popa, para sentir o vento soprar entre os dedos.

– Não acho que parar de pensar no assunto seja uma solução. Seu problema é que ainda vê o universo sob uma perspectiva terrena. Os humanos nascem, envelhecem e morrem, portanto é natural que percebam a vida como uma linha, com começo, meio e fim. Mas nós, imortais, sabemos que o universo não é uma linha, mas um círculo. Nada termina, realmente.

– Foi o que Denyel me falou – ela recordou a discussão no templo yamí. – Mas teorias apenas não me consolam.

Levih deu um sorriso, absolutamente convencido de seu ponto de vista.

– Olhe à sua volta. Estamos sentados em uma esfera flutuante, girando em torno de nosso eixo. A Lua circula a Terra, o planeta contorna o Sol, o Sol se move através da galáxia. Agora, imagine o espaço afora, com seus milhões de estrelas, nascendo e morrendo, pulsando. Observe o dia e a noite, o ciclo das estações, as horas, os minutos. – Ele tomou fôlego. – Quanto antes reconhecer que somos eternos, melhor entenderá sua condição.

– Mas veja – ela argumentou. – Se o universo é uma sucessão de processos que se repetem, por que continuamos lutando?

– Esse é o nosso destino, o nosso dever como anjos. Estamos em pé no olho do furacão, vendo tudo à nossa volta rodar... pessoas, impérios, nações. A função dos alados é estender a mão e tocar a temporalidade, entrar e sair desse ciclone. Cada ciclo encerra uma etapa de evolução. Estamos sempre crescendo, nada é estático, nada do que fazemos é em vão. – A voz se reduziu, até se encolher. – Somos agentes no plano de Deus. Existimos com o único propósito de manter o equilíbrio neste cosmo tão vasto.

– O equilíbrio? – Era tudo muito abstrato. – Equilíbrio de quê?

– O equilíbrio é a chave que sustenta o universo, e assim tem sido por bilhões de anos. Desde que Yahweh separou as trevas da luz, tudo no campo do espaço-tempo se apresenta na forma de opostos: claro e escuro, bem e mal, passado e futuro, homem e mulher. Deus é a perfeita unidade, e por isso nós fomos criados, para agir como seus mensageiros no plano físico, onde há tempo, matéria e dualidade.

A associação foi imediata.

– Esse é o motivo pelo qual fomos divididos em sexos?

– Nada mais natural – enfatizou o celeste. – Caso contrário, seríamos criaturas deslocadas no espaço e jamais poderíamos atuar na Haled. O sexo dos anjos não tem nada a ver com a reprodução biológica. É um fator espiritual, acima de tudo. Não estaríamos aqui se não fôssemos duais.

– Mas meu corpo é igual ao de qualquer mulher.

– Enquanto materializada, sim. Nossos avatares são dotados dos mesmos órgãos que os seres humanos. O que nos difere é a energia da aura.

Era impossível evitar a pergunta.

– Então também podemos ter filhos?

– Não com outros anjos. Não temos alma, portanto não somos capazes de gerar novas almas. Esse é um dom humano. O óvulo seria fecundado, mas o feto nasceria morto. A reprodução entre celestes e terrenos, contudo...

Um estampido que parecia o disparo de uma arma de fogo automaticamente os colocou em alerta. Mas não era um tiro de fato – era Denyel, que com um saca-rolhas abria uma garrafa de vinho. Veio encontrá-los no deque.

– Porcaria filosófica. – Cheirou o gargalo. – Vivo um dia após o outro, sem pensar nessas besteiras.

– Estava ouvindo a nossa conversa? – criticou Kaira.

Em vez de se irritar, Levih deu um sorriso.

– Ele está certíssimo. Devemos pensar no *agora*. – Levantou-se e foi saindo. – Isso resume todo o nosso debate.

– Quer um gole? – Denyel estendeu a garrafa.

O primeiro impulso foi ignorá-lo – ele merecia. Mas fazendo isso estaria agindo como uma garota emburrada, faceta que agora, mais do que nunca, ela queria esquecer. Era uma arconte, a líder do coro, comandante *dele*, inclusive, pelo menos nessa missão, e deveria se comportar como tal.

– Não sabia que bebia vinho.

– Este eu bebo. – Ele levantou a garrafa contra o sol. – Tinto. Safra francesa de 1786. Ganhei do mesmo amigo que me deu este barco.

– Fica melhor com o tempo?

– Está horrível. – Ele encrespou o rosto ao engolir. Ofereceu para Kaira. – Quer provar?

– Sabe que não posso beber.

– Tanto melhor. Sobra mais. – Deixou escorrer uma gota. – No fim, o gosto é o que menos importa.

– Por que disse aquilo para Levih? Podia tê-lo ofendido.

– Quem se preocupa? – Outro gole. – Desculpe-me a sinceridade, mas não aguento essa ladainha. Não me entenda mal, não tenho nada contra os ofanins, muito menos contra Levih. Mas a casta vê o mundo sob uma óptica por demais fatalista.

– Suponho que seja a natureza deles.

– Sim, por isso não os condeno. Agora, esse coitado... – Virou-se para a popa. Levih estava quieto na ponte, na companhia de Zarion. – Não passa de um chorão.

– Ele é sensível, só isso.

– Entendo que seja útil para as tarefas da ordem, mas *você* não pode ser tão generosa. É uma *arconte*. Logo terá de tomar decisões práticas, nem sempre agradáveis. Lembre-se disso quando eu for embora.

– Você não vem conosco?

– Ninguém sabe o que pode acontecer quando aportarmos em Athea. Na melhor das hipóteses, completaremos a missão, e minha anistia será concedida. Se isso acontecer, vou ser integrado às legiões rebeldes e enviado aos campos de batalha do Quarto Céu. Não nos veremos por muitos anos.

Kaira sentiu um vazio no coração. Depois de tudo pelo que passaram, e apesar das atitudes de Denyel, a possibilidade de perdê-lo a transtornou. Estava ao mesmo tempo triste e aliviada. Era um sentimento confuso.

– Quantos anos? – ela não se conteve.

O exilado fez uma pausa, bebeu o que restava do vinho, olhou para as nuvens e escapou pela tangente.

– Paris é adorável nesta época do ano.

Ela teve que rir.

– Já lhe disse que você é um clichê?

– Nunca falei tão sério em toda minha vida. – O veleiro saltou sobre uma onda. O tempo começava a mudar. – Foi num dia igual a este, depois da invasão. Outros tempos.

– Que invasão? – mas provavelmente não fazia diferença.

O exilado encostou-se a ela. As peles se tocaram, e Kaira sentiu um arrepio. A sensação de desejo que havia provado nas ruínas do casarão voltou com força total.

– Por que não vem comigo, só por uns dias? – ele insistiu. – Não agora, quando a missão acabar. Antes de nos apresentarmos às tropas de Gabriel.

O convite era irresistível, mas soava como deserção.

– Não sei se esqueceu, mas estamos em guerra.

– Estamos em guerra há dois mil anos, e não espere uma trégua tão cedo. – Ele reforçou a proposta. – Uma vez no céu, você poderá ser mandada para qualquer parte do cosmo. Desde o Haniah os celestes descem cada vez menos à terra. Pode ser que nunca mais vejamos este mundo.

Era um argumento razoável – exagerado, mas sensato. Kaira estava a um passo de perder todos os vínculos com a vida humana, e uma despedida até que lhe faria bem, ainda que fosse curta. Mas não podia prometer coisa alguma.

– Vou pensar.

– Pense logo. – Ele apontou para o horizonte. Raios e trovões cortavam o firmamento. – Acho melhor entrarmos. Uma tempestade se aproxima.

– Estamos na direção certa?

– Não sei – retrucou Denyel, contemplando as trovoadas. Um arco-íris se formara entre as gotas de chuva. – Mas alguma coisa me diz que não estamos mais no Kansas.

51
O ROCHEDO DOS MORTOS

A ROTA INDICADA NO MAPA OS LEVAVA DIRETO PARA O INTERIOR DA TORmenta, conforme Denyel se lembrava. Nuvens negras encobriam o céu, com o horizonte explodindo em descargas elétricas. O vento a noroeste deixou o mar picotado, o mastro rangeu, respingos quentes molharam a cabine.

– Não podemos nos desviar? – perguntou Kaira.

Estavam todos na ponte, uma área de três metros de largura entre a proa e a popa, com teto de madeira e protegida por um para-brisa, mas aberta na parte de atrás. O painel exibia marcador de combustível, nível de pressão do motor e ponteiro de velocidade, além dos controles de navegação.

– Não podemos nos afastar do curso – explicou Denyel, alinhando o timão. – Caso contrário perderemos a saída.

Deslizaram por mais alguns metros e de repente foram atirados para o coração da borrasca, como se cuspidos por um canudo invisível. O *Eclipso* flutuou sobre o mar, para aterrissar com a quilha nas ondas. Denyel pensou que o casco havia se partido, mas por sorte eles desceram no meio de uma cava marinha, o que preservou a embarcação contra o choque direto. A instabilidade provocou pancadas no fundo, e uma delas quase os jogou para fora. Os anjos se agarraram aos apoios laterais. Zarion apoiou no ombro a bandoleira da Thompson, de maneira que pudesse segurar firme os corrimões.

Sem sinal ou aviso, os celestes haviam saído de uma região de calmaria para uma área perigosa e feroz, com vagas gigantes, relâmpagos, chuva forte e ventos de até 100 km/h. O dia se transformou em noite, sem lua ou estrelas brilhando.

— Continuamos na via atlântica? — a ruiva gritou. Um trovão os calou. Em seguida, a resposta:

— Acabamos de sair — disse o exilado. — Este é o marco final.

— Onde está Athea?

— Estamos no lugar certo, mas não vejo a fortaleza. Vamos procurar mais um pouco. Acho que o barco aguenta.

Mas, ao dizer isso, o casco trombou em alguma coisa sólida, derrubando tudo que havia na cabine, escancarando a porta da geladeira, espalhando vidros e latas no chão. Uma garrafa de vinho se espatifou na amurada, deixando o convés escorregadio. A metralhadora de Zarion perigou escapulir, Levih se prendeu às barras do teto, o rádio zumbiu. O impacto passou de raspão, deixando apenas um rasgo fino na proteção externa.

— O que foi isso? — berrou Kaira.

Urakin esticou o pescoço e olhou para baixo.

— Pontas de rocha. Ilhotas. Estão em toda parte.

— É um labirinto — exclamou Levih.

Era o que parecia, realmente — obstáculos organizados para impedir o avanço, ultrapassáveis apenas por aqueles que soubessem a direção. A via atlântica os conduzira até ali, mas agora o perigo era outro. Dezenas de montanhas marinhas despontavam do oceano, picos de puro granito, alguns com até cinquenta metros de altura.

— Temos que sair daqui — alertou Denyel.

— Você disse que o barco aguentava — persistiu a arconte.

— Não sabia que estávamos sobre um recife. É um campo minado. Mais uma colisão frontal e o veleiro vai a pique.

E os corais não eram a única ameaça – havia outras, ainda piores. Com a tempestade lampejando, Kaira observou um clarão sobre as nuvens. Uma fração de segundo depois, um raio atingiu o mastro do *Eclipso*, numa detonação que lançou uma chuva de centelhas no mar. A vela pegou fogo, começou a queimar feito um fósforo aceso. O ruído do trovão os ensurdeceu, mas apesar do susto ninguém se feriu.

– Vamos morrer – gemeu Zarion, e aquela era a primeira vez que Kaira via um querubim sentir medo.

– Se já estivéssemos dentro do vértice, poderíamos de fato morrer – comentou Denyel. Olhou sobre os ombros. – Quais são suas ordens, garota?

As montanhas eram vistas com dificuldade através do negrume, cercando-os como colunas pré-históricas. Kaira ponderou, mas na realidade não tinha ideia do que fazer. Se desse a ordem para recuar, jamais chegariam a Athea, e ela veria sua missão fracassar; se prosseguissem, seriam esmigalhados pelos recifes pontudos.

Enquanto pensava, uma onda os acertou pelos lados, encharcando os deques, molhando os celestes e os empurrando a estibordo. Denyel torceu a roda do leme, desviando o *Eclipso* um instante antes que ele se chocasse contra um penedo. A estratégia deu certo, mas os cabos de aço romperam – a vela em chamas se soltou, saiu voando, desapareceu no vendaval. A embarcação sacudiu inteira, ficou descontrolada. O exilado deu partida no motor.

– Athea não pode estar distante. – A ruiva não queria desistir.

– Pode ter sido destruída – opinou Levih. – Pode estar debaixo d'água. – Todos esperavam uma decisão de Kaira. – O que fazemos agora?

Confusa, ela se lembrou das palavras de Denyel, que previra situações como aquela. Buscou a melhor solução e resgatou da mente uma imagem do sonho – a figura estampada na sala do pai de Rachel. Os desenhos de Hugo eram toscas representações de montanhas iguais àquelas – entre as cordilheiras marinhas havia dois morros, os mesmos que agora se levantavam ao norte. Através dessas montanhas existia uma fresta, uma passagem aparentemente impossível de ser penetrada, ainda mais numa noite de ventania. Mas e se aquela fosse a entrada? E se a tormenta estivesse agindo como um sistema de defesa, um mecanismo mágico de segurança para proteger a colônia?

– Para lá – Kaira indicou o rochedo. – Siga naquela direção.

– Não podemos navegar tão próximos ao penhasco – retrucou Denyel.

– Não. Vamos entrar por aquela racha.

– De jeito nenhum. Talvez um navio tivesse melhores chances, mas este barco é muito leve. A quilha vai se partir como uma casca de ovo.

Outro trovão. Mais chuva.

– Faça o que eu digo. Sei o que estou falando.

Um segundo raio correu pelas nuvens, dessa vez caindo no mar.

Denyel encolheu os ombros. Urakin e Levih não se opuseram – confiavam cegamente em sua líder. Zarion continuava estático, visivelmente assustado.

O *Eclipso* saltou acima das ondas e se aproximou perigosamente do imenso rochedo, com o fundo raspando nas pedras. Chegando mais perto, eles notaram que a fenda era maior do que aparentava à distância – mesmo uma fragata poderia transpô-la, contanto que vencesse o labirinto de rocha.

Navegando na direção ordenada, sem bússola e guiado apenas pelos instintos de Denyel, o veleiro não encontrou mais obstáculos, embora o vendaval ainda procurasse atrasá-los. O mar se ergueu num vagalhão, como numa tentativa final de impedi-los. Denyel só tinha uma chance de acertar a entrada, antes que o maremoto os devorasse.

– Segurem-se. – Apertou o timão e acelerou, puxando ao máximo as rotações do motor.

O leme se partiu – da cabine deu para escutar a peça rachando.

O casco foi lançado no ar.

Voaram sobre a crista, desaparecendo pela abertura.

O *Eclipso* mergulhou nas ondas. Quando emergiu, a tempestade havia passado.

Calmaria.

Silêncio total.

Denyel havia concluído a manobra – estavam sãos e salvos na fenda marinha, um túnel de paredes oblíquas, teto irregular e água cristalina. Kaira calculou quinhentos metros de uma ponta a outra, um canal tão largo que comportaria mesmo a entrada de navios cargueiros. Atrás deles, os trovões ainda rugiam, mas nenhuma gota penetrava o rochedo, dando a impressão de que o lugar era protegido por mágica. No extremo final, a garganta terminava em outra fresta, através da qual brilhava uma luz amarela.

– Estão todos bem? – ela perguntou.

– Precisavam mesmo de um banho – caçoou Denyel, referindo-se às roupas sujas que Urakin, Zarion e Levih usavam desde a visita ao condomínio fantasma.

– Estamos inteiros – confirmou o ofanim. – Como sabia a direção?

– Vi imagens que retratavam estas exatas montanhas, durante a cerimônia de regressão – ela explicou. – Na área de trabalho do pai de Rachel.

– Foi o próprio geólogo que as desenhou?

– Penso que sim. O barco da Icon deve ter encontrado este lugar no curso de suas expedições. Difícil saber como transpuseram as rochas.

Denyel tinha outra teoria.

– Creio que foi mais simples que isso. Acho que eles entraram nas vias atlânticas acessando as coordenadas por acaso. Quando chegaram aqui, procuraram a fenda para se proteger.

– Seria uma chance em um milhão – desconfiou Urakin.

– Uma chance em 180 mil – corrigiu o exilado. – O que pode explicar por que Athea ficou perdida por tantos séculos.

– Uma hora alguém iria descobri-la – disse Kaira.

– Então a ilha deve estar no final deste túnel – Zarion falou. Estava mais tranquilo agora. – Existe um feitiço sobre nós, não perceberam?

Denyel verificou o cabo da espada – ainda estava com ele.

– Sim, o mesmo que protegia o templo yamí. Era uma fórmula bastante conhecida entre os mágicos antediluvianos. Aconteceu como Andira nos contou. O posto atlante foi construído dentro de um vértice.

Urakin torceu o casaco molhado.

– Melhor não comemorarmos ainda. Feitiçaria é um terreno que não me agrada.

– E o que lhe agrada, amigo? – atiçou o exilado. Kaira apartou:

– Escutei um baque antes do mergulho.

– Uma rachadura no leme. Não é grave, posso consertar. Tenho peças sobressalentes, mas estamos sem mastro. Vamos usar o motor por enquanto.

Denyel girou a ignição. O ventre do barco roncou, mas, em vez de o som ecoar, foi abafado pelas altas paredes, sugerindo que algumas leis físicas eram diferentes ali. Os faróis do *Eclipso* acenderam, e os anjos repararam que, de tão grande, o túnel tinha partes obscuras, alcovas de total negritude, perfeitas para uma emboscada. Resquícios de vegetação cresciam nas rochas, e sob o casco flutuavam tripas de algas, algumas verdes, outras transparentes. Peixes jamais catalogados pelo homem moderno escoltavam o veleiro – grandes e pequenos, cinzentos e coloridos, compridos e chatos.

O piso da cabine deslizava. Levih usou um cesto para recolher os cacos de vidro e boa parte dos alimentos espalhados, enquanto Zarion retirava o pente da metralhadora, para conferir se a pólvora não havia gorado.

– Está funcionando – cutucou Denyel. – Sabe como essas M1928 eram testadas?

– Estou com um pressentimento ruim – o guardião recarregou. – Tem alguém nos vigiando.

E, assim que ele falou, o *Eclipso* atropelou alguma coisa.

– Cheiro de sangue – anunciou Urakin.

– Ali! – Zarion fez mira com a Thompson. Um vulto negro, de aparência humanoide, emergiu a um metro na água, para afundar logo depois.

– O que acham que era aquilo? – Kaira perguntou, para qualquer um que soubesse responder.

– E se houver um monstro nos espreitando? E se...

Outras manchas flutuaram, cercando o barco em todas as direções. Zarion não esperou a ordem de ataque e na afobação disparou, puxando o gatilho freneticamente. As cápsulas pularam pelo ejetor, com os tiros penetrando os alvos, mas as criaturas não reagiram, nem mesmo sangraram. Os projéteis levantaram esguichos de água, até que o guardião se cansou.

– Pare! – gritou Urakin. Saiu da cabine, enfiou a mão saudável pela amurada e do mar puxou uma das figuras aquáticas. Não eram monstros, e sim cadáveres, corpos humanos. A decomposição corroera as feições e os detalhes da roupa, mas o defunto era masculino, o que ficou evidente pela constituição do esqueleto.

– Acho que esses aí não tiveram tanta sorte – gracejou Denyel, mas a anedota foi desafortunada. Os corpos boiavam, estufados pelos gases da putrefação.

– Que estranho – considerou Levih. – Não podem ter naufragado. O canal é tão sereno.

– Olhem – Kaira avistou um fragmento de lona encostado nas pedras.

– É o pedaço de um bote. – Urakin usou seus sentidos. – E este cheiro... *óleo diesel*.

Os objetos iam se revelando à medida que o *Eclipso* transpunha a passagem. Outras peças estavam coladas no fundo, e em uma delas Kaira observou os contornos da letra I.

– É o mesmo símbolo gravado no casacão de Rachel – a marca era reconhecível. – Deve ter pertencido ao escaler que os cientistas da Icon usaram para desembarcar.

– Com certeza eles ancoraram aqui. – Denyel imaginou que aquele seria um ótimo local para estacionar um cargueiro. – Não queriam se arriscar de novo na tempestade, então devem ter enviado um pequeno grupo na frente.

Urakin virou o cadáver. A carne lembrava uma esponja de banheira, descolorada e porosa. Partes dos braços e das pernas estavam queimadas. Os ossos eram negros, e as vísceras tinham marcas de incineração.

– Esses homens não se afogaram. Eles foram carbonizados.

– Explosão do motor? – perguntou o exilado.

– Não vejo traços de óleo. Parece combustão espontânea.

– Ecaloths? – Poucos anjos conheciam aquelas criaturas. Urakin e Denyel eram uns desses poucos.

– Espero que não. Se forem, será o nosso fim.

O motor engasgou. O rádio arranhou com a estática, para silenciar finalmente. Estavam a dez metros da saída, no exato limiar entre o túnel e a fenda.

Luz do sol.

Kaira protegeu os olhos.

52
OBELISCO NEGRO

A FENDA SE ABRIA NO QUE, À PRIMEIRA VISTA, LHES PARECEU UMA ENSEADA vulcânica, uma espécie de lagoa muito grande, cercada por morros de granito e pontilhada de ilhotas. No início, o que mais impressionou foi o clima – tanto a noite quanto a tempestade haviam passado, dando lugar a uma manhã tropical, que Denyel associou a um feitiço chamado Eterno Verão, ensinado aos atlantes pelas fadas marinhas.

A sensação era de completa harmonia, algo impossível de experimentar nos dias de hoje, com o tecido tão denso e os homens tão apegados às necessidades mundanas. O sopro do vento, o balanço das águas, o calor do sol eram todos mais belos, mais puros, mais mágicos do que os mesmos elementos do mundo lá fora. Das encostas brotavam arbustos e pinheiros ainda com os galhos podados, autênticas esculturas vegetais que não haviam murchado ou crescido no curso de milhares de anos. Pássaros dançavam no céu, e em volta do *Eclipso* peixes, arraias e camarões caçavam em cardumes. No centro das ilhas, a maior delas se destacava como uma alta colina de rocha, sobre a qual fora construído o exuberante templo de Athea.

Se observado de longe, o edifício lembraria um farol, mas era imenso para os padrões humanos da época, com quase cem metros de altura.

Kaira reparou que, em vários aspectos, a arquitetura atlântica se comparava ao estilo grego de construção, embora não houvesse evidências de que uma cultura tivesse influenciado a outra. O templo de Athea tinha uma planta cilíndrica, com o salão térreo redondo, mas a fachada retangular, sustentada por quatro colunas de pedra branca e encimada por um frontispício em triângulo. Os andares iam se afunilando, para terminar em uma guarita com o teto em abóbada. Outro traço notável era a conservação dos prédios e das instalações, imperecíveis ante a passagem das eras. Uma escadaria talhada na rocha começava no ancoradouro, circulava a colina e levava ao santuário, antes encontrando um lance de escadas, onde um obelisco negro penetrava no chão, totalmente alheio às demais edificações.

— Isto sim é *inacreditável* — disse Denyel, zombando do hábito de Kaira de achar que tudo era impossível.

— Chegamos? Estamos dentro do vértice? — ela perguntou, mas sabia a resposta. — Não sinto as oscilações do tecido.

— É igual à cidadela yamí — constatou o exilado. — Um prodígio, devo reconhecer. Essa técnica não só cria um vértice como o esconde dos viajantes comuns. Todos os barcos nesta direção são desviados. — Apontou para cima. Uma membrana visível apenas aos anjos brilhava abaixo do céu, como um fino lençol sobre as montanhas, com a torre de vigilância despontando além. — Repare que a guarita está fora da área de interseção.

— Tinha que estar — concordou Levih, as roupas secando ao sol. — Devia ser necessário para que os soldados avistassem os navios imperiais e pudessem sinalizar para eles.

Kaira virou a cabeça e enxergou a fenda por onde haviam entrado.

— E a tempestade? Sumiu completamente.

— Duvido que fosse natural — rebateu Denyel. — Aposto que era resultado de algum encanto lançado do lado de fora, agindo como uma muralha de defesa climática.

— Cada nação tem os seus métodos. — Ela se lembrou dos deuses yamís, que criavam áreas de distorção na floresta.

– Pode ser, mas essa história não nos interessa. – Urakin andou até a traseira do barco. – Chegamos. O que estamos esperando?

– Ele tem razão.

Kaira se preparou para mergulhar e deu a ordem para que os quatro a seguissem. Denyel lançou a âncora no mar, julgando que seria mais seguro fundear ali do que atracar próximo ao cais, ainda que as águas fossem suficientemente profundas em toda a extensão da lagoa. Levih achou por bem alertar:

– Antes de prosseguirmos, preciso lembrar que esta é uma zona de junção espiritual. Aqui, nosso corpo e nosso espírito são uma só substância.

– O que isso significa? – Zarion arqueou as sobrancelhas.

– Não podemos nos desmaterializar.

– Significa que podemos morrer. – Denyel não tinha freios na língua. – Quer coisa melhor?

Kaira saltou de cabeça, seguida por Urakin, Levih e Denyel. O guardião foi por último, sempre preocupado em não molhar os cartuchos.

As águas de Athea eram quentes e refrescantes – uma contradição formidável, assim como tudo que dizia respeito aos atlantes. A enseada era decorada por uma cadeia de belos corais, com a superfície do mar lisa e cristalina. Não eram exageradas as lendas que descreviam Atlântida como um país onde a magia estava em toda parte – se aquele era só um posto avançado, o que dizer da capital do império?

Os anjos subiram numa plataforma de mármore, um tipo de fundeadouro para os antigos veleiros. Pisaram finalmente na ilha, logo de frente para a escadaria que recortava o outeiro. Já no primeiro degrau, Kaira avistou uma segunda construção na colina mais abaixo, menor e de paredes retangulares, muito parecida com os velhos templos helênicos.

– Arriscaria dizer que é um alojamento – falou Denyel, ao perceber o interesse da moça. – *Era*, melhor dizendo.

– Alojamento? Para quem? – Kaira subia a escada, com o celeste a seu lado. Levih, Zarion e Urakin marchavam na retaguarda.

– Para os sacerdotes. Athea era uma estância de adoração, conforme Andira nos disse.

Ela apertou os cabelos, deixando a água escorrer.

– O que são ecaloths? Escutei vocês conversando.

– Não ia gostar de saber.

A voz de Urakin se elevou.

– São formas de vida nativas do rio Oceanus, seres indecifráveis para nós, tais quais os barqueiros do Styx. Alguns os chamam de *vermes*, pois cavam túneis através das fossas cósmicas, criam vórtices ocasionais, destroem tudo que veem pela frente.

– Criaturas nascidas do plasma, é o que contam – completou Denyel, agora que Urakin já havia revelado o principal. – Seus corpos são feitos de pura energia, uma natureza totalmente oposta à dos barqueiros, carentes de essência vital. – E concluiu: – Como falei, é melhor esquecer.

Venceram o primeiro lance de escadas, para alcançar uma plataforma circular, um pequeno largo que nos tempos antigos era usado como mirante. Fincado no solo estava o curioso obelisco de pedra negra que eles tinham avistado de longe, um monólito de dez metros de altura, amplo na base e finíssimo na ponta. Havia inscrições gravadas na vertical, estranhos caracteres de linhas curtas e retilíneas. Kaira resolveu investigar, mas não queria atrasar a missão. Mandou um grupo na dianteira.

– Urakin, Zarion, Levih. Subam até a entrada do templo e vejam o que conseguem descobrir. – O santuário ficava só mais alguns passos além. – Irei logo depois de vocês.

Ela dispensou a ordem a Denyel – não porque o tivesse escolhido como parceiro, mas por saber que ele jamais a obedeceria. Aconteceu então que os dois ficaram para trás, enquanto os demais prosseguiam o caminho.

– Sei que gosta desses segredos – ele a atiçou. – Então vou lhe contar.

– O quê? – Kaira tocou o pilar.

– Não é atlante. – Os detalhes destoavam do entorno, a começar pela estrutura, que era negra, enquanto todo o resto era branco. – Acho que é mais antigo do que a própria Atlântida.

– Mais velho do que os impérios antediluvianos?

– As letras são atlânticas, mas o monólito? – Coçou o nariz. – Duvido.

Kaira pegou a mão dele e a encostou no basalto. Havia uma pequena cavidade à altura de dois metros, um orifício raso e triangular.

– Sente?

– Está vibrando. Parece que está...

– Transmitindo?

– Ou então recebendo.

53
INVASORES DE ENOQUE

Em seu trecho final, a senda de pedra se prolongava numa longa escadaria de mármore, uma trilha que levou Zarion, Urakin e Levih ao terraço do templo, a plataforma elevada que, com suas quatro vigorosas colunas, sustentava a fachada de Athea. Dessa área, coberta pelo teto do frontispício, a paisagem era estonteante, com as águas claras, os corais e as montanhas marinhas abraçando a lagoa. Do outro lado, o santuário permanecia fechado por uma porta de abas duplas, forjada em platina branca – um mineral hoje desconhecido, quase um espelho metálico, produzido a partir da junção do aço, da platina e do diamante. Havia um painel esculpido em alto-relevo, retratando uma ciranda de anjos, como se centenas de alados voassem em círculo ao redor de uma fonte de luz.

– É a dança dos ofanins – recordou Levih. – Um balé que costumávamos apresentar nas ocasiões mais solenes.

– Então já esteve aqui? – A pergunta de Zarion foi ríspida.

– Claro que não. A minha casta sempre foi copiosa. Não somos lutadores, não costumamos morrer. Somos numerosos até hoje.

Urakin não estava interessado em dança ou balé.

– Como derrubamos esta coisa?

– Vamos empurrar – propôs o guardião.

Eram entidades fortíssimas, valorosos anjos guerreiros, e, mesmo com toda concentração e esforço, não conseguiram deslocar a porta um milímetro que fosse. Zarion pediu que se afastassem e atirou com a Thompson, uma rajada que nem sequer arranhou o portão.

Da praça do obelisco, Kaira escutou o ricochete das balas. Denyel deu um de seus famosos sorrisos cínicos.

– Vou lhe dizer, esse seu guarda-costas é um idiota. Não me surpreende que tenha falhado na tarefa de protegê-la.

– Está dizendo que preciso de homens de verdade? – Ela levou na brincadeira. Não adiantava discutir com ele.

– *Anjos* de verdade. Querubins de verdade.

Enquanto falavam, a ruiva continuava atenta ao monólito. Examinou o buraco mais uma vez, tentando imaginar para que servia.

– Este obelisco não lhe parece familiar?

– Agora que falou... – Ele ajeitou o cabelo. – Até que não me é estranho.

– Está saturado de energia, mas algo o impede de funcionar. Qual é o seu palpite?

– Meu palpite? – Denyel não tinha um. Tentou pensar rápido e só conseguiu visualizar a Hayabusa. – Bom, em um sistema elétrico, existem dispositivos que, uma vez removidos, coíbem o acionamento do aparelho, para evitar uma sobrecarga.

– Como um fusível? – Era a informação de que precisava.

– Ou algo do tipo.

Kaira teve uma ideia. Tirou a pirâmide negra do bolso e a enfiou na abertura.

A peça se encaixou.

Zarion, Urakin e Levih estavam a ponto de desistir quando a porta enfim se moveu, sem que nenhum deles a tocasse. O ofanim ergueu-se num salto, mas não foi isso que realmente os chocou. Da entrada surgiram fracas granulações luminosas, e de repente o templo inteiro acendeu, como uma tocha ardendo em chamas douradas. Do mirante, Kaira e Denyel viram as seções se abrindo. O pilar continuava vibrando, fazendo lembrar uma central de força mística, um marco de distribuição de energia.

– Qual é a origem desta potência? – ela perguntou. – Vem do rio Oceanus?

– Não faço ideia.

O exilado subiu a escada. Kaira o acompanhou.

Zarion deu um passo adiante, com a metralhadora engatilhada no ombro. A porta revelou um salão muito amplo, alto e espaçoso, suportado por três anéis de colunas e um altar de pedra no centro, com um pedestal retangular e comprido, feito uma mesa, de dois metros de extensão. Os atlantes tinham a mesma estatura dos homens comuns, mas as proporções de seus prédios sempre foram avantajadas. Por isso, muitos estrangeiros julgavam ser os atlânticos uma raça de gigantes, pelo tamanho de seus navios e de tudo o mais que construíram.

Além das pilastras, a parede oposta à entrada guardava duas aberturas em arco, uma ao lado da outra, com escadas que subiam e desciam. A passagem da esquerda conduzia ao pináculo da torre, enquanto a da direita penetrava fundo nas entranhas da terra. O brilho de Athea era mágico, observou Levih, e não brotava de uma fonte específica – estava grudado às moléculas de ar, criando pontos móveis de luz, como vaga-lumes piscantes na noite.

Urakin aproveitou para investigar o salão. Colou o rosto no chão, sacudiu o nariz e captou um forte odor de carne humana. Arrastou o polegar sobre o pavimento e entre dois blocos encontrou resíduos de pelo canino.

– Invasores de Enoque – murmurou Kaira, reconhecendo a expressão do guerreiro. Entrou na sala, seguida por Denyel. – O que está farejando são os cientistas da Icon.

– Como sabe? – o Punho de Deus se virou para ela.

– Foram os últimos que aqui estiveram, antes de nós. – Ela olhou para o altar em forma de leito. – E talvez por isso tenham morrido tão rápido.

Foi o exilado quem explicou.

– Uma constatação mais do que lógica. A raça dos atlantes foi completamente aniquilada pelo dilúvio, e todos os mortais que restaram na terra eram e ainda são descendentes do povo de Enoque. Eles deram origem ao homem moderno, enquanto Atlântida não deixou sobreviventes.

Os três recordaram a mesma imagem, do soldado em hibernação nas montanhas de Santa Helena, o lanceiro com a armadura escarlate que haviam encontrado na gruta de gelo.

– Deve tê-los confundido com seus inimigos – arriscou Urakin.

– Não foi uma confusão – esclareceu Denyel. – Atlântida e Enoque eram pátrias rivais, estavam sempre em guerra, e o guardião foi deixado aqui para defender o afluente. Seus instintos estavam corretos, no fim das contas. Um anacronismo fatal.

– Com a diferença que ele não era um simples guardião – frisou Kaira, conforme suas lembranças da regressão. – Era um dos *regentes*, grandes generais de antigamente. Fico pensando o que os cientistas tiveram de fazer para capturá-lo.

– Talvez o frio fosse sua fraqueza, uma vez que seus ataques eram à base de fogo. – Era pura especulação, mas fazia bastante sentido, considerando os cadáveres que haviam descoberto no canal. – Não raro, barcos de exploração científica são equipados com cilindros de nitrogênio. Os pesquisadores podem ter usado técnicas de criogenia para detê-lo, quem sabe. Pelo menos não teremos problemas com os ecaloths.

– Não há sangue nem marcas de luta – reparou Urakin. – Se uma batalha aconteceu, foi a bordo do cargueiro.

– Também acho – acedeu Denyel. – Eles devem tê-lo retirado do altar ainda em torpor, senão teriam sido mortos aqui mesmo.

– Certo. – Kaira traçou sua estratégia. – Vamos continuar. Zarion e Levih ficam de guarda. Eu, Denyel e Urakin desceremos à câmara subterrânea. – Deu uma volta completa no templo. – Deve ser o lugar que procuramos.

Kaira andou na direção da escada, com os dois lutadores a escoltá-la. Estavam a poucos passos de completar a missão quando o exilado a puxou pelo braço.

— Sei que não aprova os meus clichês, mas considere. — Materializou a espada. — Está fácil demais.

De súbito, um apito ecoou na enseada — era um ruído abafado, opressivo, que eles já haviam escutado nos portos, nas praias, até em filmes, mas nunca esperavam ouvi-lo em Athea, um recanto tão mágico, supostamente preservado da banalidade humana.

Correram para a porta, todos ao mesmo tempo, e uma visão dantesca os alarmou. Através da fenda marinha, a mesma pela qual o *Eclipso* havia entrado, emergiu um petroleiro, um navio de casco escuro e pontas enferrujadas, cuspindo riscos de óleo no mar. Seus vastos porões podiam transportar centenas de almas, e a chaminé expelia nuvens e mais nuvens de fumaça negra. O convés era uma chapa enegrecida, lotada de criaturas que de longe os afrontavam, famintas pela batalha, ávidas por entrar em combate. Mais do que uma embarcação, copiava o navegar de um monstro, carregado de ódio e sujeira. Cruzou a greta entre os dois paredões, quase raspando o costado nas rochas, balançando as âncoras, ameaçando atracar.

— Mas que coisa é essa? — Levih ficou boquiaberto.

— Fomos seguidos — inferiu Denyel.

— Mas como? Por quem? — Kaira achava difícil de acreditar.

Ainda mais nefasta que o próprio cargueiro, uma figura serpenteou pelas águas, dançando com maestria sobre os corais e recifes. Parecia um peixe nadando, tal era a mobilidade com que mergulhava. Veio deslizando até o ancoradouro e saltou do mar com a perfeição de um golfinho. Tocou os degraus com os pés bem armados, levantou o rosto e sorriu para eles.

— Um banho sempre me renova.

Era Andril, o Anjo Branco.

54
BARALHO DE OPOSTOS

O AVATAR DE ANDRIL ASSUMIU TONS DESCOLORADOS, À MEDIDA QUE AS gotículas do mar se adensavam em finas camadas de gelo. A túnica reluziu com os minúsculos cristais, e ele jogou o cabelo nas costas, lisos e brancos como flocos de neve.

Ao avistar o inimigo tão próximo, os querubins tomaram a presença como um desafio e não contiveram o estímulo da casta. Antes rivais, as auras de Denyel e Urakin se ligaram contra um adversário comum, e de uma hora para outra eles eram tão unos como irmãos na batalha. O exilado agarrou sua espada, e juntos partiram com toda carga sobre o invasor. Urakin corria feito um urso faminto, e Denyel saltava como um intrépido felino – destro, veloz e mortal.

Kaira abriu a boca, mas nenhuma ordem os deteria. Andril estacou no largo do obelisco, sem estremecer ou vacilar. Escondeu o sorriso perverso, deixou que chegassem mais perto e, quando os lutadores estavam a ponto de atacar, apenas moveu o indicador, como fizera na caverna de gelo. Uma friagem inebriante os paralisou, travou-lhes a coluna, até resfriar o sangue que circulava no coração. Naquele ponto, Andril poderia matá-los, mas não era esse seu plano. Do interior do templo, Kaira, Zarion e Levih viram os amigos ser envolvidos num esquife cristalizado, uma estratégia já conhecida, mas que até então eles não sabiam que funcionava a distância. Com mais essa derrota, ficava clara a superioridade do Anjo Branco perante qualquer um dos outros celestes – ele era insuperável e, com a divindade do Coração de Gelo, tornava-se também invencível.

– Eu aprecio os querubins. – Ele espiou os guerreiros de soslaio. – Tão previsíveis. Tão fáceis de ser enganados.

Kaira teve vontade de reagir – como líder, era o *mínimo* que deveria fazer. Deu um passo rumo ao estrado, mas Levih a puxou para dentro.

– Não, *ainda não*. A câmara oceânica! Use seus poderes para destruí-la. – A sugestão era desesperada, mas coerente. – Você *precisa* demolir o afluente antes que Andril o encontre.

– Mas e Denyel e Urakin?

– Estão vivos. Sinto suas auras, e eles serão libertos assim que o inimigo for derrotado. Poderemos enfrentá-lo depois, mas primeiro destrua a caverna. – E foi além com a proposta: – *Vá*. Eu fico aqui. Vou segurá-lo.

– *Você?*

A hipótese de Levih desafiar Andril era absurda – não pelo mérito de seus poderes, mas pela característica de suas ações. Ele repudiava qualquer ação violenta e era absolutamente incapaz de ferir qualquer um. Mas sua tática era outra. Quando o Anjo Branco chegou à plataforma, o ofanim esticou os braços e um muro de força obstruiu a entrada. Suas divindades de luz, antes usadas na forma de clarões, descargas e escudos, agiram dessa vez como uma sólida muralha transparente, uma barreira de energia que lacrou o portão.

– Não vou detê-lo por muito tempo – ele avisou. – *Mexa-se*. Destrua o rio.

Convencida da lucidez de Levih, Kaira correu para a escada, quando disparos de metralhadora novamente a atrasaram. O Amigo dos Homens caiu, crivado por uma dezena de tiros.

Zarion saiu de trás de uma coluna, com a Thompson nas mãos.

A parede de luz se desfez.

Andril entrava em Athea.

Kaira ficou de joelhos e abraçou o amigo. Levih tinha o corpo encharcado de sangue, o paletó picotado de marcas de pólvora. Ela tentou se controlar, lembrar que era um *anjo*, uma arconte, uma líder de casta, mas nada disso adiantou. As lágrimas escorreram, era impossível escondê-las. Várias balas trespassaram o ofanim, perfurando o pulmão e acertando em cheio a coluna. Uma delas penetrara o coração, e não havia como reverter a hemorragia – os ferimentos eram graves demais. Com Levih ainda vivo, agonizando em seu colo, a ruiva encarou os rivais. Ergueu o rosto e se virou para Zarion.

– *Traidor!* – cuspiu a acusação. – Como pôde? Era o meu soldado mais leal.

– Não me entenda mal – a entonação ficou diabólica. – É o meu trabalho.

Como num passe de mágica, o corpo do guardião se transmutou. A silhueta do guerreiro de pele negra se contorceu numa metamorfose instantânea, para assumir a imagem do oficial de polícia que os havia interceptado no pedágio – pele branca, olhos sombrios, cabelos curtos e sobrancelhas pretas. A farda exibia as insígnias de capitão, e, ainda que ele pudesse copiar qualquer roupa, preferiu revelar sua identidade secreta.

– *Raptores?* – a arconte baforou.

– Vai dizer que nunca suspeitou? – intrometeu-se Andril, que assistia à cena com alegria perversa. – Zarion está morto, acabamos com ele há muito tempo. Apresento-lhe Sirith, nosso aliado nas profundezas – simulou uma vênia. – Como líder dos diabretes, ele usou a energia vital do seu ex-guarda-costas para forjar este avatar. Recrutou uma horda inteira, organizou-a em brigadas. Extraordinário o rapaz.

– Sabia que era audacioso, Andril. – O ódio cresceu dentro dela. – Mas nunca imaginei que seu príncipe pactuasse com demônios.

– Ah, não – ele fingiu se ofender. – Nem pensar. Deixe o arcanjo Miguel fora disso. Sirith é um agente livre, recrutado por *mim*. – Caminhou até o comparsa e o congratulou com uma palmada no ombro. – Foi este prodígio que me vendeu as primeiras informações do barco da

Icon, e em troca prometi entregar-lhe dois anjos. Zarion foi o número um, e você é a segunda. Levih, Urakin e Denyel não constavam no acordo, mas achei que ele merecia um agrado.

– Mas nós o despistamos... depois da caverna...

– Enviei os raptores com ordens para matá-los na estrada, mas vocês acabaram fugindo. Urakin e Levih eram um trunfo. Eu sabia que você voltaria a procurá-los, assim que as lembranças de Rachel ressurgissem, então infiltrei Sirith no grupo. Sua tarefa inicial era apenas roubar o mapa, mas o exilado o destruiu, o que nos trouxe até aqui. – Apontou para a enseada, onde o petroleiro se preparava para aportar. – Convidamos alguns amigos, naturalmente.

– As vias atlânticas. – Ela não se conformava. – Como descobriram a nossa posição?

Sirith puxou do bolso um telefone móvel, o dispositivo que Kaira havia pedido que despejasse no mar.

– Não me olhe assim. – Andril era maldoso até em suas piadas. – Você sempre soube que o aparelho tinha um localizador. Foi uma bela ideia de Sirith para monitorá-la. – Esticou os lábios. – Esses raptores, tão hábeis na compreensão das tecnologias humanas... Eles pegam a gente de jeito, não é?

Kaira sentiu o corpo de Levih estremecer. A pressão sanguínea desvanecia. As batidas do coração se reduziram. Com o amigo ainda consciente, ela apertou-lhe a mão.

– Levih – ela soluçou. Olhou para ele. Queria dar uma palavra de conforto, mas não sabia o que dizer.

– Não se entristeça – ele abriu a boca. Os sons saíram arranhados. Não deu importância aos inimigos. – Minha tarefa agora está concluída. – Mesmo diante da morte, o celeste sorria. – Encerra-se aqui a demanda de toda uma vida.

Não era possível, ela pensou. Levih estava morrendo. Tinha fracassado em levantar a muralha, em impedir o avanço de Andril, em defender o rio Oceanus. Então, por que se alegrava?

– Tudo acontece por uma razão – ele prosseguiu, como se adivinhasse a pergunta. – Que a minha partida seja uma centelha. Assim somos nós, ofanins. Uma chama se apaga, a outra se acende. – E terminou evocando a frase profética: – Acredite no plano de Deus. Da morte vem a vida; do sacrifício, a vitória.

A ruiva chorou e naquele breve momento desejou que nada daquilo tivesse acontecido. Desejou que não houvesse nem começado, quis que fosse um sonho, um delírio. Queria despertar em Santa Helena, acordar no dormitório, voltar à sua existência mortal. Mas enfim entendeu as palavras do ofanim, lembrou a conversa que tiveram no barco. O mundo era um "baralho de opostos", nada se sustentava sozinho. Não existiria o certo sem o errado, o bem sem o mal, o claro sem o escuro nem a vida sem a morte.

O anjo fechou os olhos.

Não parecia estar morto. Lembrava uma criança adormecida, sem ódio no rosto, sem raiva. Era assim que tinha vivido.

Levih descansava em paz.

55
FOGO CONTRA GELO

O SANGUE DO ANJO SE ESPALHOU SOBRE A LAJE, DESENHANDO UMA MANcha rubra no pavimento de Athea. Andril não tinha pressa, apreciava cada segundo de sua doce vitória. Detinha o absoluto controle da situação, nada mais poderia freá-lo. Levih estava morto, Denyel e Urakin aprisionados, e uma horda de espíritos raptores aportaria em instantes, uma tropa de soldados do inferno prontos a acatar seus comandos. Kaira seguia com vida, mas estava emocionalmente desorientada e, com a ruína de sua equipe, não tinha a menor condição de lutar. Ainda assim era perigosa, especialmente se não fosse exterminada da maneira correta, conforme Yaga lhe havia ensinado. Sabendo disso, Andril montara um plano, uma estratégia que liquidaria todos os seus adversários de uma só vez e ainda o consagraria como o principal arconte do príncipe Miguel.

Espargiu o sangue com a sapatilha, e, quando menos esperava, um abalo fez o templo vibrar.

Da morte vem a vida; do sacrifício, a vitória – as palavras não desgrudavam da mente de Kaira. Ecoavam como uma oração, um mantra, uma ordem, algo realmente impossível de esquecer – *Uma chama se apaga, a outra se acende.*

A dor da perda do amigo, do assassinato covarde, do tiro pelas costas deu lugar à fúria instintiva, ao ódio descontrolado, a um sentimento que agora ela sabia não ser exclusivo dos seres humanos. Tudo que precisava era de uma *centelha*, uma *faísca*, como dissera Denyel, um catalisador para invocar os poderes angélicos, ou, mais precisamente, uma fagulha, um *estímulo emocional*. Fora assim no condomínio fantasma, na caverna de gelo, no posto do pedágio e na floresta Amazônica – e assim seria em Athea.

De joelhos no mármore, a aura da ruiva esquentou, projetando ondas de calor, acendendo chamas térmicas de radiação. O chão voltou a tremer, as rígidas colunas balançaram. Andril franziu o sobrolho, perdeu o equilíbrio, tentou se escorar numa pilastra mais próxima. Sirith mergulhou para a esquerda, escapando por pouco de um bloco que se desprendera do teto. Uma rachadura se abriu, correu pelo meio de suas pernas.

– O que está acontecendo? – gaguejou o raptor.

– Será que não percebeu, idiota? – o celeste engoliu o sorriso. – Estamos em uma enseada vulcânica. Athea foi construída sobre um vulcão. E Kaira é um *anjo do fogo*.

De repente, o extraordinário Sirith não era mais tão prodígio assim. Gotas de lava escaparam pela fissura. Andril recuou cinco passos, amaldiçoando a herança do falecido Levih. Parecia-lhe inaceitável que alguém com as lembranças fragmentadas fosse capaz de invocar as habilidades supremas de uma líder de casta. Os ishins se tornam mais fortes quando estão em contato com seus elementos primários, e o vulcão de Athea não era uma cratera comum, mas um dos grandes vulcões de antigamente, uma estrutura pré-histórica daquelas que ajudaram a moldar o planeta, no tempo em que os homens ainda não existiam.

Outro forte tremor.

Com medo da punição, Sirith fez sua parte. Mirou-a com a Thompson e puxou o gatilho, usando o resto de munição que lhe sobrava no pente. O chumbo saiu faiscando, para ser dissolvido ao encontrar a redoma que envolvia a celeste. Apavorado, ele se virou nos calcanhares e correu para o fundo do templo, numa atitude típica dos raptores, que sempre se evadem quando estão acuados.

Andril não deu atenção – afinal, quem precisava de Sirith? Focalizou a energia da aura para materializar uma pontiaguda estaca de gelo, uma haste que cresceu como a extensão de seu braço, uma peça fria o bastante para resistir à esfera de calor e penetrar fundo no coração da arconte. Tomou força, manobrou o espeto, mas, já prevendo o ataque, Kaira encostou a testa no solo. Sentiu o magma borbulhando, degustou o furor do vulcão, ligou-se à terra como havia feito no rio selvagem. Sem saber *como*, fez nascer do chão uma cusparada de fogo, um gêiser incendiário que abriu uma fossa entre ela e Andril. O Anjo Branco escapuliu para trás, evitando o escorregão no poço escaldante.

O martírio de Levih era uma realidade terrível, mas tivera um motivo. *Tudo* acontecia por uma razão, como ele mesmo costumava dizer. Kaira não acreditava em fatalismos, achava que era preciso *agir*. Mas talvez o ofanim estivesse correto, de certa forma – talvez houvesse uma vontade superior, que nem sempre se expressava por meio de sucessos e alegrias. Foi isso que Levih quis dizer no veleiro, e, apesar de ele negar, resumia também a filosofia de Denyel. Com o sacrifício ela compreendeu, finalmente, o que significava ser um anjo de Deus. O universo é como uma sinfonia, com notas tristes, felizes e enérgicas, às vezes desafinadas. Estamos vivos não apenas para escutar a canção, impassíveis a seus acordes, mas para participar dela – sofrendo, sorrindo e amando.

Kaira se despediu do Amigo dos Homens. Ergueu o nariz, as mechas ruivas caindo no rosto. Não precisava mais controlar o terremoto, a catástrofe era irreversível. Athea seria destruída, de uma maneira ou de outra, mas antes ela teria de lidar com Andril.

Do lado de fora, uma avalanche rolou o penhasco. As montanhas e ilhotas se moveram, sinal de que não só o templo, mas toda a enseada sucumbia à erupção do vulcão.

O petroleiro executou uma manobra transversal e aproveitou-se das águas profundas para ancorar no cais. O cheiro de óleo e poluição empesteou a lagoa, e, mesmo aprisionados no gelo, Denyel e Urakin viram, através do esquife, uma pavorosa horda de raptores lançar a bombordo redes militares, normalmente usadas para o desembarque de tropas.

As criaturas se apinharam no convés, e a natureza mágica do vértice, livre das oscilações do tecido, permitiu que eles se manifestassem não como humanos, mas em sua forma real. Enquanto não estavam transmutados, os diabretes tinham a aparência odiosa – alguns eram barrigudos, com grandes pústulas no corpo; outros pareciam esqueletos, com os ossos à mostra, a pele ressecada, manchas escuras e os órgãos genitais arrancados. Muitos exibiam feridas, chagas sangrentas, dentes apodrecidos, rosto inchado. No lugar de armas de fogo, esses carniceiros portavam barras enferrujadas, porretes crivados de pregos, facões de lâmina dentada, correntes com navalhas na ponta.

Os primeiros vinte raptores desceram ao ancoradouro, liderados por um sargento caolho, que cheirava a carne decomposta. Começaram a subir o morro pela escada de rocha, avançando em duas filas, como uma marcha de formigas carnívoras. Chegaram à praça do mirante, atravessaram o obelisco e se detiveram ao encontrar Denyel e Urakin, contraídos no espigão de cristal.

Do tombadilho, dois demônios observavam a operação. Um deles era Guth, a criatura de pele verde e perfurações de agulha que havia recrutado as brigadas satânicas. O outro era Bakal, um ser de coração negro e veias saltadas.

– Dois petiscos, logo de cara – disse Bakal, mirando os anjos petrificados.

– Tem outros mais lá dentro – salivou Guth.

– Sim, a arconte.

– *Os* arcontes – riu malignamente. – São *dois*.

Kaira estava de pé, cara a cara com o inimigo. Conjurou um projétil de fogo, um míssil sólido de labaredas vermelhas. Mas tão rápido quanto seu ataque foi a defesa de Andril, que ergueu um escudo de cristal, uma carapaça que absorveu toda a energia do impacto. A barreira se desfez, mas preservou o celeste, e imediatamente a ruiva invocou um novo projétil, seguidamente frustrado por outra couraça, e assim mais quatro vezes, até que os dois se cansaram.

Andril acometeu na sequência, usando o próprio terreno como aliado. Congelou ao ponto de quebra uma das colunas ao lado de Kaira, resfriando-a tanto que a pilastra rachou, não resistiu e cedeu, projetando cacos de mármore, pedregulhos que, embora gélidos, eram místicos e não podiam ser evaporados. Ela se desviou, vendo a trave raspar em seu nariz como o tronco de uma árvore serrada. Um estilhaço acertou-lhe a cabeça, abrindo um corte profundo no meio da testa.

Valendo-se da distração, Andril investiu novamente, disparando uma nuvem de granizo, esférulas mais pesadas que as farpas comuns, portanto mais difíceis de rechaçar. A técnica exigia uma resposta voraz, então Kaira juntou as palmas e depois as abriu, criando uma rajada de ondas térmicas que se alastrou na forma de uma estria fluorescente, distorcendo as moléculas de ar, amolecendo as pedras abaixo. A radiação anulou o granizo e abafou o Anjo Branco, que se retraiu numa casca gelada, uma crosta de gases que lhe protegeu o rosto, mas o deixou queimar pelas costas.

Com os ombros em carne viva, Andril saiu de encontro a Kaira, que aceitou o embate. A luta a partir de então se tornaria uma disputa não só de energia e vontade, mas de força, rapidez e vigor.

Na escadaria de Athea, o sargento caolho se aproximou de Denyel. Era uma criatura fétida e grosseira, que se vestia com uma placa de ferro e um saiote de pele humana. Deu um sorriso desdentado e cuspiu sobre o gelo ao ver a postura do anjo, aprisionado no curso do ataque, com a espada em riste e os pés deslocados do chão. Largou a corrente de espinhos e ordenou a um de seus soldados:

— Dê-me um machado decente. Vou quebrá-lo com um golpe só.

— Sirith os quer vivos — advertiu um recruta esguio, tão peludo que fazia lembrar um macaco.

– *Sirith?* – O raptor olhou para o templo, prestes a desabar. – Que se dane! Recebemos ordens de Guth. – E anunciou: – Peguem o que bem quiserem. Pilhem à vontade. Este aqui já é meu.

– Fico com este outro – avisou um segundo sargento, puxando a maça para despedaçar Urakin.

No santuário, os combatentes feridos prosseguiam a batalha. Andril girou a palma para cima e sobre ela solidificou um enorme fragmento gelado, uma estrela de pontas cortantes. O objeto saiu voando em movimento de disco, e para revidar Kaira torceu o quadril, concentrando entre os dedos uma esfera de magma. Jogou o globo tarde demais e, como resultado, foi atingida pela explosão, sendo impulsionada muitos metros para trás, até ser detida por uma das colunas que compunham o terceiro anel. Caiu escorregando pela pilastra, cuspiu sangue e saliva.

Quando se refez da colisão, avistou Andril, que trotava. No meio do caminho, ele pulou muito alto e manifestou suas asas, um par de membros de cristal que, apesar da estranha consistência, era perfeitamente eficiente em voo. Dos punhos fez nascer uma espada de gelo, e com ela mergulhou para afundar o crânio da ruiva.

Kaira abraçou os joelhos e sentiu as costas queimando. Delas brotaram então duas asas, que não eram de penas brancas, como ela esperava, mas formadas por espectros translúcidos, vermelhos e fulgurantes. Com o poder renovado, a redoma de calor se transformou numa cúpula de pura energia, que não só repeliu a lâmina gélida como arrastou o rival para longe, fazendo-o rolar até o portão de saída.

Esgotados, os antagonistas retomaram o duelo, dessa vez em pleno voo, raspando nas vigas de mármore. O arconte de Miguel convocou uma mistura de gelo, neve e cristal, e a Centelha Divina fez surgir uma bola de chamas. As energias colidiram no centro do templo.

– Já tentou me destruir antes, não se lembra? – gritou Andril, com a voz rosnada pelo esforço titânico. – *Nunca* vai conseguir. Não pode me derrotar, sou indestrutível. Nossos poderes são equivalentes, mas eu não posso morrer, o que torna inútil este confronto. Releve a morte de Levih, toda batalha tem suas perdas – falou, como se pedisse desculpas. – Estamos quites agora. Urakin abateu Forcas, você baniu Yaga, destroçou-a severamente. É justo respondermos com igual brutalidade. Desista e libertarei seus amigos. Permitirei que saiam vivos daqui.

A oferta surpreendeu Kaira, e ela a considerou seriamente. O Coração de Gelo era uma divindade temível e o havia salvado muitas vezes. A ruiva não sabia como funcionava, mas já a vira ser empregada, tanto na fuga da catedral quanto na cerimônia de regressão. Em termos lógicos, era realmente impossível vencê-lo. Se Andril honrasse sua palavra, ela ainda poderia salvar Denyel e Urakin, mesmo que essa fosse uma solução temporária.

Fazia algum tempo que Kaira se sentia culpada. Carregava a culpa de ter falhado na primeira missão, de não ter acreditado em Urakin e Levih, de tê-los abandonado no santuário de gelo, de não perceber a infiltração de Sirith e finalmente de não conseguir proteger o Amigo dos Homens. Será que ela poderia conviver com a morte de mais dois comparsas, os quais o Anjo Branco era capaz de exterminar com um só pensamento?

Mas a questão, talvez de todas a mais importante, era saber se *eles* a perdoariam. Não eram imbatíveis, mas tinham o coração temerário, eram anjos guerreiros e *jamais* aceitariam que ela se curvasse a Andril.

– Está com medo – decifrou Kaira. – Assim como não posso matá-lo, também não pode me superar. Se eu cair, a explosão sepultará o rio Oceanus.

– *Medo?* Absurdo! – E repetiu: – Escute. Sou o único que pode preservar seus companheiros. O que me diz?

– Digo que anjos... – recordou-se de Rachel, reviu o momento em que seus olhos empalideceram – deveriam salvar crianças, ao invés de matá-las.

O embate de forças era tão magnífico que, no ponto central onde as energias se concentravam, a união entre o frio e o magma produziu um bloco de rocha chispante, duro e gelado por fora, vistoso e incandescente por dentro. A superfície rachou numa baforada de gases, terminando numa detonação luminosa que projetou fogo e cristal através do portão. Os raptores que naquele momento se aventuravam degraus acima foram obliterados, varridos pela vaga escarlate e empalados pelas lascas cristalinas. Os diabretes mais abaixo se protegeram atrás dos esquifes, resistindo incólumes ao assalto.

Kaira e Andril foram empurrados para cima, bateram no teto e depois desabaram, sangrando, exaustos. O templo teria ido pelos ares não fosse o hábito dos atlantes de revestir suas construções com invisíveis camadas mágicas, que não impediam a demolição, mas tornavam seus prédios mais resistentes.

Kaira se levantou, procurou por Andril e o enxergou descendo a passagem subterrânea, penetrando na escada obscura. Ainda havia tempo de pegá-lo antes da erupção, antes que ele escapasse pelas águas sagradas do rio Oceanus.

56
A CÂMARA OCEÂNICA

A ESCADA QUE DESCIA À CÂMARA OCEÂNICA PENETRAVA POR VÁRIOS METROS no centro da terra, através de uma passagem estreita que se afundava no coração do vulcão. Os níveis abaixo eram mais estáveis, apesar de mais próximos do núcleo, graças às camadas mágicas de proteção, erguidas havia séculos pelos feiticeiros de Atlântida.

Kaira avistou uma luz dourada no fim dos degraus, de cor e intensidade distintas das minúsculas partículas que clareavam o salão. Era um brilho fascinante, carregado de uma energia que não só era mística, mas também espiritual e divina.

Chegou finalmente a uma porta arqueada, cujo umbral revelou uma gruta de inigualável beleza. O chão estava todo alagado, formando uma piscina de águas rasas, com uma grande fenda na parede norte que projetava feixes de tonalidade ofuscante. Da greta fluía um canal, um córrego que – a ruiva logo viu – era o ponto de acesso ao rio Oceanus. A forte luminescência confundia a visão, tornando indistinguíveis os marcos além, fossem ilhas, portos ou dimensões. Oito colunas suportavam o teto, mas fora elas a caverna era rústica, escavada com brocas, picaretas e martelos, sem detalhes ou lapidação.

Andril estava parado no meio da câmara, encarando a luz fixamente, com a maré batendo nos joelhos. O rosto sádico se transformara numa máscara de placidez. Os olhos eram como os de uma criança, os de um artista sensível apreciando uma obra. As asas haviam derretido, e com elas a película que o tornava tão branco – parecia agora mais humano, mais fraco e vulgar. Kaira relaxou a guarda e desceu à área inundada.

– Sabe o que mais me irrita nesses humanos? – ele divagou, ainda de costas. – A alma imortal. Está tudo errado. *Eles* são os verdadeiros eternos, não nós. – Virou-se de frente. – Nunca me conformei, e você também não deveria aceitar.

– Um fato imutável – argumentou Kaira, perguntando-se aonde ele queria chegar. – Os homens têm o domínio deles, e nós temos o nosso.

– É o que diria um ofanim. – E, a despeito de todas as crueldades, havia sinceridade em suas palavras, o que instigou a ruiva a ouvi-lo. – Deus nos abandonou, Centelha. Yahweh nos *traiu*, depois do que fizemos por ele. Toda a jornada, desde o fulgiston até aqui, para adorar animais fedorentos? O trabalho de eras... perdido, desperdiçado – moveu negativamente o pescoço. – Eis o que somos: artesãos, construtores de mundos. O que a nossa casta arquitetou foi primoroso. *Sei* que você entende, sente o mesmo que eu. As galáxias que exploramos, os sistemas solares que fecundamos, os planetas que ajudamos a criar, primeiro com rocha, depois com fogo, água e nuvens de gás. Eu me lembro das estrelas anciãs, com suas fornalhas termonucleares, pulsando na sombra do espaço. Vejo as nebulosas rodando, enxergo as manchas de hidrogênio, as explosões de plasma e carbono. – A face endureceu. – A alma que o Criador entregou aos humanos seria *nossa*. O livre-arbítrio era a recompensa que nos foi prometida, para que regêssemos a terra e governássemos o universo.

– Não acredito. – A arconte usou o bom-senso. – Somos uma raça de mensageiros. Fomos gerados para proteger e servir, não para comandar.

– Concordo imensamente. Que bom que nos entendemos – o anjo se permitiu um sorriso. – Sou um *servo*, por isso continuei nas fileiras de Miguel, no começo expulsando as hostes de Lúcifer, depois caçando os renegados e agora lutando contra *vocês*, os novos rebeldes. Diga-me o que quiser, mas Miguel é o *nosso* príncipe, oficialmente designado por Deus. E entenda... por mais que eu não concorde com muitas de suas atitudes, permaneço obediente e fiel. – A cabeça decaiu para o lado. –

Somos irredutíveis. Não aceitaremos revoltosos no paraíso, nunca perdoaremos aqueles que desafiam as regras supremas.

– Discurso vazio – acusou a celeste. – Só pode ser cego ou fanático. *Vocês* é que são os reais insurgentes. Distorceram as ordens divinas, transformaram o céu numa tirania, conspurcaram a criação.

– Isso é o que você pensa, e um julgamento bastante emocional. – Ele esfregou as palmas, fazendo como se as lavasse. – Olhe para o seu comandante, Gabriel. Um assassino cruel, impiedoso e covarde. Matou mulheres e crianças, destruiu vilas, aniquilou cidades inteiras. E o seu amigo, Denyel? Criaturinha de Deus, hein? – Fez uma pausa. – Se vou me curvar a alguém, que seja a um líder legalmente empossado.

– Não compreende, ou talvez não queira enxergar. – Ela queria encerrar a conversa. – Esta é a pergunta crucial, a questão que nos persegue. Quão afastados estamos da graça? Quanto ascendemos ou caímos? – Respirou fundo. – Não devo julgá-lo, Andril, mas tenho uma tarefa a cumprir.

Após conhecer as ambições do rival, Kaira estava – agora mais do que nunca – convicta do que deveria fazer. Não hesitaria novamente, como acontecera no condomínio fantasma, não tinha mais dúvidas, não se deixaria perder. Ergueu os braços para conjurar suas chamas, mas as labaredas não saíram!

Agora?

Nada.

As mãos estavam frias. A aura havia se apagado.

– Está certíssima – Andril resgatou a fisionomia perversa. – Essa disputa entre nós tem de findar e só poderia ser resolvida aqui, nos subterrâneos de Athea. – Tocou as marolas douradas. – O rio Oceanus foi construído como rota diplomática, uma estrada livre onde quaisquer entidades se tornavam iguais. Uma vez dentro dele, todos os nossos poderes são anulados. – Ele escorregou a mão pela túnica. – Nesta câmara somos equivalentes, *arconte*, tão indefesos quanto míseros seres humanos.

Andril deu um passo à frente e, do interior do manto, puxou o que parecia ser um facão. Era de fato uma ponta de lança, a arma do general, o regente em hibernação nas montanhas de Santa Helena.

Num movimento premeditado, o anjo estocou Kaira no coração, afundando a lança na carne como quem perfura manteiga. Ela escutou o baque sem reagir, dobrou os joelhos, perdeu o equilíbrio. O inimigo torceu a lâmina num giro de rosca, para em seguida arrancá-la fora, rasgando as veias e estraçalhando o pulmão.

Dor.
– Platina branca – ela gemeu. Era o mesmo metal usado por Hector, a liga que quase a tinha matado durante o ataque na república. – Armou tudo desde o início.
Falta de ar.
– Mas é claro. – Ele largou no chão a arma do crime. – Queria fazer surpresa. Fico contente que não tenha desconfiado.
– Não foi uma pergunta. – Os olhos perdiam o brilho, a voz era cava. – Eu sabia dos riscos... Todos nós sabíamos... Mas, depois da regressão, era mesmo inevitável. De uma forma ou de outra, eu precisava morrer, ou Rachel não seria liberta. Que seja assim. Que seja *aqui.*
– Comovente – Andril achou graça. – Arriscar a própria vida pelo espírito de uma criança. Aplaudo seu heroísmo.
Vertigem.
O sangue subiu à garganta. O fôlego se reduziu.
– Foi instintivo. Homens e anjos não são tão diferentes, afinal. Foi uma lição que aprendi nesta viagem. Portanto, não posso deixar que escape. É perigoso demais para continuar existindo.
– Não pode deixar que *eu* escape? – Ele a rodeava, como um tubarão que espreita o almoço. – E como vai me impedir? Todos os truques que você sabe, eu conheço de trás para frente. Está acabada, perdida. Entregarei seus colegas aos raptores, marcharemos triunfantes sobre as colônias celestes.
Kaira estava paralisada das pernas para baixo. A boca azedou, as palavras saíam arrastadas. O corpo clamava por descanso, a mente enegrecia. A cabeça pesou, o líquido rubro escorreu entre os dedos. Estava vencida, não tinha mais condições de lutar.

– Usa estratégias primárias, Andril. – Só lhe restavam uns poucos segundos. – Cometeu erros desde o princípio, e era óbvio que deslizaria de novo. Se os meus poderes não funcionam aqui, o que dizer do seu coração?

O celeste suou frio. Mesmo sem saber o que ela tramava, sentiu a espinha congelar, um pressentimento terrível, uma obscura previsão. Kaira correu o punho à cintura, enfiou a mão no cós da calça e de lá sacou a Beretta, até então escondida sob o tecido da blusa. Apontou na direção do inimigo e, sem pensar, apertou o gatilho.

Mas a pistola falhou!

Andril deu um suspiro – dessa vez se salvara por pouco, seria mais cauteloso nas próximas. Entortou a cara numa risada macabra:

– Meu conselho? Nunca confie nessas velharias.

Depressa, Kaira identificou o problema. Fez um curto movimento com o polegar, liberando o pino de segurança.

– Era a trava – ela avisou. – Sempre acontece comigo.

A arma disparou.

Espoleta. Detonação.

Pólvora. Fumaça.

Sangue!

Os ruídos ecoaram no teto – estalos metálicos, vulgares demais para um lugar tão feérico.

Quatro balas atravessaram o busto de Andril, vulnerável sem a proteção do Coração de Gelo. De um pente de oito cartuchos, pelo menos seis o acertaram diretamente. O manto alvo ficou vermelho, a pupila se retraiu.

O Anjo Branco desmoronou na piscina, os olhos abertos, a face sem vida.

Kaira resistiu quanto pôde. Viu o adversário cair e, quando finalmente entendeu que o havia vencido, deixou-se levar pelos braços da morte.

A Centelha Divina se apagou.

Não sentia mais dor.

57
SOLDADOS DO INFERNO

Na escadaria do templo, o chão sacudiu, as colunas vibraram. As montanhas começaram a rachar, a ilha inteira tremeu. Um imenso pedregulho desceu pela encosta e se espatifou sobre o convés dos raptores, esmagando dezenas de soldados, ferindo outros tantos, aleijando mais alguns. Ainda assim, os monstrengos insistiam na luta, não davam sinais de que desistiriam. Eram figuras medrosas, mas insuperáveis em ganância, ambição e cobiça – fariam o impossível para entrar na fortaleza, estavam dispostos a tudo para capturar Kaira e Levih, troféus que lhes garantiriam a imediata ascensão a uma das castas do inferno.

– Vai ficar parado, seu verme? – esbravejou Guth, tomando a escada que descia a torre do navio. – Vamos atrás do que é nosso.

– Eu? – Bakal era lerdo em suas respostas. Estava entorpecido de novo, abstêmio das energias que costumava sugar. – Muita agitação lá embaixo. Vou esperar por aqui.

Guth trincou os caninos. Pegou um martelo e saiu.

O sargento caolho deu duas leves pancadas no esquife, para testar sua consistência. Esticou o machado contra o ataúde de Denyel e seu colega fez o mesmo, empunhando a maça para destroçar Urakin.

Um inesperado som de estilhas os retardou, e, quando pararam para investigar, os blocos se despedaçaram, expelindo aguilhões de gelo e cristal. Inflados de perversidade, mas fracos de raciocínio, os raptores não foram velozes o bastante para reagir antes de ser agredidos. Congelado em posição de batalha, Denyel aproveitou o embalo para dar prosseguimento ao ataque – o golpe, que antes era endereçado a Andril, recaiu sobre o demônio gosmento, cortando-o pela metade, partindo-lhe o tronco na transversal.

Logo acima, Urakin despertou da hibernação preparado para lutar ou morrer. Desferiu um soco que atravessou o peito do segundo sargento, arrebentando o esterno e quebrando as costelas. Um dos recrutas mais ousados lançou uma machadinha, que o acertou na altura do ombro. Enfurecido, o Punho de Deus reconheceu o atirador e avançou pelo meio da turba, distribuindo murros com as costas da mão, cotoveladas com o antebraço amputado, pisoteando os mais lentos, conduzindo uma trilha de sangue. Agarrou-o pelo pescoço, bateu-lhe a cabeça até o cérebro escorrer.

– Não sinto a aura de Kaira – gritou Denyel, flanqueado por dez diabretes.

– A essência de Levih também se apagou – disse Urakin. – Temos que voltar ao salão.

– Vamos subir. *Agora*, ou será tarde demais.

Mas as palavras se perderam no campo de guerra. Ao se virarem rumo ao portão, os anjos encontraram mais um batalhão de raptores – todos prontos, famintos, babando feito hienas que encurralam um leão.

– Estamos cercados.

A muitos metros sob a terra, os corpos de Kaira e Andril flutuavam, lentamente atraídos pelas águas douradas do rio Oceanus. A gruta balançou, deu um salto ruidoso, sinalizando que os poderosos feitiços atlantes perdiam força ante a energia do grande vulcão. O encantamento formava uma esfera de defesa invisível, com múltiplas camadas que preservavam a sala das infusões de magma, mas que seriam inúteis quando iniciada a erupção.

Outro abalo.

As pilastras rangeram.

Era uma questão de minutos.

Do lado de fora, a peleja continuava. Um dos raptores ergueu um pedaço de ferro, mirando o queixo de Urakin. À iminência do choque, o corpulento guerreiro parou a barra com a mão, segurando o metal e o roubando com uma vigorosa puxada. Torceu a haste, com a qual improvisou uma lança, enfiando-a na face do monstro, que desabou com a cabeça rachada. Um novo atacante o ameaçou pelas costas, agitando uma corrente de espetos. Urakin deu um passo adiante e respondeu com uma joelhada no queixo, uma pancada bem calculada que matou o adversário na hora.

Mais abaixo, Denyel rodou a espada e num só mergulho degolou três inimigos, fincando a lâmina na garganta do quarto. Decidiu se afastar do parceiro, rolou pelo chão, para, numa manobra suicida, se levantar no meio de uma formação de soldados. Pôs-se de pé, girando o fio num círculo completo. A arma cantou, decapitando todos os diabretes na roda – oito ao todo, que se amontoavam para assaltá-lo.

– Avance! – Denyel gritava enfaticamente. – Abra caminho!

– Estou tentando! – rugiu Urakin, os olhos tomados de ira, os músculos contraídos e fortes. Desarmado, segurou um defunto pelo tornozelo e o mexeu feito um mangual, para numa mesma sequência abater um, dois, três, quatro, *cinco* infernais.

O exilado executou outros sete, finalmente aniquilando o batalhão de vanguarda. Arqueou a coluna para respirar, apoiou a mão esquerda sobre a calça e reparou que estava coberto de sangue. Pisou num fêmur quebrado, notou que tinha pedaços de carne grudados na jaqueta.

Um raptor solitário desceu a escada pelo lado direito, brandindo uma espécie de picareta. Denyel o estocou na barriga, penetrando o aço de baixo para cima. A criatura bateu com a testa no chão, escorregou no mármore, decaiu dali para o mar. Urakin fechou o punho para dilacerar a espinha de seu último oponente, terminando a batalha com uma pilha de demônios a seus pés, todos brutalmente vencidos.

O apito do petroleiro soou, e os anjos viram que mais brigadas desembarcavam. Dessa vez, não estavam sozinhos – traziam uma besta com eles.

– Um *golem* – reconheceu Denyel. – Vieram preparados para tudo.

58
O GOLEM

Kaira se lembrava de já ter desmaiado, mas agora era diferente. Estava morta, sem chance de salvação, com o coração perfurado e a aura dispersa. Seu espírito regressaria à unidade do cosmo, como acontece a todos os celestiais destruídos – não como uma energia pessoal, mas na forma de uma potência unitária, sem vontade própria ou consciência, sem desejos ou ambições, sem memórias ou sentimentos.

A perspectiva nunca a assustara, de fato – sempre estivera preparada para isso. Desde a regressão no templo yamí, entendera que estava condenada, não poderia viver como anjo, muito menos como mulher.

Kaira precisa morrer.

As lembranças mais recentes lhe pareciam agora muito antigas. Era como se já estivessem com ela mesmo antes de ter acontecido, como se fossem parte de sua vida, como se o tempo não existisse, fosse uma ilusão passageira, um pensamento fugaz, uma criação puramente mundana.

Não existe vida após a morte para nós, ou qualquer coisa parecida.

Kaira recordou as palavras de Denyel, como as últimas que escutaria. Observou o mundo desaparecer à sua volta, apagar num enorme borrão.

Tudo preto.

Um lampejo a trouxe de volta, encontrou-a na figura de um raio, um relâmpago, uma explosão. A chama da vida reacendeu, agora em iluminações radiantes. Estava novamente desperta, levitando. Mas para onde iria? Que lugar era aquele? A câmara subterrânea? O rio Oceanus? Uma dimensão afastada, além da fenda do espaço e do tempo?

Subiu flutuando, ascendeu muito rápido, presa ao umbigo por um estranho cordão. A claridade se condensou, e uma sensação incrível a envolveu, uma que ela havia provado, uma que ela *já* conhecia.

– Segura a minha mão? – pediu uma voz de menina.

Rachel – os mesmos cabelos castanhos, o casaco do pai, a camisola estampada. Era a garota que a puxava, não mais como uma âncora, mas feito um balão, uma força ascendente.

O elo entre as duas é agora muito forte.

Kaira imaginou estar viva de novo, ligada à criança pelo fio metálico, sendo conduzida por ela através da passagem.

Era o túnel – *o túnel da morte*.

O caminho para o salão estava enfim desguarnecido. Do topo quase não se enxergava a escada, entulhada de corpos, armas, pedaços de carne e muito sangue. Denyel e Urakin subiram à plataforma elevada e de lá escutaram um rugido cimério, misto de choro, uivo e rosnado.

Contornando o largo do obelisco, os celestes então avistaram uma entidade sombria, uma criatura que os demônios apelidavam de golem, um monstro autômato criado pelos torturadores do abismo para servir como animal de carga e máquina de guerra. Os golens eram construídos pela casta dos baals nas cavernas de Zandrak, no terceiro círculo do inferno. Primeiro, os diabos manufaturavam a carcaça, misturando músculos, ossos e tendões, dando forma à besta gigante. Depois, abarrotavam suas entranhas de espíritos escravos, seres recém-chegados ao Sheol, almas que renasciam à imagem de larvas. O resultado dessa monstruosidade se manifestava em entidades dementes, sem inteligência ou vontade, treinadas para destruir e matar.

A besta galgou o segundo lance de escadas, esmagando os corpos no chão, avançando como uma muralha de ódio. Enquanto se aproximava, Urakin reparou que era parecida com um enorme cadáver, de três metros de altura e rostos que se contorciam através da pele, eternamente gritando, tentando sair.

– Se entrarmos, ele virá atrás – calculou Denyel. – Não que o prédio vá durar muito tempo, mas é perigoso, com Kaira e Levih ainda lá dentro.

– Eu sei – anuiu Urakin. – Não temos opção.

Seria uma luta decisiva. Poucos anjos haviam escapado vivos da batalha contra uma daquelas aberrações demoníacas. Urakin contraiu as pernas para resistir ao impacto. Denyel preparou a espada – o sangue escorria e pingava.

– Foi bom trabalhar com você, meu chapa.

– Nunca trabalhamos juntos, Denyel – rebateu o guerreiro. – Que isso fique bem claro.

– Só queria dizer que lamento pelo que aconteceu. – O exilado estalou a língua. – Você sabe... aquela história do malakim e tudo o mais. Sempre esteve certo sobre mim. Não tenho um pingo de honra.

– Escolheu uma péssima hora. – Urakin tinha os olhos fixos no monstro, que se avizinhava a cada degrau.

– Não terei outra chance.

– De qualquer maneira, nada disso importa mais. – Urakin levantou a guarda. – Se quer mesmo se redimir, pode me prometer uma coisa.

– Pelos velhos tempos? Claro.

– Conceda-me uma *revanche*. Preciso limpar o meu nome.

Denyel julgou a proposta ingênua. Sorriu pelo canto da boca.

– Por que acredita que vai me vencer?

– Treinei anos para isso.

– Acho que ainda não entendeu, camarada. – O golem subiu ao estrado. – Não vou sair vivo daqui.

A criatura urrou, tentando imprensar Urakin com suas patas enormes, e o teria de fato esmagado, não fosse Denyel se lançar sobre ele, afastando-o da linha de ataque. O exilado deu uma cambalhota e se recompôs no mesmo instante, atravessou o eirado e enfiou a espada no ventre do monstro, que aparentemente nem sentiu a fincada. Respondeu com um chute, lançando o querubim vários metros à retaguarda, abrindo uma trincheira na escadaria, revolvendo terra e poeira.

Urakin deixou sua posição para desferir um soco no joelho do golem. O ataque funcionou, porque a rótula se partiu com um som abafado. O tornozelo se dobrou e a criatura tombou para o lado, escorregando na pasta de corpos.

Denyel assumiu a vantagem. Retrocedeu até a praça do mirante e escalou o obelisco com a agilidade de um tigre, sem errar um movimento, sem perder um só passo. Lá de cima, tomou impulso e saltou sobre os ombros da fera, cravando-lhe a espada na nuca, perfurando a carne até a altura do peito. Mas os ataques tão bem orquestrados se mostravam ineficazes contra a anatomia satânica. O golem não possuía órgãos e muito menos coração – era movido por uma colônia de vermes, espíritos loucos e desesperados, que não tinham noção do que era certo ou errado.

Trepado no pescoço da besta, Denyel sentiu os dedos gigantes lhe apertarem a cintura, para depois ser enfiado de cara no chão. Caiu esparramado, perdeu os sentidos e, nesse ínterim, o monstro se estufou para uma nova sortida, juntando as mãos para improvisar um martelo.

Urakin viu que Denyel não resistiria a outra pancada. Os dois tinham suas desavenças, mas, numa situação daquelas, não poderia abandoná-lo. Enterrou as unhas num pedregulho e com um só braço o levantou. Jogou o bloco contra os dentes do golem, mais para desviar a atenção, incitando o monstro a atacá-lo. A isca deu certo, e, quando a besta veio ao seu encontro, o Punho de Deus o agarrou pelas canelas. A criatura perdeu o equilíbrio, saiu rolando feito uma bola, desabou através da escada, mas se reergueu um segundo depois.

Embora manco, o golem estava longe de ser derrotado. Denyel e Urakin regressaram à plataforma, de onde tinham melhor posição. Estavam sangrando, exaustos, enfraquecidos após uma luta tão séria.

– Essa criatura não tem pontos vitais – resmungou o guerreiro.

– Só descobriu agora? – arfou Denyel.

– O que vamos fazer?

– Tenho uma ideia. – Olhou para o frontispício. – Temos que improvisar.

– Improvisar?

– É o único jeito.

Quando o monstro atravessou as pilastras, Denyel optou pela estratégia mais simples. Recuou alguns passos e, em vez de atraí-lo para o combate, preferiu atirar a espada. A lâmina penetrou no pé e saiu pela sola, cravando a ponta na rocha. O diabo ficou espetado no chão, tropeçou, caiu com o nariz numa das colunas da fachada.

A viga cedeu, destruindo todas as outras numa reação em cadeia, enfim soterrando a criatura numa pilha de escombros, triturando os vermes, encerrando-os para sempre nas duras pedras da enseada vulcânica.

59
CARTA NA MANGA

Urakin e Denyel escaparam retrocedendo para o interior do salão. O desabamento bloqueara a entrada, o que seria útil por enquanto, atrasando o avanço dos raptores.

O templo cambaleou com novos tremores. O teto tinha fissuras na pedra, várias colunas já haviam quebrado e por toda parte os anjos enxergavam marcas de fogo e de gelo, resquícios da luta entre Kaira e Andril. Ranhuras no solo expeliam jorros de lava, obrigando os celestes a andar com cautela. No chão, encontraram uma poça de sangue e, sobre ela, o avatar de Levih – morto, crivado de balas, estirado numa raia vermelha.

– Ferimentos de tiro – observou Urakin. Não fazia muito tempo que os dois se conheciam, mas o Amigo dos Homens o havia conquistado com sua absoluta humildade, um anjo acostumado a escutar a todos sem a ninguém realmente julgar. – Quem seria cruel o bastante?

Era uma atrocidade, de fato, refletiu Denyel. Os ofanins são pacifistas, e até os mais cruéis assassinos são piedosos ao enfrentá-los.

Como numa peça ensaiada, a silhueta de Sirith se revelou de trás de uma pilastra, travestido na figura do oficial de polícia. Enfiou um novo pente na Thompson e a apontou para eles.

– Não se mexam. Estou mirando o coração.

Urakin corou de furor. Os querubins não costumam ser inteligentes ou sábios, mas guardam suas lembranças como memórias seletivas – nunca esquecem os inimigos que enfrentam, decorando características físicas, técnicas de ataque e poderes mentais. Urakin e Denyel de pronto reconheceram Sirith como o raptor que os havia abordado – o primeiro no posto de gasolina e o segundo na retenção do pedágio. E, ao notarem a arma que carregava, logo desvendaram o quebra-cabeça – Zarion devia estar morto fazia meses, e o diabrete assumira seu lugar, copiando sua imagem, roubando inclusive seus pensamentos.

– Sua ratazana do inferno! – praguejou Urakin. – Onde está a arconte?
– Morta – ele avisou. – E vocês vêm comigo.

Denyel se negou a acreditar. Conhecia bem as estratégias satânicas e sabia que os infernais sempre mentem – é uma prática inerente aos agentes do abismo. Se Kaira estivesse viva – e ele nutria esperanças de que estava –, a prioridade seria resgatá-la.

– Espera mesmo que nos rendamos? – Urakin fez menção de avançar.
– Sinceramente, espero que *não*. – O semblante era pura malícia. – Se não capitularem, vou matá-los. Falo sério!

Sirith estava ciente – sempre esteve, na verdade – das dificuldades de capturar ilesos dois querubins, guerreiros programados para matar, que nunca recuam da batalha. Mas os anjos vivos eram potencialmente mais valiosos, e sabendo disso ele decidiu arriscar.

– O meu amigo tem razão – manobrou Denyel. – Ele nunca se entregaria. Assim, proponho um acordo. Deixe que ele se vá e eu ofereço a minha vida. Permitirei que me leve sem resistir.
– Denyel – grunhiu Urakin. – Não precisamos disso. Morreremos lutando, eu e você!
– Está perdendo o seu tempo – rebateu o exilado. – Kaira ainda pode estar na câmara oceânica. O que está esperando?

Para Sirith, era um pacto vantajoso. Trocaria dois anjos mortos por um vivo e ainda escaparia do templo sem precisar combater.

– Muito bem – concordou. – Fique de joelhos. – Fez sinal com a arma para que Urakin fosse embora. – Saia daqui. FORA!

O Punho de Deus ficou parado, ainda sem saber exatamente por quê. Talvez fosse alguma coisa na expressão de Denyel, um traço ou sinal que o deixou mais seguro.

O exilado se ajoelhou, conforme Sirith ordenara, e quando ele menos esperava recuperou a postura, num movimento circular e enérgico. O raptor se assustou e com os dedos nervosos disparou uma salva que, embora certeira, não encontrou seu destino. Denyel escondia muitos segredos – essa era a realidade que Urakin percebera. Não era apenas um soldado, havia trabalhado como espião e assassino e costumava guardar uma ou duas cartas na manga.

Desta feita, os projéteis, em vez de ser expelidos pelo cano, saíram descontrolados pelo ejetor, cuspindo pólvora e chumbo nos olhos do diabrete. Cego e confuso, Sirith deixou a metralhadora cair, tentou limpar os estilhaços do rosto. Urakin partiu para cima, com a força de um touro raivoso, mas Denyel o segurou.

– Não agora. – Mostrou a escada que descia. – Não escutou o que eu disse? Kaira ainda pode estar viva. Temos que tirá-la daqui, antes que Athea desmorone.

Os dois correram como nunca, pularam sobre uma fenda de magma, escaparam de uma coluna cadente e ingressaram na passagem subterrânea. O que tinha acontecido para a Thompson engatilhar ao revés, Urakin jamais saberia. Voltou-se para Denyel e murmurou:

– Por um momento pensei que...

– Que eu me entregaria? – O exilado retorceu o semblante. – Que tipo de querubim acha que sou?

60
ALÉM DA ETERNIDADE

O QUE EXISTE ALÉM DO TÚNEL DA MORTE É UM MISTÉRIO QUE ULTRAPASSA a erudição das mais elevadas entidades celestes. O processo pelo qual os seres humanos ascendem é outra questão obscura, que nunca foi totalmente explicada. Existem teorias, formuladas pelos malakins, e a principal delas afirma que as almas estão presas à terra pelas necessidades do corpo físico, este funcionando como uma espécie de âncora, ligado à fonte por uma corrente psíquica. Quando o corpo morre, a conexão é desfeita, permitindo que o espírito "levite" às dimensões superiores.

O Terceiro Céu é uma região carente de passagens tradicionais, praticamente inacessível aos anjos comuns. Seus vórtices se abririam então aos seres humanos na ocasião da morte, assumindo o curioso aspecto de túnel. Nem todas as consciências, porém, seriam capazes de ascender. Algumas, carregadas de ódio, intolerância e rancor, acabariam "flutuando" abaixo do Elísio, encalhando nas bordas da Gehenna, onde seriam julgadas por seus atos em vida. Outras, mais "pesadas", simplesmente afundariam, decaindo ao inferno, para renascer como espíritos do mal. Uma vez no Sheol, os novatos têm a alma destruída, cortando definitivamente qualquer ligação com o divino, transformando-se assim em entidades satânicas. Por fim, há ainda as mentes infelizes, entorpecidas pela tristeza, que continuam apegadas ao plano dos homens, vagando pelo mundo astral como fantasmas errantes.

Através do túnel da morte, Kaira esperava encontrar de tudo, de torres cintilantes a cidades de ouro, de legiões espirituais a jardins coloridos, mas nada a preparara para o que viria a seguir.

Quando a imagem se formou, ela viu que estava de volta ao condomínio de Santa Helena, palco de inomináveis torturas, mas agora o ambiente era outro. As construções eram as mesmas, tais como existiam antes do incêndio, com os canteiros de grama bem aparada, o asfalto liso e as cercas pintadas. Ao sol da manhã, crianças pulavam corda, comiam docinhos e jogavam futebol. Uma mangueira furada respingava gotículas na rua, e uma música antiga insistia em tocar à distância. Nas árvores, pequeninas lâmpadas piscavam. Nas janelas, meias vermelhas estavam penduradas em fila. O ar trazia o aroma das ceias em família, com pratos quentes e frios, frutas, chocolates e sobremesas.

Mamãe já chegou de viagem?

A casa que antes pertencia a Rachel era a mais próxima, logo depois do gramado. Ela e Kaira continuavam juntas, de mãos dadas, agora em pé na calçada. A celeste sentiu como se tudo aquilo fosse autêntico, mais verdadeiro e tangível do que a própria realidade mundana.

Um homem grisalho apareceu na varanda. Vestia uma camisa de botão e levava canetas no bolso.

– Rachel? – ele a chamou, e a criança correu para abraçá-lo. Era o pai da garota, ou assim parecia, o geólogo da Icon morto naquela mesma casa havia mais de dois anos, vítima das crueldades de Andril. Seu rosto era mais vívido, sem rugas ou marcas de olheiras. Desceu a escadinha e sorriu para ela. – Então, você é o anjo que escutou minhas preces?

Kaira ficou espantada ao ver que ele também se lembrava. Estava quase morto quando ela e Zarion chegaram para socorrê-lo, e se o condomínio estava inteiro de novo era porque, teoricamente, o ataque nunca havia ocorrido.

– Estamos de volta?

– Não – ele respondeu, com a menina no colo. – Estamos muito longe de Santa Helena.

– Que lugar é este?

– Nós o chamamos de Elísio. É um dos pavilhões de entrada, uma espécie de antessala onde as almas expurgam seus traumas antes de ascender às colônias celestes.

– Mas como cheguei aqui? – Era tudo tão absurdo. – Sou um anjo. Deveria estar morta.

– Você *está* morta. – Sua voz era calma e segura. – Estamos mortos, todos nós. – E completou, gracioso: – A terminologia a perturba?

Do jardim, Kaira reparou que um vulto caminhava dentro da casa, uma mulher que os observava através da janela. Tinha os cabelos louros, iguais aos do retrato na escrivaninha, e atrás dela uma árvore apareceu, decorada com bolas e luzes.

Deve voltar para o Natal.

– Tudo vai ficar bem – disse o homem. – Ele a está aguardando.

– Quem?

– Já vai saber. Já sabe.

Hugo Arsen virou-se para o canteiro, mas antes Rachel saltou ao chão e correu para abraçar a ishim, envolvendo-a com os braços franzinos. O cordão de prata havia sumido. Estendeu o ursinho de pelúcia, entregando-o como quem oferece um presente.

– Não posso aceitar. Ele é *seu*.

– Joga fora?

Kaira a princípio não entendeu. Depois, compreendeu perfeitamente. Era muito natural, mais simples do que parecia. Rachel havia reencontrado os pais e não precisava mais de qualquer objeto que os lembrasse. Dessa forma, quando a arconte aceitou o boneco, sua mente fervilhou, o espírito se aqueceu. A ligação entre elas tinha finalmente se rompido – era uma emoção triste, mas libertadora também.

– Foi culpa minha – ela confessou, antes de os dois irem embora. Era algo que a corroía, uma coisa que ela precisava dizer. – A explosão que o matou, o aprisionamento da sua filha, a fuga de Andril, a morte de Zarion... Não fui hábil o bastante para completar minha missão, sem que muitos inocentes sofressem.

– *Culpa* é a primeira coisa que abandonamos aqui. – Pai e filha se afastaram. – Fique conosco. Ele está chegando.

Fechou a porta.

O condomínio sumiu.

Denyel corria na frente, vencendo a interminável passagem que os levaria à câmara oceânica. Urakin cobria a retaguarda, atento aos raptores que porventura invadissem o salão.

Na gruta, a luz dourada ainda brilhava, até então intocada pelos tremores acima. O afluente continuava jorrando, com a fenda aberta na rocha.

No chão alagado, eles encontraram os avatares de Andril e Kaira. Denyel a puxou para a escada, longe das águas debilitantes do rio Oceanus. Testou-lhe o pulso, não sentiu nenhum batimento.

Custou a acreditar.

Não podia ser verdade. Não *era* verdade.

Kaira estava no espaço – não em um negro vazio de estrelas, mas no centro de um redemoinho cósmico, um funil de aquarelas e gradações, um ciclone brilhante e colossal. Nuvens de gás projetavam cores jamais vistas por olhos terrestres, e através do turbilhão esferas ardiam, meteoros dançavam, planetas nasciam, cometas riscavam trilhas na vastidão infinita.

A sensação era de estar *em casa* – segura, protegida, de volta ao marco fundamental, onde tudo havia começado. A energia das ondas a sufocou, e de repente um clarão reagrupou suas lembranças, numa impetuosa torrente magnética. De início, foi como despertar de um sonho, com as impressões ainda fugazes, embaralhadas, esperando que alguém as juntasse. Depois, os pensamentos fluíram, e ela viu sua vida passar num segundo – rememorou sentimentos, lugares, vitórias, derrotas, batalhas e companheiros, vivos e mortos. E, à medida que as memórias regressavam, ela era atraída para o interior da tempestade, através de uma chuva de asteroides, um furacão de partículas, átomos, corpúsculos de antimatéria, pósitrons, todos se expandindo à velocidade da luz.

O centro do universo – onde a luz brilhou pela primeira vez. Parecia incrível que estivesse de volta, bilhões de anos após sua partida.

– O *fulgiston* – ela disse, como se alguém pudesse escutá-la. – É real?

– Não – respondeu uma voz ressoante. – É uma projeção da sua mente, um efeito que o Elísio causa nos recém-chegados.

Uma entidade se manifestou a seu lado, num distúrbio de feixes prismáticos. Trajava um manto de pura luz, tinha as asas douradas e na cinta carregava uma espada. A aura superava em milhares de vezes a potência dos alados comuns. O corpo se manifestava como um borrão, reconhecível apenas pelas pulsações. Era difícil encará-lo, tanto quanto é fitar o halo solar. Sobre a cabeça ostentava uma auréola, e no peito o coração ardia feito a brasa de uma fornalha.

– O verdadeiro não existe mais – continuou. O tom era suave, como um coro soprando em uníssono. – Apagou-se há séculos, consumido pela dispersão sideral.

– Eu me lembro de você. – Com as ideias reanimadas, Kaira o reconheceu de eras longínquas. Diante dela se apresentava Rafael, Cura de Deus, também chamado de Quinto Arcanjo, o mais próximo de Yahweh. Era um dos gigantes, o mais casto dos primogênitos, o alado desaparecido havia milênios, ausente das decisões do conselho.

– É claro que lembra. – Apontou para o eixo do fulgiston. – Eu estava lá quando você nasceu, quando *todos* vocês foram criados.

– É tão lindo, tão perfeito. – Ela estava fascinada, não só pelo celeste, mas também pela explosão. Era uma imagem tão forte que permanecera com ela mesmo em Santa Helena, uma cena tão bela que sobrevivera aos poderes de Yaga, resistira à violência da transferência psíquica. – Luz e trevas, ordem e caos, calor e frio, todos os opostos coexistindo em completa harmonia. Como pode ter se apagado?

– Para se tornar eterno, de fato. Essa é sua memória mais cara, a mais preciosa de suas recordações. Para você, e para muitos outros, o Grande Redemoinho jamais vai se extinguir. Todos os mundos, céus e infernos vivem eternamente dentro de nós.

– Mesmo que tenham existido por um curto período?

– Nada persiste por mais de um instante. Seja uma descarga cósmica ou um domingo de sol, todas as coisas estão em movimento. – Era impossível não pensar em Rachel. – A eternidade não é algo que dure para sempre. Ela existe aqui e agora, quando nossa percepção temporal é desligada. Esses momentos são perpétuos e sobrevivem à vulgaridade do tempo. Vida e morte, bem e mal, passado e presente são apenas miragens transitórias.

Rafael sabia que Kaira era uma ishim e que, apesar da vivência na Haled, sua casta via o mundo sob ângulos muito lógicos. Com um gesto, fez o fulgiston coruscar. O turbilhão se reduziu, foi se retraindo, até se concentrar em um ponto, para então desaparecer totalmente. O que restou foi um imenso vazio, uma escuridão como nunca fora presenciada na terra ou em qualquer parte do universo. Não havia *nada* além deles, nenhum risco, nenhum planeta, nenhuma estrela, nenhuma raspa de meteoro. Como únicos corpos na vastidão, eles podiam ser anões ou gigantes, fugazes ou eternos, podiam estar vivos ou mortos.

– Este lugar... – Ela não o conhecia. Era uma região nova, sem limites ou bordas.

– Outra projeção – admitiu o gigante. – São fragmentos das minhas próprias lembranças, representações grosseiras do cosmo nos dias anteriores à luz. – Traçou com a mão uma elipse, indicando não só um quadrante, mas vários. – Lá está. – As notas imitavam um coral. – O trono de Deus.

– O trono de Deus? – Kaira enrugou os olhos, tentando enxergar melhor. – Não vejo nada.

– Precisamente. – O rosto do arcanjo reluziu. – Não é o que vemos, mas o que *sentimos*. Nossas percepções são restritas, limitadas, incapazes de alcançar a dimensão transcendente. – E perguntou, finalmente: – O que diz a sua intuição?

– Ela diz... – A ruiva escolheu as palavras. – Diz que estão todos aqui. Tudo que existe, existiu ou existirá está agora diante de nós, uno na mesma substância flutuante.

O anfitrião acedeu. A paisagem regressou ao ciclone, no exato momento da deflagração.

– O fulgiston não foi uma força de criação, mas uma onda de *dispersão*, expandindo toda essa energia, que antes estava reunida – contou Rafael. – A escuridão que as minhas diminutas habilidades tentam em vão reproduzir não era o *nada*, como muitos acreditam. Era *tudo*, a entidade primária que enfim nos moldou. Nós a chamávamos de Eternidade ou, como mais tarde a batizamos, Yahweh.

– Por isso veio para cá? – indagou Kaira. – Para preparar as almas para a eternidade?

– Para fazê-las compreender a eternidade – ele corrigiu, com a mesma voz polifônica. – Era o desejo de nosso Pai, desde o início, que adorássemos a espécie terrena, a qual ele escolheu como seus herdeiros definitivos. Essa foi nossa última e mais importante missão, mas meus irmãos repudiaram a tarefa. No começo tentei mudá-los, mas logo entendi que, se quisesse resistir, *eu* é que deveria mudar. – O coração pulsou em cores intensas. – Sou o arcanjo da cura, o patrono dos ofanins, e a violência me é estranha. Isolado no Elísio, descobri minha forma de lutar esta guerra, não pela espada, mas guiando os homens, demonstrando o conhecimento do certo e do errado, conforme era a vontade de Deus. – As vestes cintilaram quando ele se moveu. – Enquanto as legiões se digladiam no Quarto Céu, alheias às agitações da Haled, os espíritos do Éden assumem sua função, auxiliando a humanidade, tratando os aflitos, iluminando os tortos e egoístas.

– Mas como é possível? – A dúvida persistia. – Somos celestiais, eu e você. As passagens ao Terceiro Céu foram fechadas para nós.

– Ah, não – ele foi enfático nesse ponto. – Existem diversas entradas ocultas, por isso Miguel enviou seus agentes para encontrá-las. O rio Oceanus é uma delas; o túnel da morte é outra. Foi através da alma de Rachel que você chegou até aqui.

Alguns detalhes ainda não se encaixavam. A morte de um anjo não significava o fim da consciência, a dispersão da energia na unidade do cosmo?

– Achei que a menina estivesse presa ao meu corpo físico, não ao meu espírito.

– Athea é um vértice – ele lembrou. – Lá, corpo e espírito são únicos. Ao tentar assassiná-la, Andril criou um paradoxo, uma situação única que nunca se havia verificado. Seu coração foi perfurado, e o avatar, destruído, o que deveria matá-la. Ao mesmo tempo, seu espírito estava ligado à alma da criança, à essência imortal de Rachel.

– Não é tão simples de entender. – Ela levaria dias para deglutir.

– Seguramente não é. Também estive sujeito a uma contradição similar – tentou explicar. – Para confundir suas lembranças com as da menina, Yaga precisou fundir os dois espíritos, de maneira a torná-los inseparáveis. Mas talvez nem ela soubesse o que realmente causou, afinal a transfusão é uma técnica imprevisível. Foi o motivo pelo qual nem Andira conseguiu remover a alma que estava presa em você.

Kaira não queria desrespeitá-lo, mas não resistiu à pergunta:

– Como sabe de tudo isso?

– Observei suas memórias retrocedendo. – A ruiva teve a impressão de que o arcanjo franzia as sobrancelhas, embora nem soubesse se ele realmente as tinha. – Mas algumas delas não retornaram.

– Sim – ela pôs a mão na cabeça. Havia lacunas na mente, não de lembranças recentes, mas de acontecimentos remotos.

– Estão distantes da minha percepção – ele avisou. – Terá de refazê-las sozinha.

– Rachel está livre, é o que importa – o que não descartava a questão. – Mas e quanto a mim? Estou presa nesta dimensão?

– Depende de você, essencialmente. O que fez foi fabuloso. O sacrifício é o entendimento supremo da essência divina, é a compreensão de que não somos indivíduos, mas partes de um todo, igual à escuridão que você presenciou. – A entidade expandiu as asas. – Se ficar, poderá me ajudar a governar o Elísio e adentrar a Morada dos Santos, onde não há agonia, tristeza ou sofrimento. Caso decida partir, retomará suas funções como arconte, lutando a guerra nas fileiras de Gabriel, mas nunca se recordará de mim nem deste lugar. Verá seus amigos morrendo, experimentará a dor, o luto e a perda. – E acrescentou: – As duas causas são justas. Basta assumi-las.

– Imagino que haja, portanto, um meio de me enviar de volta.

O arcanjo desembainhou a espada. A arma tinha os contornos de um facho de luz, achatado, comprido, com a folha terminando numa ponta triangular.

– Kaira – ele a tocou. – Este sempre foi o meu propósito.

61
SOPRO DE DEUS

Urakin estava de prontidão, encostado na parede da escada. Denyel continuava ajoelhado, tentando reanimar o corpo de Kaira. Um estalo de pedras os alertou de que o templo havia sido invadido, com centenas de diabretes penetrando o salão.

– Os raptores desobstruíram a entrada – avisou Urakin. – Não podemos continuar aqui, ou seremos encurralados.

– Não pode ser – Denyel ainda murmurava. – Está tudo errado. Não devia ter acontecido.

Urakin jamais havia pensado que alguém que atuara como anjo da morte poderia ser assim tão emotivo, mas sua convicção era pragmática, não apenas sentimental.

– Não adianta mais, Denyel – ele se forçou a dizer. – Kaira está morta, e nós temos que nos mexer. A ilha vai desabar.

O terremoto havia enfim alcançado os níveis abaixo, sacudindo a gruta brutalmente. Restavam poucos minutos até que a erupção insurgisse, sepultando Athea nas profundezas do mar.

Rafael, Cura de Deus, era o mais indulgente dos primogênitos. O que os anjos comuns conheciam sobre ele, contudo, não era nada mais do que velhos boatos. Desiludido com a pretensão dos irmãos, frustrado com as batalhas celestes, ele teria deixado o paraíso, isolando-se em alguma dimensão afastada.

Os rumores não estavam totalmente errados. O Terceiro Céu sempre fora um mistério para os alados, tornando-se portanto um refúgio perfeito para o bondoso Rafael. Ele construiu o Elísio para assistir as almas feridas e transformou a fronteira num conservatório dos justos. Dali, os espíritos podem ser enviados às colônias ou retornar à terra como guias, para auxiliar os desamparados através do plano astral. Alguns poucos são escolhidos para reencarnar em missões específicas, tarefas grandiosas, desconhecidas a princípio deles mesmos, que se manifestam em impulsos de vida, trilhas naturais que o terreno se sente impelido a seguir, sem saber ao certo por quê. A reencarnação só é empregada em situações muito raras, quando o retorno de uma entidade ao plano material é considerado inevitável e urgente. O transporte em si é um processo traumático, porque sempre acontece nos últimos estágios de gestação, com fetos cuja alma tenha morrido espontaneamente.

Como todos que chegam ao Éden Celestial, Kaira tinha a opção de regressar ao universo comum, ao mundo de horror e crueldade que ela tão bem conhecia. De certa forma, a eternidade lhe parecia mais valiosa que qualquer causa mundana, superior a disputas e guerras, contra as quais não há vitória perpétua. A beleza que a aguardava, todo o conhecimento dos santos, profetas e mártires e a possibilidade de ajudá-los a fascinavam. Mas havia outro ângulo também, a visão dos que ainda lutavam, dos que não tiveram a mesma chance que ela, dos que permaneciam presos às amarras do espaço e do tempo.

– Não posso ficar – ela declarou, finalmente. – Entendo que tenha escolhido o exílio, mas nem tudo que diz é correto.

– Não? – Rafael se espantou, mas retrucou com lisura. – Esclareça-me.

– É verdade que há sofrimento e morte no mundo, mas não é apenas isso. Nós, anjos, e certamente os arcanjos, nunca compreenderíamos a energia terrena. Há sentimentos mais fortes que a dor e a perda, pelos quais vale a pena viver.

– Eu sei. – Parecia corriqueiro para ele. – Vejo isso repetidas vezes aqui.

– Não é o que vemos, mas o que sentimos – ela replicou. – Eu experimentei todas essas emoções enquanto vivia com a alma de Rachel. Existe um tipo de amor natural aos seres humanos, superior a tudo que conhecemos, um êxtase que transcende a realidade angélica. Maior do que eu, maior do que você, maior do que *tudo*.

– A alma – assentiu o gigante. – O Sopro de Deus. O verdadeiro segredo inacessível aos celestes.

– Nossa causa é comum, cada qual usa sua arma – disse Kaira. – Enquanto houver homicidas como Andril, carrascos como Yaga e traidores como Sirith, esta guerra continua.

– Infinitamente. – O comentário era para fazê-la pensar.

– Talvez. Mas somos anjos. Creio que esse seja o nosso trabalho.

– Decerto que é. – Ele a encarou por vários minutos, com aqueles magníficos olhos brilhantes. – Eu a saúdo, Centelha Divina, por tudo que passou e pelo que ainda vai passar. – Ergueu a espada de luz e a moveu num arco sobre a cabeça. – Agora, escute-me com atenção. – A fala se encurtou num cochicho. – O primeiro entre vocês ainda caminha sobre a terra. Tenha cuidado.

Kaira pensou ter ouvido errado, confusa com a informação repentina. E, mesmo sabendo que de nada se recordaria, tentou articular uma pergunta, mas era muito tarde. Quando abriu a boca, o raio penetrou em seu peito.

Perdeu a respiração. A visão se apagou.

Sentiu que estava morrendo – mas era exatamente o contrário.

Urakin escutou passos na escada. Escondeu-se nas sombras, até que um rosto humanoide se fez enxergar – era um dos raptores, armado com uma foice de mão. O querubim saltou sobre ele com um soco na garganta, esmagando-lhe a traqueia num baque sonoro.

Outros cinco se aproximavam. O templo estava tomado, e, mesmo que muitos diabretes já tivessem morrido, havia pelo menos mais algumas centenas nos porões do navio.

A câmara oceânica começou a rodar, desprendeu-se da gruta como uma pedra de gelo girando num copo. As pilastras cederam, das paredes correram filetes de magma. Rocha e poeira caíram do teto. Uma estalactite despencou, abrindo um grande buraco no chão.

– Vamos embora! – gritou Urakin, chutando o peito de um segundo demônio.

Denyel continuou impassível. Abraçou Kaira e ergueu-lhe a cabeça. Esfregou os dedos pelo coração, sentiu a carne exposta, os órgãos saltando, o corpo sem vida. Era injusto, ele pensou. Se alguém deveria morrer, que fosse *ele*, afinal não era isso que as previsões indicavam? Depois de todos os crimes que perpetrara, dos assassinatos de gente inocente, das mortes e de tantos pecados, por que logo *ele* poderia viver?

– Escute-me, Faísca – falou ao pé do ouvido. – Isso já estava acertado. – Ele se lembrou das palavras de Andira. – Deveria ter acontecido *comigo*.

– Vai ser o fim para todos nós – bradou o Punho de Deus, terminando de executar mais três raptores. Havia outros a caminho. – É isso que quer?

Um novo grupo de infernais desceu os degraus – eram vinte agora, todos armados, esfomeados de sangue, com as pupilas saltando. Gravemente feridos após o combate contra o golem, Denyel e Urakin tinham poucas chances.

Urakin amaldiçoou o atraso, que acabara por prendê-los para sempre naquele jazigo de pedra. Poderia ter subido sozinho, mas não era de seu feitio desamparar um colega, mesmo que fosse um anjo exilado, mesmo que fosse Denyel. Era avesso a lamentos e, apesar da situação, morreria lutando, agora que não havia alternativas de escape. Estufou o peito à espera do próximo assalto, e, quando o primeiro infernal levantou o tridente, uma explosão incendiária engoliu a escada, cremando todos os raptores de uma só vez, reduzindo-os a montículos fumegantes de brasa, cinzas e enxofre.

Os dois querubins se encolheram numa ação de defesa, mas as chamas não os alcançaram, nem mesmo esquentaram suas roupas. Nos braços de Denyel, os olhos de Kaira voltaram a brilhar, e dentro deles acenderam fagulhas. O coração estava batendo de novo, a carne havia regenerado, o sangue refluíra às artérias. Um milagre inconcebível, que eles não tentaram compreender – *nunca* um anjo havia ressuscitado, muito menos dentro de um vértice.

– Impossível – disse Urakin.

A ruiva despertou com um suspiro engasgado.

– Denyel? O que houve?

– Por que você não nos diz? – Ele estava igualmente impressionado.

– Eu não sei... – E não sabia, realmente. O episódio do Elísio fora apagado, conforme lhe garantira o arcanjo Rafael. Em compensação, muitas de suas antigas recordações haviam voltado. – Ainda estamos na câmara oceânica?

– Estamos na escada que conduz ao salão.

– Não por muito tempo. – Urakin a puxou pelo braço. – A ilha entrou em colapso. Chega de conversa mole.

Os três avançaram túnel acima, enquanto um novo desabamento bloqueou o acesso ao subsolo, um segundo depois de eles decidirem sair. O buraco no centro da gruta se transformou num redemoinho, cuspindo lava e sugando as águas douradas do rio Oceanus.

62
QUESTÃO DE HONRA

A MAIOR PARTE DO GRANDE SALÃO HAVIA RUÍDO. POUCAS COLUNAS AINDA estavam eretas quando Kaira, Denyel e Urakin voltaram ao templo de Athea. Os raptores tinham liberado a entrada, removendo as pedras, mas não totalmente. Um túnel aberto às pressas permitia o ingresso de três diabretes por vez, e perto de trinta os aguardavam, espalhados por todos os cantos. Sulcos no chão formavam ilhas cercadas de lava, sobre as quais os demônios pulavam, determinados a alcançá-los.

Denyel olhou ao redor e enxergou a Thompson de Sirith – *sua* Thompson, na verdade – caída no fundo da sala. Deu um rolamento e agarrou a metralhadora. Mudou para o modo de disparo semiautomático e já levantou atacando – o que, a despeito de suas usuais críticas às armas de fogo, ele fazia muito bem. Em três segundos derrubou dez inimigos, acertando todos os tiros no meio da testa, sem desperdiçar uma só bala.

Urakin suspendeu um cubo de mármore e o atirou sobre cinco demônios, esmagando-os como tomate batido. Kaira fez nascer acima dos dedos três esferas de fogo, que detonaram no canto oposto do prédio, fulminando os adversários restantes. Um deles pulou sobre um bloco com um martelo na mão, mas tropeçou entre as vigas e caiu numa vala escaldante – era Guth, o líder moral dos satânicos.

– Eles não vão parar – observou a celeste. – E deve haver muitos mais no petroleiro.

– Não há saída – disse Urakin, de certa forma feliz por perecer em combate. – Enquanto Athea resistir, eles continuarão avançando.

– A torre – lembrou Denyel, apontando para a segunda escada, atrás deles, que subia em espiral. – É a única opção.

– Tem certeza? – Kaira não havia ligado as peças.

– A guarita está fora da área do vértice, não percebeu quando ancoramos? Lá, vocês poderão se desmaterializar e escapar voando pelo mundo astral.

– *Vocês?*

Os três ficaram em silêncio. O exilado não disse nada. Em vez disso, engatilhou a Tommy Gun.

– Nem pensar! – ela protestou, compreendendo o absurdo do que ele estava disposto a fazer. – Chegamos aqui juntos. Vamos escapar juntos.

Denyel olhou para Urakin em busca de apoio – só outro querubim entenderia a necessidade do ato. Voltou a atenção para Kaira.

– A desmaterialização exige tempo e concentração. Se subirmos os três, os raptores nos perseguirão, e ninguém pode lutar e atravessar o tecido ao mesmo tempo.

Ela sabia disso, mas abandonar um companheiro era impensável, ainda mais Denyel.

– Não vamos deixá-lo – determinou, quando um novo abalo sacudiu as poucas pilastras que ainda restavam. Parte do telhado se desprendeu, passou raspando por eles.

– Então seremos três a morrer. Você custa a aceitar, garota. Entenda de uma vez: eu sabia que isso ia acontecer.

– Sabia? – ela o desafiou. Pareciam os velhos tempos, que nem eram tão velhos assim.

– Andira previu tudo. É como tem de ser. Foi por isso que vim para cá.

– Para morrer? – Kaira teve vontade de chorar.

– Nós dois sabíamos, não é? Partiu com o mesmo objetivo. Desde o templo yamí tínhamos a mesma sensação. Você estava pronta a morrer, mas não contava com isto: quem morre *sou eu*.

– Você nos enganou – ela falou como se tivesse sido traída. – E toda aquela conversa sobre a anistia?

– Era verdade no começo, mas depois... – E, ao ver que Kaira não cederia, Denyel olhou para o chão, deu um suspiro e chegou mais perto. Tocou-lhe o rosto sardento, acariciou os cabelos vermelhos, deitou a metralhadora de lado. – Eu tomei algumas decisões erradas, Faísca. E tenho que pagar por isso.

– Não! – Era hora de apelar para tudo. – Está sob meu comando. Vai vir conosco. É uma ordem.

O exilado sorriu, ao recordar as ocasiões em que ela tentara, inutilmente, impor sua autoridade, e como ele reagira a isso. Parecia fazer séculos desde que haviam se encontrado pela primeira vez no porão. A caverna de gelo, a perseguição na estrada, a jornada pela floresta... Eram como sonhos agora – distantes, utópicos. Denyel a puxou para junto de si e falou baixinho:

– Lembra da terceira condição?

– Terceira condição?

– Para eu vir com vocês, para guiar o veleiro. – Ela não respondeu. – Aqui está.

Aproveitando-se da distração – era bem típico dele –, Denyel aproximou os lábios aos dela e, antes que Kaira recuasse, avançou, beijando-a longamente. A ruiva não resistiu, pelo contrário, entregou-se ao celeste, apreciando cada instante daquele que seria o último momento deles juntos. Envolveu o anjo com as mãos, sentindo seus músculos fortes, a barba por fazer.

– Prometeu que nunca mais faria isso – disse ela, anestesiada pelo turbilhão de emoções.

– Eu menti. Sou bom nisso.

E assim Denyel a soltou, fazendo sinal para Urakin, que imediatamente a travou com seus braços enormes. O Punho de Deus a arrastou em direção à escada, valendo-se de sua força sobre-humana para não deixá-la escapar.

Fora tudo orquestrado. Denyel era um canalha, um patife, e era assim que queria ser lembrado, era o que ele merecia, era o que *desejava*.

Queria morrer em desgraça, pagar com a vida os erros pregressos. Mas é nos momentos de crise que a verdadeira índole aflora, quando o caráter emerge em seu estado mais natural. Kaira havia lutado a seu lado, fora salva por ele e o salvara também. Esse é um tipo de ligação que persiste, que não pode ser apagado, que só se encontra em um lugar – no calor da batalha.

Ela o avistou através da passagem, à espera dos raptores. Em seguida, o barulho dos tiros.

– O que ele está fazendo? – ela perguntou, ao que Urakin respondeu, sorrindo pela primeira vez:

– Recuperando sua honra.

ESPIRAL DE FOGO

Kaira e Urakin chegaram ao topo da torre de vigília – uma guarita pequena, circular, encimada por um domo já rachado pelo terremoto.

Visto de cima, o estrago em Athea parecia maior. As montanhas ao redor da lagoa estavam em ruínas pelas avalanches em série. Torrentes de magma desciam pelas encostas, e a fenda de entrada havia desmoronado. As águas da enseada, antes cristalinas, ferviam com a proximidade da erupção, cuspindo fumaça, gases carregados de metano e colunas de fogo. Ancorado na plataforma mais baixa, o navio dos raptores se transformara numa gigantesca panela de ferro, obrigando os diabretes a abandonar o convés – alguns se jogavam no mar escaldante, outros avançavam para dentro do templo, enquanto um grupo tentava escalar os morros marinhos, sem saber exatamente por onde – ou *para* onde – fugir.

Do fastígio, Kaira vislumbrou a imensidão do oceano e de repente se sentiu perdida.

– O que devo fazer?

– Desmaterialize-se! – Urakin arregalou os olhos.

– Sim, mas *como*? – É claro que ela já havia dissipado seu corpo físico inúmeras vezes, mas suas lembranças anteriores a Rachel não eram práticas, e sim essencialmente teóricas. Passavam na mente como um filme, imagens que ela podia ver e ouvir, mas não era capaz de *sentir*.

– Não sei. – A desmaterialização era trivial para ele, nunca precisara explicá-la em palavras. – Concentre-se – improvisou. – Imagine-se cruzando a membrana, deixando o plano material.

– Só isso?

– Queime sua aura. – Era a dica que ela esperava.

A arconte tentou – *queimou sua aura*. Fez o que o querubim sugeriu. Fechou os olhos, procurou expandir a essência celeste, focalizar a energia divina, incendiar a força pulsante em seu coração, mas de início nada disso funcionou. Antes, era o espírito da menina que a limitava, agora o imediatismo da situação a distraía.

– Não consigo.

– Tem que conseguir – endureceu o guerreiro, e então a torre inteira se inclinou para baixo. – Rápido!

Kaira tentou novamente. Dessa vez, recordou as lições de Levih, conforme ele a havia instruído na universidade, quando ela fora ferida após o ataque de Hector. Sentiu-se mais calma ao relembrar sua voz, mesmo que em pensamento, e deixou-se envolver pela agradável companhia do ofanim. Se falhasse agora, se morresse na queda do templo, seu sacrifício não teria sentido, tampouco o heroísmo de Denyel.

E, assim, aconteceu. A bastilha caiu, veio abaixo com um estrondo devastador. O chão desmoronou sob seus pés. Ela tentou se agarrar às pilastras, desesperadamente, mas não conseguia mais tocá-las.

Nem precisava – *estava flutuando*.

Através da película, o plano astral se apresentava como um reflexo do mundo dos vivos, absolutamente igual, mas sem gravidade, um painel de cores translúcidas, azuladas, cinzentas, feito uma aquarela de imagens difusas.

A impressão ao cruzar esse véu, ela reparou, era semelhante a entrar de cabeça sob uma ducha gelada – há o impacto inicial, durante o qual o coração bate mais forte, os pelos se ouriçam, a respiração se agita, para em seguida o corpo despertar mais vívido e eufórico. Embora alguns celestes se acostumem com o mundo físico, ela pensou, o avatar é e sempre será uma *carcaça*, uma roupa pesada que limita a totalidade dos poderes angélicos. Além da membrana – era inegável – os alados se sentem mais livres, mais confortáveis, mais próximos à unidade do cosmo.

Kaira desfraldou suas asas, tomando impulso para cima, mas ainda desorientada com os movimentos em voo. Urakin a ajudou a subir, e ela viu que, em sua forma espiritual, o querubim trajava uma armadura dourada sobre o peito e tinha asas brancas que se fechavam em triângulo, idênticas às das aves de rapina, próprias para a rapidez e o ataque.

Juntos, líder e soldado sobrevoaram o vulcão, escaparam do vértice, ganharam o oceano. A distância, avistaram a queda do templo, enquanto Athea era engolida pelo lago de chamas.

O templo de Athea havia desabado de fora para dentro, para ser engolido pelo grande redemoinho de magma. Parte do salão, contudo – a seção protegida por mágica –, ainda resistia, afundando lentamente na vertical, revirada pela força da erupção.

A espiral de fogo absorveria o rio Oceanus, mas seu afluente místico não poderia desaparecer – seria apenas sepultado. No centro do turbilhão, permanecia girando uma poça de ouro, agindo como um portal descontrolado, abrindo passagem para várias dimensões, sugando pedaços de rocha, espíritos raptores e vigas de mármore.

Sirith, o chefe dos diabretes, continuava vivo. Covarde e manhoso, com um dos olhos queimado e além de tudo desarmado, ele havia se escondido no fundo da sala, para aguardar uma nova chance de ataque. A oportunidade não veio, e agora ele tentava escapar escalando as paredes laterais – deslocadas para cima – antes que o vulcão explodisse. As propriedades místicas do vértice, unindo os planos físico e espiritual, estavam se desfazendo, e, se ele conseguisse alcançar o portão, talvez ainda pudesse fugir, dissipando seu avatar, voando para longe dali, salvando assim sua breve existência.

Agarrou-se a um bloco de pedra, enfiou os dedos por uma das frestas maiores, trepou numa protuberância de rocha e avistou o sol através da passagem, um alçapão de contornos partidos.

A saída estava ali, ao seu alcance. Havia esperança.

Engasgou e sorriu – um sorriso diabólico, descarado e cínico, comum não só aos demônios, mas a todas as entidades perversas. Segurou uma das dobradiças, supostamente entortadas pelas descargas de lava, e enfiou a cabeça para fora. Sentiu o cheiro do mar.

Estava livre!

Não.

Alguém o puxou pelo pé.

– Ai, ai! – soluçou o demônio. Quem o molestaria numa hora daquelas? – Solte-me.

Olhou para baixo e ali estava Denyel – sangrando, exausto, com cortes por todo o corpo, mas ainda bravo, vigoroso, disposto a lutar. O diabrete deu um berro, um grito estridente, copiando o horror de uma criança assustada.

– Largue-me! – lacrimejou. – Largue-me!

Sacudiu a barra da calça, tentando se livrar da pegada, mas o exilado o havia travado, agarrando-o pelo calcanhar. Encarou o infernal com o rosto inchado de fúria, visualizou seus golpes de traição, as mentiras, o assalto no pedágio, o assassinato de Levih, a tentativa de capturá-los. Não teve pena.

– Lembra que atirou na minha moto? – E completou, sem esperar a resposta: – Você vem comigo, seu merda.

E com um puxão o trouxe para baixo.

Os dois escorregaram, deslizaram e caíram. Mergulharam no redemoinho.

Sobreveio a erupção.

Longe dali, sobre o mar, Kaira e Urakin ouviram um ronco, um barulho tão forte que reverberou no tecido, sacudindo a fronteira entre os planos, fazendo a membrana oscilar.

O vulcão de Athea não era uma montanha comum, mas uma das gigantescas crateras que, num passado ancestral, ajudaram a formar a atmosfera da terra. Quando algo assim entra em erupção, o resultado é superior à detonação de dezenas de bombas atômicas, cuspindo nuvens de poeira quente, lançando terra e rocha a centenas de quilômetros e em todas as direções.

Um enorme cogumelo de fumaça negra, recortado por estrias vermelhas, transformou o dia em noite, destruindo tudo em seu caminho, convertendo o fogo e a água em uma extensa placa submarina, uma lápide intransponível a anjos, espíritos e deuses.

A câmara oceânica foi desintegrada, aniquilada como sua capital, Atlântida, apagada do tempo, dos registros humanos, da memória dos homens.

Para sempre.

64
O ANJO DA REVELAÇÃO

Cidadela do Fogo, região central do Primeiro Céu

A Cidadela do Fogo, cerne político do Primeiro Céu, é, desde a cisão dos arcanjos, o quartel-general das forças de Gabriel. Construída sobre o Netúnia, o maior vulcão do paraíso, e sustentada por quatro imensas correntes, era originalmente uma fortaleza ishim, governada pelo anjo Aziel, até receber os exércitos rebeldes.

No interior da cidadela, o próprio Gabriel – também chamado de Mestre do Fogo, Anjo da Revelação, Mensageiro ou Força de Deus – repousava no Templo da Harmonia. O salão impressionava pela amplitude, fazendo Athea parecer uma casa de bonecas. As colunas de pedra clara mediam cem metros de altura, e sob elas fontes aromáticas borbulhavam, suspendendo um vapor confortante. Entre as pilastras centrais, uma plataforma conduzia ao altar, onde o estimado arcanjo meditava, com sua belíssima armadura de ouro.

Sentado, de pernas cruzadas, Gabriel era a imagem da calmaria, uma excentricidade absurda para um renomado líder de guerra. Diante dele, recolhida à bainha, descansava a Flagelo de Fogo, sua famosa espada ardente, com a qual havia expulsado as hostes de Lúcifer.

Gabriel estava de olhos fechados quando Kaira se ajoelhou perante a tribuna. No céu, ela exibia as mesmas asas fulgurantes, avermelhadas pelas rajas de fogo. Os cabelos ruivos estavam soltos, como gostava de usá-los na terra. Imóvel, ela nada disse, aguardando as ordens de seu comandante.

– Tenho uma tarefa para você – falou o Mensageiro.

– O que desejar, meu senhor.

– Soube de seu sucesso na Haled. – Ele abriu os olhos, em movimentos pausados. Seu corpo era esguio, mas forte. – Preciso que volte para lá.

– Voltar? – A empreitada a deixou admirada. – Seria para mim uma honra.

– Uma missão. Extremamente perigosa, que a afastará do paraíso por muito tempo, possivelmente por anos.

– O que ordenar, eu farei. – A possibilidade de regressar ao plano físico a animava.

– Já mencionei quanto é perigosa?

Ela concordou com a cabeça, e o silêncio cortês indicava a resposta – Kaira abraçaria aquela causa, fosse ela qual fosse. O mundo material lhe agradava, mas havia também outro motivo.

– Permissão para falar, meu senhor.

– Concedida.

– Durante nossa última batalha, tivemos a ajuda de um ex-soldado inimigo.

– O exilado.

– Sim. – Kaira molhou os lábios. – Peço autorização para resgatá-lo.

– Ele não está morto?

– Ninguém sabe.

Gabriel ponderou. A tarefa designada à arconte era urgente. Olhou para a espada, como sempre fazia, respirou fundo e decidiu, com autoridade inabalável.

– Não tem permissão. – E foi ainda mais rígido: – Eu a *proíbo*.

– Ele poderia nos auxiliar – ela insistiu, num suspiro de ousadia. Denyel solicitara anistia e, se fosse salvo, unir-se-ia aos rebeldes na guerra. O arcanjo sabia de tudo isso e conhecia as habilidades do querubim. Cada peão era importante naquela campanha, e não havia por que desprezá-lo. A sentença, no entanto, a perfurou feito facada.

– Está dispensada, Centelha Divina. – Ele enrugou a testa e a encarou com firmeza. – Varna a instruirá sobre os detalhes da missão. Isso é tudo.

Não adiantava implorar. O Mensageiro estava resolvido, e contra sua palavra ninguém podia lutar.

Kaira deixou o templo com um aperto na garganta, tentando imaginar as razões da recusa. Gabriel era o Anjo da Revelação, conhecido por sua clarividência, podia ver o que estava além da percepção comum – lugares, pessoas e situações, no passado ou no futuro. Assim, ela só conseguia pensar em um motivo.

Denyel estava morto.

EPÍLOGO

Bihar, leste da Índia, em um futuro iminente

O ANJO PENETROU NA CIDADELA EM RUÍNAS. ATRAVESSOU O PÓRTICO, PISOU na escadaria do templo, reparou nos detalhes gravados no teto. Dos muros brotavam gigantescas raízes, e no pátio uma robusta figueira despedaçara o pavimento de rocha. Tudo além era selva, distante quilômetros da vila mais próxima.

Fazia perto de trinta graus na praça do *ashram*, uma construção bonita mas velha, com rachaduras nas paredes e dentes nos degraus mais antigos. No interior do santuário, uma figura com hábito de monge, solitária diante do altar, meditava à sombra de uma enorme estátua de Buda. Era Teth, um dos malakins, um celestial inteligente e sábio, que na terra exibia a aparência de um homem idoso, com pouco cabelo, pele marrom e corpo esquelético. O nariz era fino, os olhos amendoados e a íris bem negra.

O forasteiro se aproximou, e não podia ser mais diferente de seu anfitrião. O rosto ocidental tinha traços maduros, com uma barba escura contornando a face. Os cabelos grossos recuavam em entradas na testa e desciam soltos pelo pescoço carnudo. De estatura média, nem alto nem baixo, ostentava o tronco forte e robusto, mas sem músculos saltados – a impressão era de alguém que trabalhara na terra, sujando as mãos na colheita, caçando a própria comida. Havia nele algo de primitivo, quase neandertal. Suas roupas eram modestas, feitas de tecidos simples e cobertas por um sobretudo sujo de lama – nada mais impróprio para o calor que fazia em Bihar. Parou a dois metros do "monge", que abriu a boca ao notar sua presença.

– Você? – A fala saiu lentamente, com a harmonia característica dos mestres ascetas. – Como conseguiu escapar da Gehenna? Jurava que... – atrapalhou-se. – Eu pensei...

– Não era uma prisão, nunca foi – cortou o viajante. Usava calças de tecido áspero e sapatos de couro cru. Tinha a voz grave, o timbre assustava. – Tudo que eu precisava era de algum tempo sozinho. Queria descansar, reanimar minhas ideias, estudar sem ser perturbado. Foi um período de instrução, uma temporada preciosa e frutífera.

– Astaroth – o nome veio instantaneamente à cabeça. – Ainda está vivo?

– Decidi poupá-lo – o forasteiro avisou. – Não tenho interesse em matar, não quero mover peças no tabuleiro da guerra. Pelo menos, não por enquanto. Minha contenda é pessoal.

Teth apoiou as mãos nos joelhos. Seu visitante era o mais próximo ao que ele chamaria de justiceiro, uma criatura amarga e ferida, cuja causa, apesar de nobre, se tornara uma obsessão, e estava disposto a tudo para completar seu intento.

– Fico surpreso que só tenha me procurado agora – falou o malakim, insensível por dentro do manto. – De certa forma, sempre desconfiei que nenhum cárcere o deteria.

– Nada mais me surpreende – o outro mudou de assunto. Esfregou a sola no piso. – Procurei um bocado. Quantos de vocês ainda vivem na terra?

– Acha mesmo que vou lhe contar?

– Acho que vai fazer o que eu digo. – E acrescentou: – Sabe por que estou aqui?

– Posso imaginar. – O sábio ainda fitava a imagem de Buda. – É um tanto previsível.

– Então? – pressionou o anjo robusto. Embora recolhidas, o contorno de suas asas podia ser visto nas sombras. – Vem comigo?

– Não sou seu lacaio, sentinela. Não desejo participar dessa briga – mas, ao ver a expressão dura do forasteiro, inverteu a discussão. – Tem noção do que está fazendo?

– Vai falar isso para *mim*? – Ele puxou das costas um rolo de pergaminho, lacrado com um selo angélico, e o pousou no chão. – Preciso que cumpra uma missão.

– Missão, você diz. – O malakim estalou a língua. – Por que insiste nessa vingança?

– Não é uma vingança.

– Pode enganar quem quiser, mas não a mim. – Apesar da tensão, seu ritmo não se alterava. – Sei que nada o faria parar.

O visitante deu um passo adiante e se agachou ao lado do "monge". Acariciou-lhe a nuca e envolveu-lhe a cabeça com as mãos poderosas.

– Olhe para mim, Teth – e o encarou, como quem acolhe uma criança. – Se não quer fazer isso por você, faça por seus companheiros.

O coração do malakim acelerou. Ficou pálido.

– Que estratagema é esse?

– Nenhum estratagema. – O intruso revelou, após uma pausa dramática: – Encontrei a fonte.

– Não acredito. Está blefando.

– Sabe que não. – Deu um sorriso. – Como acha que cheguei aqui?

– Não pode fazer isso. – Pela primeira vez, Teth tremia. – Não é justo.

– Farei o que for necessário. – A voz aumentou uma oitava. – Mas é você quem decide.

– E tenho escolha?

– Temo que não. – Havia pesar em suas palavras e determinação ao mesmo tempo. – Nem seria apropriado.

O anjo esquelético segurou o pergaminho, aceitando finalmente a tarefa. No selo, liam-se as letras "MTRN", inscritas no idioma celeste.

– Não vou sobreviver à viagem – decretou. – O gasto de energia é tremendo.

– Somos todos suicidas. Não foi para isso que ele nos criou? – Mas, para provar que se preocupava, ele mirou a escultura posicionada no altar. – Há muito tempo, houve nesta região uma guerra entre primos. De um lado, os heróis Pandavas; de outro, o clã dos Kauravas. Arjuna, o Arqueiro, era o comandante desses nobres heróis. Certo dia, enquanto se preparava para a maior das batalhas, olhou para o exército inimigo e viu muitos de seus parentes, os quais não queria matar. Consultou Krishna, a manifestação do deus Vishnu, que era também seu auriga, e escutou as seguintes palavras...

– "Certas coisas devem ser feitas, apesar de nosso coração" – completou. – Combina com você. Usar parábolas humanas.

– Nada mais justo. Fomos *nós* que os ensinamos. – A última frase saiu carregada de orgulho.

O sol invadiu o templo. Um calor úmido os envolvia, fazendo-os suar. Na selva, um macaco gritou, e o sopro do vento balançou as folhagens.

– E se não der certo? – perguntou o magricelo.

– Ao menos terei certeza. – O visitante andou até a escada. – Comecei esta jornada com a consciência limpa. Não sei como vai terminar.

LIVRO 2
ANJOS DA MORTE

PRÓLOGO

Brasília, capital federal, tempo presente

KAIRA PAGOU A CONTA DO POSTO DE GASOLINA. DEIXOU A LOJINHA COM o troco na mão. Pela direita, o Eixo Monumental cortava a cidade como uma *highway* urbana, do terminal ferroviário, a oeste, à Praça dos Três Poderes, com seus marcos e esculturas. Entre os prédios gêmeos do Congresso Nacional, o sol nascia espremido, projetando manchas de fogo nas vidraças do Palácio do Planalto.

Fundado na década de 60, o Distrito Federal foi erguido em tempo recorde, como uma alternativa à antiga capital, o Rio de Janeiro, palco de agitações políticas, revoltas e confusões sociais. Fincada no coração do cerrado, longe do litoral e afastada das uniões estaduais, Brasília é um gigantesco monumento de aço e concreto, declarada patrimônio da humanidade por seu planejamento funcional e ousado. Seus edifícios, parques e avenidas, inspirados no modernismo europeu, estão organizados por regiões, com áreas separadas para administração e lazer, recortadas por cinturões verdes, memoriais e estradas larguíssimas.

Kaira havia entrado na cidade para abastecer. Deu um passo na rua, enfiou o dinheiro no bolso e sentiu o tecido da realidade vibrar. Pulsações familiares a alertaram, quando avistou o rosto de um querubim musculoso, de cavanhaque e cabeça raspada, caminhando a passos largos pelo estacionamento. A ruiva parou onde estava e esperou que ele chegasse mais perto. Colocou os óculos de sol.

— Sabia que o mandariam — moveu a cabeça em sinal de reprovação. — Golpe baixo.

Urakin não respondeu. Devolveu a pergunta.

— Tem certeza de que quer continuar com isso?

— E *você*, tem? — Ela andou na direção das bombas de combustível. O lutador a seguiu. O pulso havia regenerado, totalmente refeito após a última materialização.

— Não vou negar. — Ele era péssimo mentiroso. — Eles me enviaram para escoltá-la de volta.

— Escoltar-me? Palavras educadas.

O guerreiro desviou o olhar. Era mais difícil do que pensara. Contrariar sua líder era algo que o carcomia por dentro, não apenas por ela ser uma oficial graduada, mas por serem também bons amigos.

— Já pensou no que está fazendo? — A intimação parecia um apelo. — Está *desafiando* as ordens diretas de um arcanjo. Está desobedecendo as diretrizes de nosso comandante supremo.

Kaira o fitou através das lentes escuras.

— Não estou desobedecendo ninguém. — Prendeu os fios num rabo de cavalo. — Não vou voltar, Urakin, e se quiser me impedir terá de me levar à força. — E acrescentou: — Ou pode vir comigo.

O Punho de Deus tomou um susto. Jamais esperava um convite daqueles, afinal sua missão era exatamente o reverso.

— Está conspurcando a minha honra.

— Besteira! Ambos sabemos o que está em jogo aqui.

— Justamente por isso. — Urakin não era burro. — O que você deve se perguntar é: Será que *ele* vale isso? Não sabe o que Denyel fez no passado, quantas pessoas matou, os crimes que cometeu. *Eu* vi com meus próprios olhos. Eu *estava* lá.

Kaira suspirou. Estava cansada de ouvir as mesmas acusações. Eram sempre iguais, nunca mudavam. Parecia tão fácil condená-lo, e ao mesmo tempo tão difícil reconhecer suas virtudes.

– Eu vou lhe dizer o que sei – ela começou. – Sei que Denyel nos recebeu em seu refúgio sem que realmente precisasse e me curou do ferimento a bala. Sei que salvou a todos nós na caverna de gelo, quando estávamos para ser capturados. Sei que me livrou de uma intoxicação e preferiu lutar ao meu lado na cidadela yamí, mesmo tendo salvo-conduto. Em Athea, ele escolheu se sacrificar, enfrentando os raptores. – E concluiu, orgulhosa: – Isso é o que *eu* sei.

Urakin encolheu os ombros – não havia saída para tais argumentos. Preferiu mudar de estratégia.

– Será um milagre se ele estiver vivo.

– Nem parece um anjo falando. – Era irônico, de fato. – O afluente continuava ativo até o vulcão explodir. Se Denyel caiu no redemoinho antes da erupção, há uma chance, embora pequena, de ter sido tragado pelo rio Oceanus.

– Não é uma perspectiva animadora. A corrente poderia jogá-lo a qualquer parte do cosmo.

– Sim. – Ela já tinha calculado. – É por isso que temos de encontrar a Segunda Cidade.

– A Segunda Cidade? – Não era uma lenda incomum. – Egnias?

– Andira nos disse que os atlantes descobriram duas passagens. Uma delas descansava nas profundezas do Atlântico, e a outra estava sob os desertos da África.

– Mesmo assim, seria praticamente impossível localizá-la. – O guerreiro era cético.

– Tenho algumas ideias – retrucou Kaira, enigmática. – E seria ótimo contar com você.

Os dois cruzaram a área de abastecimento.

– Posso fazer uma pergunta? Por que ainda viaja pelo mundo físico? – mas nesse momento ele enxergou, estacionada próximo ao canteiro, a Hayabusa de Denyel. A moto estava limpa, brilhando, com o tanque consertado, exatamente como o exilado gostaria de vê-la. – Ah, sim. Compreendo.

– Promessa é dívida. – Ela subiu no banco, puxando os fios do radinho por dentro da camiseta. – O que decidiu, afinal?

Urakin tremeu. Era um soldado e estava acostumado a cumprir ordens, respeitar a hierarquia, honrar os superiores, sem nunca questionar. Era assim que sempre tinha regido sua vida, era para isso que fora criado. Contudo, recusar a proposta de Kaira não significava apenas virar as costas para um companheiro de luta, mas também ter de capturar sua líder, atacar e submeter uma parceira que ele tanto admirava.

– Estamos nos arriscando além da conta.

– Achei que, para os querubins, as tarefas difíceis fossem as mais interessantes. – Ela deu partida no motor. – Não vou abandonar a missão, apenas adiá-la. Denyel precisa da nossa ajuda. – E lançou mão do golpe final: – Pense no que *Levih* faria.

O ataque foi fulminante, mesmo para alguém de coração duro como Urakin. Levih não era só um amigo, era um mártir, um ídolo, um exemplo de altivez e coragem, um herói que tinha dado a vida por eles. Ao relembrar o ofanim, estirado na poça de sangue, ele automaticamente se recordou dos últimos dias de Denyel, como ele o havia livrado do golem, como enganara Sirith, como formulara a ideia do escape pela torre. O desgraçado tivera a chance de perecer por uma causa, coisa que o próprio Urakin almejava. Enganou todo mundo, aproveitou-se da infâmia como estratégia e, quando ninguém esperava, deflagrou a jogada impecável, fez o que deveria ser feito, agiu como um *bravo*. Era um intrépido, a seu modo, um lutador de verdade, um genuíno soldado querubim, o que o punha lado a lado com Levih, no rol dos mais elevados agentes celestes.

– Creio que está certa – assentiu o guerreiro, para declarar finalmente: – Aquele filho da mãe me deve uma revanche.

Kaira sorriu com o canto da boca, e havia alguma coisa de Denyel naquela expressão. Recolheu o apoio lateral e alinhou a motocicleta.

Tudo que ela tinha visto e vivido, experimentado e sentido, seria impensável pela lógica celeste. Os outros anjos, todos eles, consideravam inútil sua busca. Os alados são pragmáticos, conhecem os segredos do universo, enxergam os mistérios do cosmo, tocam as bordas do infinito. Portanto, é natural que vejam o mundo como um quadro de probabilidades exatas, um painel de números e estatísticas, sem chances de erro ou reversão – Denyel estava morto, e não havia esperança de trazê-lo de volta.

Mas Kaira havia sido humana, pelo menos parcialmente. Provara as emoções terrenas através de Rachel, conhecera o poder divino ao fomentar o vulcão, morrera e ressuscitara. Para ela, nada era impossível.

– Não me perca de vista. – Ela colocou os fones no ouvido, sintonizou numa emissora qualquer. – Vejo você na próxima parada.

Arrancou pelo Eixo Monumental, contornou o trevo urbano, dobrou ao sul na ferrovia e chegou à estrada federal. Dali, seriam vários quilômetros em linha reta, através da vastidão do planalto.

No rádio, uma música começou a tocar.

A música.

Aquela música.

The sight of you leaves me weak.
There are no words left to speak,
but if you feel like I feel,
please let me know that it's real.
You're just too good to be true.
Can't take my eyes off you.

Sobre ela, voando no plano astral, Urakin a seguia com as asas abertas, sempre fiel e atento.

I love you baby, and if it's quite alright,
I need you baby, to warm a lonely night,
I love you baby, trust in me when I say.

Kaira girou o acelerador, até atingir a velocidade máxima.

Oh pretty baby, don't bring me down, I pray.
Oh pretty baby, now that I found you, stay
and let me love you baby, let me love you.

APÊNDICE

PERSONAGENS

Arcanjos (em ordem hierárquica)

Miguel — O Príncipe dos Anjos. Maior de todos os arcanjos, venceu os exércitos de Lúcifer e os expulsou para o Sheol.

Lúcifer — A Estrela da Manhã, chamado também de Filho do Alvorecer, Portador da Luz ou Arcanjo Sombrio. Rebelou-se contra Miguel e hoje tem seu próprio domínio nas profundezas do inferno.

Rafael — A Cura de Deus ou o Quinto Arcanjo. O mais bondoso e indulgente dos primicérios. Desapareceu misteriosamente nos dias que se seguiram ao dilúvio.

Gabriel — O Mestre do Fogo, Mensageiro, Anjo da Revelação ou Força de Deus. Costumava ser enviado à Haled para cumprir missões ordenadas pelos demais arcanjos. Revoltou-se contra o irmão, Miguel, dando início à guerra civil.

Uziel — O Marechal Dourado. Patrono dos querubins, é o caçula entre os arcanjos.

Anjos

Ablon O Primeiro General. O maior soldado do arcanjo Miguel. Posteriormente se rebelou, tornando-se o líder dos anjos renegados.

Andril O Anjo Branco. Um ishim que manipula o frio e o gelo. É um dos arcontes de Miguel.

Apollyon O Anjo Destruidor. Guerreiro preferido de Lúcifer. Caiu com ele, transformando-se em um de seus demônios.

Astaroth Chamado de Demônio Celeste, guarda o Cárcere do Medo, a maior prisão do paraíso.

Aziel Um dos ishins de Gabriel. Soberano da Cidadela do Fogo.

Dariel Vigia em serviço no Cárcere do Medo.

Denyel Ex-agente do arcanjo Miguel. Um dos querubins exilados.

Forcas Um dos soldados de Andril. Quando materializado, assume a imagem de um vigoroso leão.

Hakem Soldado em serviço no Cárcere do Medo.

Henoch Um hashmalim, arconte de Miguel. Enfrentou Kaira na Torre das Almas.

Ismael Aliado de Kaira na primeira missão. Foi um dos poucos hashmalins que abraçaram a facção rebelde.

Kaira Centelha Divina. Capitã dos exércitos revolucionários de Gabriel, é uma ishim da província do fogo.

Levih O Amigo dos Homens. Um ofanim partidário das forças rebeldes. Caminha na terra ajudando os seres humanos.

Mariah Uma serafim. Integrante da equipe de Kaira na missão da Torre das Almas.

Mickail	Um querubim exilado. Junto com Denyel, integrou o batalhão dos anjos da morte.
Primeiro Anjo	Figura temida e misteriosa. Antigo líder dos sentinelas.
Teth	Um dos malakins exilados.
Urakin	O Punho de Deus. Um guerreiro obstinado e forte, é o parceiro de missão de Levih.
Varna	Líder do regimento das arqueiras. Lugar-tenente do arcanjo Gabriel.
Yaga	Sombra da Morte. Uma hashmalim sob as ordens de Andril.
Zarion	Guarda-costas de Kaira.

Demônios e deuses

Andira	A Senhora da Noite. Antiga deusa dos povos yamís, uma das civilizações pré-cataclísmicas.
Bakal	Demônio controlado por Guth. Alimenta-se de sentimentos depressivos.
Guth	Demônio que suga energia dos seres humanos a partir de espasmos de êxtase.
Sirith	Comanda uma brigada de raptores. Sua missão é capturar anjos na terra.

Humanos

Aaron Cooper	Chefe de pelotão de Denyel, no Somme.
Bartley Smith	Jovem irlandês. Amigo de Denyel nos campos da Primeira Guerra Mundial.

Edward Hughes	Um dos soldados na trincheira de Denyel, no Somme.
Eva Arsen	Mãe de Rachel. Falecida de câncer.
Hector	Namorado de Rachel.
Hermes	Zelador-chefe da Universidade de Santa Helena.
Hugo Arsen	Pai de Rachel. Geólogo, trabalhava para a instituição de pesquisa marinha Icon.
Leon Roche	Psiquiatra, chefe da ala médica da Universidade de Santa Helena.
Mr. Hyde	Apelido de um recruta do mesmo pelotão de Denyel, na Primeira Guerra Mundial.
Rachel Arsen	Menina aprisionada no avatar de Kaira.

AS SETE CASTAS ANGÉLICAS

Querubins Anjos guerreiros. Seus poderes são baseados em força, percepção, furtividade e rapidez.

Serafins Nobres, políticos e burocratas. Mestres na persuasão e na manipulação da mente.

Elohins Vivem no plano físico, geralmente disfarçados de seres humanos. Hábeis em se adaptar a etnias e grupos sociais.

Ofanins Anjos da guarda. Seres bondosos, que vagam no plano astral ajudando os seres humanos. Carismáticos, são capazes de controlar emoções.

Hashmalins Torturadores, anjos da punição. Controlam os espíritos e as trevas.

Ishins Celestes responsáveis por governar as forças elementais: fogo, terra, água e ar.

Malakins Sua missão é estudar o universo e a humanidade. Reclusos, podem moldar o tempo e o espaço.

OS SETE CÉUS

Primeiro Céu Tártaro. Lar dos ishins, abriga os quatro reinos elementais. É a camada mais próxima da terra.

Segundo Céu Gehenna. O purgatório. Uma dimensão de escuridão e torturas, destinada a deter prisioneiros e almas em penitência.

Terceiro Céu Éden Celestial. Destino da alma dos justos após a morte.

Quarto Céu Acheron. Camada intermediária. Contém as fortalezas angélicas e os campos de guerra.

Quinto Céu Celestia. Aqui ficam o Palácio Celestial, as cidades aladas e as catedrais celestes. Era o ponto de reunião dos arcanjos antes da guerra civil.

Sexto Céu Raqui'a. Região controlada pelos malakins. Usada como retiro e pavilhão de estudos.

Sétimo Céu Tsafon. Onde Yahweh descansa.

CRONOLOGIA CELESTE

O QUE SE SEGUE É UMA BREVE CRONOLOGIA DOS PRINCIPAIS EVENTOS SUCEDIDOS no céu e na terra, sob a perspectiva das entidades aladas. Os registros posteriores ao fulgiston foram observados e catalogados pelos malakins. As anotações anteriores são resultado de pesquisas contínuas, previsões e hipóteses. Para informações adicionais, ver "Linha do tempo".

As Batalhas Primevas
(antes da luz)

Sabe-se muito pouco sobre as verdadeiras origens do cosmo. Segundo as suposições mais concretas, houve um tempo em que o universo, bem como tudo que nele existia, estava dividido em duas províncias: o reino do caos e o domínio da lei. As forças caóticas eram então governadas por uma divindade hedionda, Tehom, assistida por diversos deuses menores – entre eles Behemot, o Horrendo, com sua lâmina de chamas negras. Seu opositor era o regente da ordem, Yahweh. Em determinado momento, Yahweh e Tehom entraram em guerra, um conflito ancestral à qual os anjos hoje se referem como Batalhas Primevas.

Para ajudá-lo nesse combate, Yahweh fez nascer os cinco arcanjos, seres de poder fabuloso, que lutaram a seu lado em confrontações magníficas. Tehom foi derrotada, e assim Yahweh assumiu a supremacia das duas províncias, consagrando-se onipotente sobre todas as coisas.

Surgiram então o tempo e a matéria – o primeiro, responsável pelos movimentos cíclicos do cosmo, e a segunda encerrando a substância, a essência que mais tarde moldaria as estrelas, os planetas e todos os seres viventes.

As energias primárias se condensaram, para então se dispersar numa explosão sem igual. O fulgiston – o grande redemoinho da criação – espalhou ondas de plasma através do universo, dando origem às dimensões paralelas. Os anjos nasceram com os primeiros raios de luz, sendo divididos em castas, cada qual com um propósito, mas com a tarefa comum de auxiliar na construção e na manutenção da obra de Deus.

O Jardim do Éden e o Sétimo Dia
(de 400 milhões até 200 mil a.C.)

Ao correr de bilhões de anos, Yahweh cultivou seu labor, dividindo seu projeto em dias, sendo que cada um desses períodos sagrados correspondia a milhares de anos terrenos. Construiu uma miríade de galáxias, luas e estrelas, até alcançar seu mundo perfeito, um planeta que chamou de Éden, ou, como os arcanjos o nomearam, a Terra.

Por incontáveis séculos, o Éden – ou Jardim do Éden – foi o lar dos animais, o canteiro dos anjos, até que, no fim do sexto dia, surgiram os seres humanos, a maior de todas as artes divinas. Encantado com a energia, a força e a capacidade da nova raça, Deus lhe concedeu a alma, concluindo assim seu ministério final.

Exausto e realizado, voou até o monte Tsafon e lá caiu em letargo, deixando aos cinco arcanjos a incumbência de governar em seu nome. Terminou assim o sexto dia e começou o sétimo, que persiste até hoje.

As Grandes Catástrofes e a Diáspora Humana
(+- 180 mil a.C.)

A decisão de Deus de conceder aos seres humanos a alma, e consequentemente o livre-arbítrio, gerou nos arcanjos irritação e ciúme, afinal pretendiam ser eles os agraciados com a livre vontade. Com o adormecimento do Pai, muitos celestes – especialmente o maior deles, o príncipe Miguel – se recusaram a servir aos terrenos, a amá-los e louvá-los, conforme era o desejo de Yahweh. Perseguindo uma trilha ainda mais radical, os primogênitos decidiram-se pelo completo extermínio da humanidade, buscando tornar-se eles, os alados, a única espécie soberana no céu e na terra. Começaria assim o período das grandes catástrofes.

Alegando falar em nome de Deus, Miguel convenceu suas legiões a tomar parte nas mortandades. A época das destruições mundiais iniciou-se com a Era do Gelo, à qual os homens resistiram, fugindo para regiões de clima mais quente. Deu-se com isso a primeira diáspora humana, com as linhagens se dividindo entre homens (*Homo sapiens*), atlantes (*Homo atlantis*) e neandertais (*Homo neanderthalensis*). Os primeiros foram os antecessores do homem moderno e fundaram o reino de Enoque. Os segundos eram mais nobres e altivos, hábeis na manipulação da magia e dotados de poderes psíquicos. Já os terceiros, fortes e brutos, porém menos inteligentes, acabaram sucumbindo à seleção natural.

As Guerras Mediterrâneas
(de +- 38 mil a +- 11.500 a.C.)

Com a completa extinção das tribos neandertais, Enoque e Atlântida despontaram como os grandes impérios antediluvianos, reinos magnânimos cujos interesses estavam fadados a colidir, cedo ou tarde. A disputa por portos, ilhas e, principalmente, por áreas de influência levou a uma série de campanhas militares, conhecidas como Guerras Mediterrâneas. Embora menos versados no estudo da mágica, os enoquianos eram mais numerosos, o que contribuiu para a igualdade de forças durante a maior parte do curso da guerra.

Mas as divergências não eram apenas políticas, eram também ideológicas. Enquanto os atlânticos adoravam os seres alados, os habitantes de Nod os detestavam, pelas catástrofes que promoviam.

As Guerras Mediterrâneas geraram grandes heróis, batalhas épicas e confrontos históricos, cantados em versos por poetas e trovadores. As lutas foram intermitentes entre o segundo e o terceiro cataclismos, para encerrar-se definitivamente com a supressão das duas civilizações.

As Guerras Etéreas
(de +- 23 mil a +- 12 mil a.C.)

Ao passo que a raça humana se multiplicava, crescia igualmente a influência de seus deuses locais, espíritos de homens e mulheres que, por suas façanhas nacionalistas, passaram a ser adorados como verdadeiras divindades. Retidas no plano etéreo (ver "A realidade e além"), justamente por essa ligação, tais entidades se tornaram poderosas, o que ameaçava o domínio dos anjos não só sobre a terra, como também sobre a espécie mortal.

Os espíritos etéreos, como foram chamados, minavam pouco a pouco a autoridade dos celestiais, e então os arcanjos resolveram enfrentá-los. Iniciaram-se as Guerras Etéreas, com as legiões aladas descendo do céu para aniquilar seus rivais.

O maior de todos os triunfos das Guerras Etéreas aconteceu na região da Palestina, onde um experimentado general querubim invadiu o castelo do deus Rahab e o derrotou em combate direto. Nas demais localidades, porém, as tropas angélicas foram rechaçadas, vergonhosamente derrotadas pela superioridade inimiga. Regiões como o Extremo Oriente, por exemplo, nunca chegaram a ser dominadas, nem mesmo o leste da Ásia. Desde o sul da África ao oeste da Europa, passando pela América e pela Índia, os anjos colecionaram sucessivos fracassos.

Como propaganda de guerra, Miguel ordenou que o castelo de Rahab fosse demolido e em seu lugar ergueu a Fortaleza de Sion, uma torre formidável, o grande bastião dos soldados de Deus no plano etéreo. Para ostentar sua autoridade, o príncipe subtraiu a Roda do Tempo (ver "Glossário") do Sexto Céu, provocando a ira de seus guardiões, os malakins. Tal contenda só seria resolvida séculos depois, quando Miguel cederia à casta um grupo de anjos para servir de observadores das guerras humanas. Os integrantes desse esquadrão foram apelidados de anjos da morte.

O Dilúvio e os Sentinelas
(+- 11.500 a.C.)

O desejo de Miguel de devastar a humanidade nunca fora realmente saciado. Auxiliados pelos sentinelas, um coro de anjos escolhido por Deus para salvaguardar os mortais, os terrenos sobreviveram aos seguidos massacres. Então, quando as Guerras Etéreas findaram, os primicérios arquitetaram a destruição final, uma hecatombe que exterminaria tanto os homens quanto os sentinelas e seus filhos.

O novo cataclismo viria sob a forma de um dilúvio, uma inundação universal que engoliria o planeta com o derretimento das calotas polares. Os ishins do fogo foram mobilizados, sob as ordens de Amael, o Senhor dos Vulcões.

Enoque foi devastada por um meteoro abrasado, enquanto um maremoto varreu a inesquecível Atlântida. Os atlantes foram extintos, sobrando apenas os descendentes de Nod, espalhados pelos mais remotos cantos do globo.

Sodoma, Gomorra e a Irmandade dos Renegados
(+- 3.800 a.C.)

Nos anos que se seguiram ao dilúvio, Miguel, atormentado pelos insucessos frequentes, inverteu suas táticas de extermínio. Os ishins foram postos de lado, e os querubins assumiram o comando das operações sanguinárias. Os novos ataques eram localizados e cirúrgicos, mais lentos, porém sem chances de erro, com esquadrões de anjos assaltando povoados e vilas humanas.

A ordem para aniquilar as cidades de Sodoma e Gomorra, bem como todas as demais na planície de Zohar, resultou na formação de um time de resistência, um círculo de dezoito querubins descontentes com as ordens vigentes. Esse conjunto de bravos era liderado por um consagrado guerreiro – Ablon, o Primeiro General, o mirmidão preferido do tirânico Miguel, comandante da Legião das Espadas.

Apesar de legítima, a conspiração era ainda tímida e necessitava de apoio político. Com a ingenuidade comum aos soldados idealistas, Ablon voou à Gehenna e recorreu ao auxílio de Lúcifer, a Estrela da Manhã, principal opositor de Miguel, que prometeu amparo à conspiração.

Estimulado por causas egoístas, porém, Lúcifer traiu os dezoito, delatando ao irmão os agentes subversivos. Os heróis da Irmandade dos Renegados, como logo ficou conhecida, foram expurgados, aprisionados em seus avatares e lançados à terra. Ali permanecem, à espera do Dia do Juízo Final.

A Rebelião de Lúcifer
(+- 3.500 a.C.)

Fortalecido após o expurgo, Lúcifer valeu-se do fato de ter "desvendado" a conspiração para acumular poder e prestígio entre as fileiras celestes. Prometendo o retorno a uma era de glórias e o fim da tirania, a Estrela da Manhã desafiou abertamente o impiedoso Miguel, articulando sua própria rebelião. Um terço das hostes se juntou a ele, mas as ambições do Filho do Alvorecer não eram nem de longe altruístas. Lúcifer acreditava ser o mais sábio entre os gigantes, desejava tomar o principado e se consagrar em Tsafon, tornando-se assim maior que Deus. Muitos bons anjos aderiram à sua revolução, indignados com os massacres pregressos.

Poucos séculos após a queda dos renegados, uma nova batalha estourou no paraíso. No fim de sangrentos combates, Lúcifer e seus generais foram derrotados, expulsos do céu e condenados não à terra, mas às tórridas chamas das profundezas do inferno.

A Guerra Civil
(do ano 0 até hoje)

Milhares de anos se passaram, e, com o desenvolvimento das nações humanas, o tecido da realidade se adensou (ver "A realidade e além"). Perto do ano 0 da nossa era, a película havia se estendido a tal ponto que os anjos não eram mais capazes de interferir diretamente no mundo dos homens.

Enviado à terra em missão, o arcanjo Gabriel foi objeto de um evento improvável – apaixonou-se por uma mulher terrena, tendo com ela um filho. O rebento despertou no gigante um tipo de compaixão que até então ele desconhecia. Gabriel compreendeu finalmente o amor que seu Pai sentia por ele, bem como pela humanidade, que os arcanjos haviam jurado defender. Rejeitou seu passado cruel, agora determinado a proteger os humanos.

A reviravolta incitou a fúria de Miguel, que insistiu em matar o menino, mas Gabriel não lhe entregou a criança. A disputa terminou com as legiões novamente se dividindo, secionando-se entre os novos rebeldes e os exércitos legalistas. O Quarto Céu se converteu em um extenso campo de guerra, onde desde então os dois partidos lutam dia a noite, há mais de dois mil anos.

O Haniah e os Anjos Exilados

A guerra encontrou seu período crítico por volta do ano 1000, quando os rebeldes sitiaram o Castelo da Luz, uma fortaleza estratégica sobre os oceanos de Acheron. Como resposta, Miguel enviou emissários ao plano físico com a tarefa de convocar todos os seus anjos que ainda viviam na terra para lutar a peleja no céu. Com o contingente inimigo aumentando, Gabriel fez o mesmo, e por toda a Idade Média a Haled foi sendo gradualmente esvaziada.

Em 1650 (data oficial do Haniah), as duas facções definiram um armistício, estabelecendo que o confronto civil deveria ficar restrito às sete camadas. Os vórtices de acesso à terra foram fechados, restando alguns poucos, guardados por poderosos vigias. Os anjos que se recusaram a voltar receberam salvo-conduto, servindo então como observadores de seus arcanjos na esfera terrena – eles foram apelidados de "exilados".

Ensaios para o Apocalipse

Para a maioria dos celestiais, o Apocalipse, evento previsto tanto pelos gigantes quanto pelos malakins, marca o despertar de Yahweh – e cada facção luta para preservar sua causa. De um lado, os partidários de Miguel defendem a autoridade do príncipe, o arcanjo empossado legitimamente por Deus; de outro, os rebeldes batalham em prol das almas humanas, a maior de todas as obras do Criador. Enquanto esse dia não chega, a guerra prossegue, sem perspectivas de trégua.

A REALIDADE E ALÉM

ALÉM DO NOSSO MUNDO, AS FRONTEIRAS DA REALIDADE SE ESTENDEM ATRAVÉS de reinos fabulosos, planos de existência e dimensões paralelas. Os limites que dividem a terra dos vivos do domínio dos mortos é o chamado tecido da realidade, uma cortina invisível constituída de fluidos de ectoplasma e formada a partir da consciência coletiva da humanidade, segundo os malakins teorizam. Incapazes de compreender e lidar com fenômenos místicos e inexplicáveis, os mortais teriam erguido, inconscientemente, uma barreira de defesa psíquica, sustentada pela energia suprema que deriva da alma.

Em termos práticos, o tecido age como uma película, dificultando, no plano físico, a invocação de qualquer efeito sobrenatural, sejam as divindades celestes, seja a mágica humana. O tecido existe tão somente na esfera material, manifestando-se de forma mais ou menos densa de acordo com a região. Áreas urbanas ou públicas têm a película espessa, enquanto localidades selvagens ou santuários apresentam espessuras mais finas.

Todos os anjos são dotados da capacidade de cruzar o tecido – ou, mais precisamente, de se materializar e se desmaterializar, alcançando primeiramente o plano astral, a camada mais rasa do mundo espiritual.

De lá, podem ascender a suas dimensões de origem (como o céu) através de túneis denominados vórtices, ou se embrenhar mais profundamente nos reinos espirituais, viajando ao plano etéreo, ao plano das sombras ou ao mundos dos sonhos.

Enquanto os planos de existência (astral e etéreo, principalmente) são reflexos distorcidos do mundo físico e são alcançados transpondo-se essas "cortinas", as dimensões paralelas são regiões afastadas, acessíveis através dos vórtices mencionados anteriormente.

O Mundo Espiritual

Plano Astral

O plano astral é a camada mais rasa do mundo espiritual. Trata-se de um reflexo do mundo dos vivos, em tonalidades incolores, difusas e nebulosas. É igualmente o lar dos fantasmas, criaturas ainda presas à terra por suas pendências vitais, atormentadas por angústias que as impedem de seguir adiante.

Os objetos e seres do plano físico podem ser observados a partir do astral, mas figuram como manchas translúcidas, intocáveis, iguais aos fantasmas avistados na terra. Os artefatos de natureza exclusivamente astral são chamados de quimeras.

Em regiões onde o tecido é flexível, não raro os fantasmas podem ser avistados, produzindo aparições assustadoras. O que se vê, todavia, não é a entidade, mas sua imagem projetada no véu. Da mesma forma, é possível causar agitações no tecido, como gotas tremulantes num lago, tendo como resultado sussurros ou tremores no plano material, fenômeno mais conhecido como *poltergeist*.

As leis físicas do plano astral são distintas daquelas do mundo físico. A gravidade não existe, permitindo que o viajante flutue em todas as direções, transpondo portas, pisos e muros. Uma técnica relativamente famosa, apelidada de Cortina de Aço, impede a invasão através do astral e dificulta a materialização, "travando" o tecido. O efeito pode ser produzido por meio de feitiços ou divindades.

Plano Etéreo

O plano etéreo, a camada mais profunda do mundo espiritual, é separado do plano astral por uma película denominada barreira etérea, uma cortina semelhante ao tecido da realidade, porém ainda mais grossa, que só pode ser ultrapassada em áreas onde há "rasgos" de acesso, as populares fendas. Através dessas fendas, o visitante chegará a um reino que se parece com o mundo real, mas sem os reflexos da atividade humana.

O plano etéreo é povoado por espíritos nativos, muitos dos quais foram deuses de civilizações antepassadas, criaturas poderosíssimas que ainda vivem nos tronos de suas fortalezas quiméricas. Dos deuses egípcios aos heróis gregos, passando pelas fadas germânicas e os dragões japoneses, todos são entidades naturais do plano etéreo.

Os seres etéreos, contudo, não precisam necessariamente pertencer a culturas ancestrais. Qualquer figura deificada, mesmo objetos ou sentimentos, pode acabar se manifestando através da barreira. Uma imagem pública que passa a ser adorada, a veneração diária por aparelhos de televisão ou as preces feitas a um artista após sua morte podem todas gerar duplicatas etéreas.

Para os anjos, o plano etéreo é um lugar perigoso, uma zona de reunião dos velhos deuses, contra os quais os arcanjos estiveram em guerra em um passado remoto (ver "As Guerras Etéreas", no texto "Cronologia celeste").

Plano das Sombras

Acessado a partir do astral, o plano das sombras é uma camada intermediária, onde vagam os espectros, antigos fantasmas que se tornaram maléficos ao potencializar suas angústias e dores. Frequentemente, os espectros atravessam a fronteira e emergem no plano astral, para a partir de lá sugar a energia tanto de outros espíritos quanto de seres humanos, rastreáveis através da membrana.

O plano das sombras é uma cópia sombria do mundo físico, onde a paisagem terrena se manifesta em ruínas, árvores murchas e nuvens negras, carregadas.

Mundo dos Sonhos

O mundo dos sonhos está separado do plano astral pela zona onírica e parece ter surgido a partir das flutuações psíquicas dos seres humanos. Como todos os seus equivalentes, essa camada é um espelho do plano físico, com adições geradas por estímulos do inconsciente. A contraparte onírica da casa de um escritor, por exemplo, pode ser povoada por seus personagens, enquanto a de um hospital psiquiátrico deveria incluir personificações dos mais cruéis pesadelos. Essas manifestações aparecem como criaturas, paisagens, objetos ou como sentimentos apenas.

O mundo dos sonhos costuma ser visitado pelos mortais durante o sono, mas os anjos podem acessá-lo caso consigam atravessar a zona onírica – façanha que geralmente começa com a perseguição de um espírito humano.

As criaturas oníricas podem interagir com os viajantes ou mesmo atacá-los, embora raramente um celestial seja morto ou mesmo ferido nessas regiões ilusórias. No caso de um combate, o mais comum é o anjo ser lançado para fora, de volta ao plano astral, ao passo que os humanos costumam acordar nesse estágio.

A natureza instável do mundo dos sonhos faz dele o refúgio perfeito para entidades e espíritos que não desejam ser localizados. Teoriza-se que essa paragem é uma camada intermediária entre o astral e o etéreo, com esse último manifestando reinos e deuses veneráveis, que em essência são também derivados de sonhos e adorações coletivos.

Dimensão dos Espelhos

Outra região enigmática é a dimensão dos espelhos, que apesar do nome não é uma dimensão, e sim outro plano de existência, igual aos demais citados.

A dimensão dos espelhos, até onde se sabe, é tão somente um território de passagem, através do qual se abrem atalhos. Com a ciência dos poderes corretos, um viajante pode mergulhar em um reflexo e despontar em outro, em qualquer parte do mundo.

O plano é utilizado ainda como prisão, um cárcere destinado a reter certas deidades por demais perigosas.

Céu, Inferno e as Dimensões Paralelas

Diferentemente dos planos de existência, as dimensões paralelas são zonas afastadas do cosmo, territórios isolados que permeiam nosso universo como pétalas ao redor de um núcleo. Elas se formaram a partir das ondas de energia geradas pelo fulgiston e lembram bolsões, bolhas flutuantes na sombra do espaço. Imagine uma toalha esticada sobre a mesa. Agora, empurre-a. Os vincos sobrepostos ao tecido seriam vagamente semelhantes aos efeitos dessa dispersão.

Cada dimensão tem um conjunto próprio de leis, mas suas bordas são finitas, de extensão limitada, muito embora possam ser descomunais, tão grandes como planetas, sistemas ou mesmo galáxias.

As duas principais dimensões que servem aos interesses da terra são o céu e o inferno, por abrigar seres que interagem com a raça humana (anjos e demônios). Afora essas, a terra nórdica de Asgard e a fabulosa Arcádia (superiores), bem como as obscenas masmorras do Hades e a vastidão desolada do Limbo (inferiores), são exemplos de dimensões alheias à nossa esfera universal.

Portais, Vórtices, Vértices

Há três principais classes de "túneis" que conectam as dimensões – os portais, os vórtices e os vértices.

Portais

Os portais são o tipo de conexão mais visado e também o mais raro. Eles ligam o mundo físico a determinada dimensão superior ou inferior, permitindo a passagem direta da entidade ao mundo material, sem o gasto de energia ou a necessidade de materialização – a criatura ingressa no reino dos homens em sua forma espiritual, técnica muito usada por feiticeiros para conjurar demônios ou bestas extraplanares. De igual maneira, um mortal pode, ainda vivo e carregando seu corpo material, cruzar um portal e chegar ao inferno, ao céu, a Asgard, ao Hades ou a qualquer outra esfera do gênero. Por suas propriedades tão delicadas, os portais são geralmente de ação temporária, estando limitados pelo alinhamento dos astros, conjunções estelares, atividades climáticas ou material de sacrifício.

Vórtices

Os vórtices diferem dos portais por abrir-se a partir não do mundo físico, mas do plano astral. Muitos deles são permanentes e, por conseguinte, guardados por experimentados vigias, criaturas que detêm o poder de lacrar as entradas, impedindo o ingresso de quaisquer viajantes. Para os alados, os vórtices funcionam como pontos de ascensão aos Sete Céus, "escadas" através das quais eles regressam ao paraíso. Os vórtices são comumente abertos em localizações geográficas do plano astral, mas alguns deles são móveis, enquanto outros, menos comuns, são de atividade efêmera, instalados pelos serafins para transportar um coro específico de anjos (na necessidade de uma missão, por exemplo).

Vértices

Por fim, os vértices não são propriamente conexões místicas. São sítios, gerados natural ou artificialmente, onde ocorre uma interseção entre os planos físico e etéreo. Lá, o tecido da realidade não existe, permitindo o encontro entre seres terrenos e entidades espirituais. Muitos vértices foram criados no passado para que os sacerdotes primitivos interagissem com seus deuses etéreos. A mitológica ilha de Avalon, o célebre monte Olimpo e os templos internos das pirâmides egípcias são exemplos de vértices.

Rios Oceanus e Styx

Caso o viajante não seja capaz de encontrar um portal ou de acessar um vórtice, poderá ainda recorrer a um dos dois rios que cortam as dimensões – o Styx e o Oceanus.

Não há registros, tampouco hipóteses sobre a origem desses canais, tão usados por anjos e deuses na antiguidade remota. Os rios atravessam plagas sublimes e obscuras, podendo levar o navegante a praticamente qualquer parte do cosmo, contanto que ele conheça suas trilhas.

O rio Styx dá acesso às dimensões inferiores e é povoado pelos enigmáticos barqueiros, entidades que fazem o transporte de passageiros através das esferas cósmicas, mediante o pagamento de energia vital. Já o rio Oceanus desemboca nas dimensões superiores e pode ser percorrido sem o auxílio de marinheiros, mas guarda em si um traço peculiar: suas águas suprimem as radiações místicas, deixando vulneráveis mesmo os espíritos mais poderosos, enquanto seguirem seu curso.

Linha do Tempo

? Protouniverso. Inexistência do tempo ou matéria. Yahweh, a Lei, e Tehom, o Caos, vagam pela sombra do espaço.

? Yahweh dá vida aos cinco arcanjos: Miguel, Lúcifer, Gabriel, Rafael e Uziel. Tehom cria seus deuses-monstros: Behemot, Leviatã, Tanin, Enuma, Taurt.

? Batalhas Primevas. Yahweh e seus generais angélicos derrotam Tehom, assumindo controle sobre as duas províncias.

Primeiro Dia

+- 15 bilhões de anos atrás. Início da criação. Surgem o tempo e a matéria.

Segundo Dia

+- 14 bilhões de anos atrás. Nascimento dos anjos. Big Bang. Criação da luz.

+- 12 bilhões de anos atrás. A expansão da matéria cria "vincos cósmicos" no universo, dando origem às dimensões paralelas.

Terceiro Dia

+- 7 bilhões de anos atrás. Formação das estrelas e galáxias. A luz é separada da escuridão. Anjos e arcanjos estabelecem os Sete Céus como sua dimensão principal. Yahweh cria a Roda do Tempo e o Livro da Vida.

Quarto Dia

+- 6 bilhões de anos atrás. Sol, sistema solar e a terra.

Quinto Dia

+- 4 bilhões de anos. Na terra, surgem as primeiras formas de vida materiais.

Sexto Dia

+- 400 milhões de anos atrás. Primeiros hominídeos.

+- 400000 a.C. Surgimento do homem primitivo, os eridais, também chamados de primeira raça.

+- 320000 a.C. Grande migração. Os eridais se dividem em dois grupos. Um permanece no Oriente Médio, o outro se desloca através do Mediterrâneo rumo à Europa Ocidental.

Sétimo Dia

+- 200000 a.C. Os eridais evoluem em dois ramos: os homens (segunda raça) e os atlantes (terceira raça). Ambos pertencem à espécie *Homo sapiens*, dotados de alma. Yahweh parte para o descanso. Despertar da consciência. Confecção do tecido da realidade.

+- 180000 a.C. Primeira era glacial.

+- 150000 a.C. Fundação da cidade de Atlântida. Ascensão dos atlantes e supremacia do Mediterrâneo. Na Europa, Ásia e Oriente Médio, os homens migram das cavernas para palafitas e constroem pequenas aldeias.

+- 100000 a.C. Primeiro cataclismo. Terremotos dividem a terra. Atlântida se enfraquece.

+- 50000 a.C. Adão unifica as tribos do Oriente Próximo. Caim, seu filho, funda a cidade de Enoque. Segundo despertar – tecido da realidade engrossa.

+- 40000 a.C. Ascensão de Enoque. Extinção do homem de Neandertal e dos tigres-dentes-de-sabre.

+- 38000 a.C. Atlântida e Enoque entram em choque. Guerras Mediterrâneas.

+- 35000 a.C. a +- 25000 a.C. Período das grandes catástrofes. Segundo cataclismo. Terra sofre com chuvas de meteoros, terremotos e vulcões. Arcanjos decidem enviar suas legiões para exterminar a raça humana. Reis de Enoque, com aço e magia, rechaçam ataque de anjos à cidade.

+- 23000 a.C. Início das Guerras Etéreas.

+- 22000 a.C. Apollyon, o Anjo Destruidor, e sua legião vencem e eliminam as serpentes de Kur.

+- 18000 a.C. Batalha de Shin-Tain. Celestiais são derrotados no Extremo Oriente.

+- 12000 a.C. Ablon, o Primeiro General, vence o deus Rahab, o Príncipe dos Mares, pondo fim às Guerras Etéreas. Construção da Fortaleza de Sion.

+- 11500 a.C. Dilúvio. Terceiro cataclismo. Destruição de Enoque e Atlântida. Orion retorna aos Sete Céus.

+- 10000 a.C. Civilização regressa à barbárie. Atlântida não deixa sobreviventes. Remanescentes dos homens de Enoque evoluem no chamado "homem moderno", o *Homo sapiens sapiens*, também conhecido como quarta raça. O ser humano se espalha pelo globo terrestre.

+- 4000 a.C. Renascimento da civilização humana. Invenção da escrita. Fundação da Babel legendária. Gilgamesh na Suméria. Extinção dos mamutes.

+- 3800 a.C. Revolta de Sodoma. Expurgo de Ablon e da Irmandade dos Renegados dos Sete Céus. Sodoma e Gomorra são destruídas. Zohar é devastada.

+- 3500 a.C. Rebelião de Lúcifer. O Arcanjo Sombrio e suas hordas são expulsos do céu e condenados ao Sheol.

+- 3000 a.C. A Irmandade dos Renegados deixa Enoque e se divide. Construção das grandes pirâmides do Egito. Terceiro despertar – alargamento do tecido da realidade.

+- 2800 a.C. Anjo Negro encontra Ishtar. Os dois lutam sobre a montanha. Ablon destrói o morro e impede o assassinato de Ishtar, mas é soterrado.

2414 a.C. Cush assume o trono da Babilônia legendária. Construção do zigurate de prata. Ablon desperta e escapa do soterramento. Nasce Zamir, o Feiticeiro.

2354 a.C. Akto e Maya, pais de Shamira, fogem de Knossos, na Grécia, e se estabelecem na aldeia de En-Dor, em Canaã.

2335 a.C. O rei Cush é capturado e morto. Nimrod assume o trono da Babilônia. Zamir encontra o avatar desacordado de Ishtar e o leva à cidade. Início da construção da Torre de Babel.

2334-2333 a.C. Shamira é levada à Babilônia. Queda de Babel. Destruição da torre. Ishtar morre.

2332 a.C. Shamira começa seu treinamento com o mestre necromante Drakali-Toth, na cidade de Mênfis.

+- 1800 a.C. Ascensão da Babilônia histórica. Hamurabi.

315 a.C. Zamir inicia sua campanha para restaurar o sonho da Babilônia, perseguindo, assassinando e roubando o conhecimento dos grandes feiticeiros que ainda caminhavam pelo mundo.

209 a.C. Zamir derrota Drakali-Toth e incorpora suas habilidades necromânticas.

3 a.C. Hazai enfrenta as rapinas; sobrevive, gravemente ferido. Ruma para Enoque.

Ano 0 da era cristã. Nasce a Criança Sagrada. Início da guerra civil entre Miguel e Gabriel. Isolamento do arcanjo Rafael. Ablon enfrenta os espíritos antigos do bosque Tin-Sen. Quarto despertar – o tecido se adensa.

1 d.C. Caravana na via secreta. Ablon derrota as rapinas. Shamira vence Zamir. Ablon entra em torpor.

30 d.C. O Salvador é crucificado e ascende. Ablon desperta do torpor e alcança Jerusalém. A guerra civil entre Miguel e Gabriel, que até então se passava no plano astral, é transferida para os Sete Céus. Gabriel assume seu quartel-general na Cidadela do Fogo.

112 d.C. Flor do Leste morre na China. Shamira descobre o segredo dos ossos-oráculos e estuda a feitiçaria chinesa.

+- 500 d.C. Supressão cósmica. A queda de Roma e a expansão do cristianismo resultam na supressão de diversos vértices, especialmente no mundo ocidental. Fadas se recolhem ao plano etéreo.

+- 700 d.C. A ilha de Avalon regride ao plano etéreo.

1097 d.C. Shamira assume o posto de arauto entre as fadas, para registrar a partida dos elfos e gravar seus rituais e conhecimentos. Ela se estabelece no vértice da floresta Vermelha, na Inglaterra.

1119 d.C. O poderoso Azazel, um anjo caído e duque do inferno, desafia Lúcifer, dando início, no Sheol, à chamada Guerra de Libertação. Azazel é derrotado e morto em 1203.

1231 d.C. Apollyon, o Exterminador, captura o anjo renegado Yarion, Asa de Vento, e o arrasta para o Sheol. Ablon parte em seu encalço, é capturado e preso.

1318 d.C. As fadas do oeste da Europa retornam à Arcádia. Todos os seus santuários são suprimidos.

1453 d.C. Ablon escapa dos calabouços de Zandrak. Yarion é morto. Constantinopla é invadida.

1614 d.C. Nos Sete Céus, as forças rebeldes de Gabriel tomam o Castelo da Luz, fortaleza dos querubins.

1650 d.C. Inicia-se o chamado Haniah, ou Retorno. Miguel ordena que todos os anjos que vivam, atuem ou estejam em missão na Haled voltem imediatamente para o céu. A guerra civil torna-se ainda mais sangrenta. Gabriel é obrigado a fazer o mesmo: convocar todos os seus partidários à batalha.

1772 d.C. Para impedir que seus soldados desertem e fujam para a Haled, onde poderiam se esconder, Miguel ordena a destruição da maioria dos portais conhecidos de acesso à terra. Os poucos que sobram passam a ser guardados por sentinelas poderosas.

+- 1880 d.C. Quinto despertar. O último grande adensamento do tecido da realidade torna a manifestação de magias e divindades, na terra, praticamente impossível fora de santuários.

2007 d.C. Uziel é morto pelo arcanjo Miguel, em Tsafon, o Monte da Congregação, no Sétimo Céu.

2012 d.C. Muito concentrado e denso, o tecido da realidade começa seu lento processo de desintegração.

Século XXI. Apocalipse.

GLOSSÁRIO

A palavra: mensagens e diretrizes deixadas aos arcanjos por Yahweh antes de adormecer. Sua principal regra era "servir e guiar a humanidade sem interferir em seu curso".

Acheron: a quarta camada celeste.

Alma: o espírito humano, dotado de livre-arbítrio.

Anjos da morte: esquadrão de anjos selecionados pelos malakins para acompanhar as grandes guerras do século XX, de maneira a estudá-las.

Apocalipse: série de eventos que marcará a desintegração do tecido da realidade e o despertar de Yahweh.

Arautos: anjos de alta hierarquia. Respondem diretamente aos arcanjos.

Arcontes: capitães celestes. Geralmente lideram equipes (ou coros) de anjos.

Asgard: uma das dimensões superiores, para onde migraram vários deuses etéreos adorados pelos antigos povos nórdicos. Sua ligação com o plano astral é feita por um vórtice denominado Bifrost, a Ponte do Arco-Íris.

Athea: colônia atlante. Seu templo, construído para adorar os alados, abrigava um dos afluentes do rio Oceanus.

Atlântida, a Joia do Mar: a maior de todas as nações humanas antes do dilúvio. Foi destruída com a inundação.
Aura: a energia vital dos anjos e demônios. É a essência que lhes permite usar suas habilidades e poderes especiais.
Avatar: a forma física de um anjo ou demônio. Não precisa comer nem dormir, a não ser quando ferido.

Baals: demônios da punição e da tortura. Muitos eram hashmalins antes da queda.
Balé dos ofanins: dança no céu, em forma de círculo, que os ofanins apresentavam nas ocasiões mais solenes.
Barqueiros: misteriosas criaturas que transportam passageiros pelo rio Styx, conhecendo suas rotas e segredos.
Batalhas Primevas: conflito de Yahweh e seus arcanjos contra Tehom e suas entidades abissais pela supremacia do universo, antes mesmo da criação.
Behemot: principal auxiliar de Tehom durante as Batalhas Primevas.
Bolha temporal: divindade própria dos malakins que prende a vítima em uma repetição de ações.

Caídos: os anjos que se aliaram a Lúcifer em sua fracassada revolução, para com ele ser lançados ao inferno. Hoje, são demônios antigos e poderosos, duques e príncipes satânicos.
Câmara oceânica: sala construída para abrigar um dos afluentes do rio Oceanus.
Cárcere do Medo: a maior prisão do paraíso, localizada no Segundo Céu.
Castas: classes de anjos divididas segundo sua natureza e função no céu.
Castelo da Luz: principal fortaleza dos querubins, localizada no Quarto Céu.
Celestia: quinta camada celeste.
Chama da Morte: espada de fogo do arcanjo Miguel.

Ciclo: mede o nível de poder de um anjo ou demônio. Os anjos de primeiro ciclo são os mais fracos. Os de sexto ciclo são os mais poderosos.

Cidadela do Fogo: região do Primeiro Céu que é o ponto de encontro dos ishins. Foi governada por Amael, depois por Aziel, e mais adiante virou quartel-general de Gabriel e dos novos rebeldes.

Controle emocional: divindade usada pelos ofanins para tranquilizar ou persuadir outrem.

Coração de Gelo: divindade especial usada por Andril, o Anjo Branco. O poder transforma seu coração em uma peça indestrutível de cristal.

Cordão de prata: corrente mística que liga os espíritos humanos ao corpo material.

Cortina de aço: técnica que "trava" o tecido da realidade, impedindo que o anjo passe do mundo físico para o plano astral, e vice-versa.

Cosmo: o conjunto dos vários universos e dimensões.

Desgarrados: qualquer anjo que escolheu viver na terra.

Despertar: refere-se à crença no despertar de Yahweh, no Apocalipse.

Devorador: caçador de espíritos.

Dilúvio: a grande inundação descrita na Bíblia, responsável pela destruição de Atlântida e Enoque.

Divindades: poderes especiais dos anjos e demônios.

Duques do inferno: chamado de Círculo dos Nove, esse conselho reúne os demônios de mais alta hierarquia: Asmodeus, Molloch, Mephistopheles, Alastor, Mammon, Orion, Apollyon, Baalzebul e Bael.

Ecaloths: seres nativos do rio Oceanus, compostos de pura energia.

Eclipso: veleiro de Denyel.

Ectoplasma: a porção materializada do tecido da realidade. Os anjos a usam para moldar seu avatar e manifestar roupas e armas.

Éden ou Jardim do Éden: antigo nome para descrever o planeta Terra.

Éden Celestial: terceira camada dos Sete Céus, para onde vão as almas humanas que foram justas durante a vida. Ali existem diversas colônias espirituais. É também o lar dos santos e dos mártires.
Egnias, a Segunda Cidade: colônia atlante fundada nos desertos da África. Detém um dos afluentes do rio Oceanus.
Elísio: o pavilhão de entrada do Terceiro Céu, onde as almas justas se preparam para o ingresso nas colônias celestes.
Enoque, a Primeira e Última: também chamada de A Bela Gigante, foi a cidade fundada por Caim, filho de Adão. É considerada a pátria de todos os homens, uma vez que a civilização atlante, sua rival, foi completamente destruída no dilúvio.
Espectro: fantasma maligno.
Espírito: nome genérico para se referir à energia vital de qualquer criatura. Determina também seu reflexo no mundo espiritual. Os reflexos de objetos ou peças inanimadas são chamados de "quimeras".
Espíritos etéreos: entidades que habitam o plano etéreo. Todos os deuses pagãos (gregos, egípcios, indianos etc.) são espíritos etéreos. Em geral, não nutrem grande simpatia para com os celestiais, em consequência das Guerras Etéreas.
Eterno Verão: feitiço desenvolvido pelas fadas que mantém a temperatura sempre agradável e constante.
Exilados: anjos de várias castas (à exceção dos malakins) que optaram por permanecer na terra depois do Haniah.

Fantasmas: almas humanas atormentadas que vagam no plano astral.
Filhos de Nod: homens e mulheres de Enoque.
Filhos do Éden: maneira formal de os anjos se referirem aos seres humanos.
Flagelo de Fogo: espada de fogo originalmente pertencente ao arcanjo Gabriel.
Fogo Negro: espada do demônio Apollyon, herdada do deus Behemot. Considerada a arma mais poderosa do universo.
Fulgiston: a explosão que deu origem ao universo.

Gabriel, o Mestre do Fogo: também chamado de Anjo da Revelação e O Mensageiro. É um dos cinco arcanjos.

Gehenna: segunda camada dos Sete Céus. Era o local de punição das almas nos dias antigos, governado por Lúcifer e seus hashmalins. Após a queda, a Gehenna tornou-se um purgatório.

Gente de barro: forma pejorativa de os anjos e demônios de referirem aos seres humanos.

Gigantes: maneira de se referir aos arcanjos.

Golem: monstro autômato criado nos túneis do inferno. É mais frequentemente usado como besta de carga e arma de guerra.

Guerra civil: conflito militar entre Miguel e Gabriel.

Guerras Etéreas: série de campanhas levadas a cabo pelos celestiais para destruir os poderosos espíritos etéreos e aniquilar sua influência sobre os seres humanos.

Guerras Mediterrâneas: repetidos conflitos entre Enoque e Atlântida, pelo controle de portos e territórios.

Hades: uma das dimensões inferiores. Região cinzenta e desolada, é uma fossa cósmica, com colinas de destroços, para onde são enviados construções e objetos desintegrados ou descartados.

Haled: maneira como os anjos se referem ao plano físico.

Haniah: o Retorno. Convocação dos anjos que viviam na terra para lutar a guerra no céu.

Herdeiros de Atlântida: como ficaram conhecidos os nove regentes, únicos atlantes que sobreviveram ao dilúvio. Todos eles foram postos em hibernação nos momentos que se seguiram à catástrofe.

Icon: instituição de pesquisa marinha baseada na Noruega.

Irmandade dos Renegados ou Dezoito Renegados: grupo de dezoito anjos que se rebelaram contra Miguel e foram atirados à terra, pouco depois do dilúvio. Os insurgentes foram liderados por Ablon, o Primeiro General, na chamada Revolta de Sodoma.

Legião das Espadas: tropa comandada por Ablon antes do expurgo.
Limbo: o vazio entre as dimensões, para onde seguem as almas dos suicidas, daqueles que desistiram de tudo, mesmo de suas angústias e dores.

Macaco: forma pejorativa de se referir aos seres humanos.
Membrana etérea: tecido místico que separa o plano astral do plano etéreo.
Mundo dos sonhos: camada rasa do mundo espiritual, que se separa do plano astral pela chamada zona onírica. É um espelho do astral, com "bolsões" ilusórios criados pelos sonhos dos seres humanos.
Mundo espiritual: tudo aquilo que está além do tecido da realidade, compreendendo uma infinidade de planos de existência. Os mais conhecidos são o astral e o etéreo.
Mundo sem cor: denominação humana para o plano astral.

Netúnia: o maior vulcão do paraíso, localizado no Primeiro Céu. Sobre ele sustenta-se a Cidadela do Fogo, quartel-general da casta dos ishins.
Novos rebeldes: partidários do arcanjo Gabriel na guerra civil contra Miguel.

Obelisco negro: marco de distribuição de energia em Athea. A peça encerra mistérios ancestrais.

Padrões de energia: linhas místicas e magnéticas que interligam nódulos de energia ao redor do planeta.
Palácio Celestial: fortaleza dos arcanjos no Quinto Céu. Ponto mais central e importante do paraíso celeste.
Palavra de Retorno: antigo ritual que transporta uma pessoa ou entidade, através de um túnel dimensional, diretamente ao seu santuário de origem.

Plano astral: camada mais rasa do mundo espiritual, que se conecta ao plano físico pelo tecido da realidade. Por lá caminham fantasmas e almas perdidas. Não tem cor nem gravidade.
Plano das sombras: camada mais distante do mundo espiritual. Moradia de sombras e espectros.
Plano etéreo: camada mais profunda do mundo espiritual, além do plano astral. É o lar dos espíritos evoluídos e dos poderosos deuses pagãos.
Plano físico: o mundo material, onde vivem os humanos encarnados. Compreende a terra e o universo ao seu redor.
Platina branca: metal usado pelos atlantes, forjado magicamente pela junção de aço, platina e diamante.
Portais: passagens místicas que ligam o plano etéreo ou dimensões paralelas (como o céu e o inferno) ao plano físico.
Primicérios: os arcanjos.
Primogênitos: outro termo para se referir aos arcanjos.
Príncipes: líderes de casta. Estão acima dos arcontes e abaixo dos arautos.

Queda: refere-se à derrota do então arcanjo Lúcifer e de suas hostes por Miguel e sua expulsão para o Sheol.
Querubim: casta composta por anjos guerreiros. São os guardiões e soldados de Deus.

Rafael: um dos cinco arcanjos. Desiludido, desapareceu do céu e nunca mais foi visto.
Raptores: demônios enviados à terra para capturar anjos perdidos.
Raqui'a: o Sexto Céu, lar dos malakins. Ali fica a Casa da Glória e as bibliotecas celestes.
Rebelião de Lúcifer: revolução do então arcanjo Lúcifer contra seu irmão, Miguel. A derrota de Lúcifer ocasionou a queda e a condenação de seus acólitos ao Sheol.
Regentes: generais atlantes. Responsáveis por guardar as fronteiras do império.

Relíquia sagrada: qualquer objeto místico criado por Deus, anjos ou demônios.

Renegados: ver *Irmandade dos Renegados* ou *Dezoito Renegados*.

Revolta de Sodoma: levante comandando por Ablon, o Primeiro General, contra a destruição de Sodoma e Gomorra. A revolta resultou na expulsão dos insurgentes e em sua condenação à Haled.

Rio Oceanus: rio místico que sobe rumo às dimensões superiores.

Rio Styx: rio místico que desce rumo às dimensões inferiores.

Roda do Tempo: provavelmente a maior relíquia criada por Deus. Marca a continuidade do sétimo dia e não pode ser contida. Seu fim supostamente marcaria o despertar de Yahweh.

Santa Helena: cidade na região serrana do Rio de Janeiro.

Santuário: local no plano físico em que o tecido da realidade é muito fino, facilitando a manifestação de efeitos mágicos, místicos ou a interação com entidades espirituais.

Sentinelas: grupo de anjos designados diretamente por Deus para ensinar, guiar e cuidar dos seres humanos.

Sete Céus: conhecidos também como paraíso celeste, morada de Deus ou morada divina. Dimensão de onde anjos e arcanjos vigiam o rumo da espécie humana e do universo material.

Sétimo dia: tempo que compreende da criação do homem ao Dia do Juízo Final.

Sheol: dimensão onde foram sepultados os restos mortais de Tehom e dos deuses das trevas. Mais tarde, serviu como lar a Lúcifer e a seus anjos caídos, passando a ser conhecido como inferno.

Sombras: fantasmas sem força de vontade. São espíritos "loucos", que repetem continuamente as ações que desempenhavam no instante da morte.

Sopro de Deus: a alma humana.

Tártaro: primeira camada celeste. Lar dos ishins e dos quatro reinos elementais.

Tecido da realidade: membrana mística que separa o mundo físico do espiritual. Sua camada mais rasa e adjacente é o plano astral. Acredita-se que o tecido da realidade seja formado pela consciência coletiva dos seres humanos e represente uma defesa inconsciente dos homens contra os efeitos místicos e inexplicáveis que os ameaçam e desafiam sua compreensão.

Tehom: deusa do caos e da escuridão, a qual Yahweh combateu e derrotou durante as Batalhas Primevas. Sua derrocada antecedeu à criação da luz e do universo.

Telecinese ou telecinesia: divindade rara, que permite mover objetos a distância.

Templo da Harmonia: gigantesco salão de mármore na Cidadela do Fogo. Lugar de conferência dos ishins, posteriormente servindo de residência ao arcanjo Gabriel, durante a guerra civil.

Terra de Nod: país cuja capital era Enoque.

Torre das Almas: torre disfarçada de edifício no plano físico, onde o hashmalim Henoch guardava almas supostamente iluminadas. Com elas, ele pretendia abrir uma passagem para o Terceiro Céu.

Transferência espiritual: habilidade usada pelos hashmalins para capturar um espírito humano e posteriormente transferi-lo para outro corpo ou para um objeto.

Tsafon, o Monte da Congregação: região mais alta do Sétimo Céu, onde Deus estaria adormecido.

Túnel da morte: vórtice que liga o plano astral ao Terceiro Céu. Abre-se aos seres humanos no instante da morte.

Universidade de Santa Helena: instituição de ensino na cidade serrana de Santa Helena, no Rio de Janeiro.

Varna: líder do regimento das arqueiras. Imediata em comando após o arcanjo Gabriel.

Vértices: sítios onde ocorre uma interseção planar. Esses locais existem tanto no plano material quanto no etéreo, possibilitando a interação física entre humanos e espíritos.

Vias atlânticas: atalhos dimensionais criados pelos atlantes. Permitem aos navios percorrer longas distâncias em menos da metade do tempo.

Vórtices: conexões místicas que ligam o plano astral ou o etéreo a alguma dimensão paralela (como o céu, o inferno ou a Arcádia).

Yahweh: também chamado de Altíssimo, Pai Celestial, Deus Adormecido, Reluzente, Luminoso, Criador. É o Deus supremo do universo, adormecido no fim do sexto dia.

Yamí: uma das civilizações pré-cataclísmicas. Ocupava grandes porções da floresta Amazônica.

Zandrak: maior calabouço do Sheol, com celas, salas de tortura e cadafalsos. Localiza-se nos túneis abaixo do vale dos Condenados.

Filhos do Éden também está na internet!

Acesse o *site*
www.filhosdoeden.com

Fale com o autor pelo Twitter
twitter.com/eduardospohr

Este livro foi composto na tipografia
ITC Stone Serif Std, em corpo 9,75/15,5, e impresso em
papel off-white no Sistema Digital Instant Duplex
da Divisão Gráfica da Distribuidora Record.